W9-BCL-160

DIE GRUNDLEHREN DER

MATHEMATISCHEN WISSENSCHAFTEN

IN EINZELDARSTELLUNGEN MIT BESONDERER BERÜCKSICHTIGUNG DER ANWENDUNGSGEBIETE

BAND 102

ABSOLUTE ANALYSIS

VON

F. UND R. NEVANLINNA

SPRINGER-VERLAG
BERLIN · GÖTTINGEN · HEIDELBERG
1959

ABSOLUTE ANALYSIS

VON

F. UND R. NEVANLINNA

MIT 4 ABBILDUNGEN

SPRINGER-VERLAG
BERLIN · GÖTTINGEN · HEIDELBERG
1959

PRINTED IN GERMANY

DEM ANDENKEN AN

UNSEREN VATER

OTTO NEVANLINNA

Vorwort

Das vorliegende Werk ist als Ergebnis von Vorlesungen entstanden, welche die Verfasser seit 1953 im Laufe von mehreren Jahren an den Universitäten Helsinki und Zürich gehalten haben. Die nachfolgende Einleitung gibt über die Tendenzen Aufschluß, die für unsere Darstellung der Grundlagen einer absoluten, koordinaten- und dimensionsfreien Infinitesimalrechnung maßgebend gewesen sind. Die Lektüre setzt an Vorkenntnissen nur wenig voraus; sie kann jedem Studierenden empfohlen werden, der mit dem üblichen, auf die Benutzung von Koordinaten fußenden Aufbau der Elemente der analytischen Geometrie, der Differential- und Integralrechnung und der Theorie der Differentialgleichungen vertraut ist.

Unsere Arbeit ist durch die Hilfe wesentlich erleichtert worden, die uns von mehreren Seiten zuteil geworden ist. Herr Ilppo Simo Louhivaara hat von Anfang bis zu Ende an der Herstellung dieses Werkes mit unermüdlichem Interesse und minutiöser Sorgfalt teilgenommen und durch zahlreiche sachliche und formelle Bemerkungen und Vorschläge unsere Arbeit wesentlich gefördert. Für seine wertvolle, aufopfernde Unterstützung sprechen wir hier unseren herzlichen Dank aus.

Den Herren H. Keller, T. Klemola, T. Nieminen, Ph. Tondeur und K. I. Virtanen, die unsere Darstellung im Manuskript gelesen haben, verdanken wir verschiedene wichtige kritische Bemerkungen.

Unser Dank gilt auch Herrn Professor Dr. F. K. Schmidt für die Aufnahme dieses Werkes in die Reihe der Grundlehren der mathematischen Wissenschaften, und dem Springer-Verlag, der unseren Wünschen mit freundlicher Bereitwilligkeit entgegengekommen ist.

Helsinki, September 1958 **Die Verfasser**

Inhaltsverzeichnis

Einleitung

In der neuzeitlichen Entwicklung der Funktionalanalysis, angeregt durch die bahnbrechenden Arbeiten von David Hilbert, Erhard Schmidt und Friedrich Riesz, bedeutet J. von Neumanns Auftreten (1928) eine entscheidende Wendung. Vor ihm war die Theorie der linearen Operatoren und der quadratischen und der Hermiteschen Formen wesentlich an die Koordinatendarstellung der betrachteten linearen Vektorräume und an den Matrizenkalkül gebunden. Die Untersuchungen v. Neumanns haben hier eine wesentlich neue Situation herbeigeführt: die lineare und quadratische Analysis wurde von jenen Schranken befreit und zu einer „absoluten", von den Koordinatendarstellungen und weitgehend auch von der Dimension der Vektorräume unabhängigen Theorie gestaltet. Erst auf der von v. Neumann geschaffenen allgemeinen axiomatischen Grundlage konnten auch die geometrischen Gesichtspunkte, welche für die Hilbertsche Auffassung der Funktionalanalysis maßgebend sind, zur vollen Geltung gelangen. Es ist nicht nötig, hier näher an die gewaltige Entwicklung zu erinnern, zu der v. Neumanns Ideen den Weg geöffnet haben.

In dem vorliegenden Werk wird der Versuch gemacht, eine systematische Grundlage für eine allgemeine absolute, koordinaten- und dimensionsfreie vektorielle Infinitesimalrechnung darzustellen. Ansätze in einer solchen Richtung liegen bereits früh vor. Vor allem sind hier die Arbeiten von M. Fréchet zu erwähnen, in denen der Begriff des Differentials in einem abstrakten Funktionsraum eingeführt wurde. Dieselbe Tendenz, die Übertragung der Differentialrechnung auf die allgemeine Funktionalanalysis, wird in einer Reihe von späteren Untersuchungen verfolgt (Gâteaux, Hildebrandt, Graves, Kerner, Michal, Elconin, Taylor, Rothe, Sebastião e Silva, Laugwitz, Bartle, Whitney, Fischer u. a.)[1]. Weniger hat dabei die klassische Analysis, die Theorie der endlichdimensionalen Räume Beachtung gefunden. Und doch scheint die absolute Betrachtungsweise bereits hier wesentliche Vorteile mit sich zu bringen. Die Elimination der Koordinaten bedeutet nicht nur in formaler Hinsicht einen Gewinn. Sie führt zu einer größeren Einheitlichkeit und Einfachheit in der Theorie der Funktionen beliebig vieler Veränderlichen, die algebraische Struktur der Analysis wird aufgeklärt und

---

[1] Vgl. z. B. das Buch von E. Hille und R. S. Phillips [*1*] sowie das Literaturverzeichnis des vorliegenden Buches.

gleichzeitig treten auch die an den Begriff der Vektorräume gebundenen geometrischen Momente hervor, was das Erfassen der Gesamtstrukturen erleichtert und die Weiterbildung der Ideen und der Methoden fördert.

Da diese Gesichtspunkte in ebenso hohem Maß für die klassische Analysis wie für die allgemeine Funktionalanalysis ihre Geltung haben, bleibt unsere Darstellung hauptsächlich auf den endlichdimensionalen Fall, also auf die Theorie der endlich vielen Veränderlichen beschränkt. Es liegt aber in der Natur der Methoden, daß sie entweder direkt oder mit gewissen Modifikationen, die im allgemeinen leicht zu übersehen sind, auch für den Fall unendlich vieler Dimensionen (für Hilbert- oder Banach-Räume) anwendbar sind.

Unsere Darstellung wird mit einem Kapitel über die lineare Algebra und die analytische Geometrie der endlichdimensionalen Räume eingeführt. Bekanntlich liegt eine große Anzahl von Werken über diese Grundlehre vor, unter denen sich auch solche befinden, in welchen die allgemeinen Gesichtspunkte, von denen oben die Rede gewesen ist, volle Beachtung gefunden haben. In diesem Zusammenhang ist vor allem die grundlegende Darstellung von N. Bourbaki [*1*] hervorzuheben. Trotzdem haben wir es als notwendig erachtet, auf die lineare Algebra ausführlich einzugehen, um die Grundbegriffe und die Bezeichnungen einzuführen, welche für die infinitesimale Analysis fundamentale Bedeutung besitzen.

Die Darstellung des Infinitesimalkalküls fängt im zweiten Kapitel an, wo die zentralen Probleme der Differentialrechnung kurz behandelt werden. Unter den Problemen, bei denen die Vorteile der absoluten Analysis besonders hervortreten, sind hier hervorzuheben: die Sätze über die Vertauschbarkeit der Differentiationen und die Theorie der impliziten Funktionen. Die koordinatenfreie Methode, zusammen mit der Anwendung einer Erweiterung des klassischen Mittelwertsatzes, führt bei diesem zweiten Problem in natürlicher Weise zu einem einheitlichen Ergebnis, das in bezug auf die Genauigkeit des Gültigkeitsbereiches der Umkehrung einer Funktion oder der Auflösung einer Gleichung vollständig ist.

Das folgende Kapitel III ist der Integralrechnung gewidmet. Das zentrale Problem bildet die Integration einer multilinearen alternierenden Differentialform. Das hier eingeführte „affine Integral" deckt sich sachlich mit dem Begriff des Integrals eines „äußeren Differentials" von Grassmann-Cartan. Als Anwendung wird das Problem der Integration eines schiefsymmetrischen Tensorfeldes gelöst.

Auch in der Theorie der Differentialgleichungen (Kapitel IV) bringt die „absolute" Betrachtungsweise Ordnung und Einheitlichkeit herbei. Nach einer vorbereitenden Behandlung der Normalsysteme folgt die

Lösung der Systeme von partiellen Differentialgleichungen erster Ordnung nach zwei verschiedenen Methoden, von denen die zweite auch zu einer Präzisierung der Bedingungen führt, unter denen das Problem üblicherweise gelöst wird.

Im letzten Kapitel V werden die Grundzüge der Kurventheorie und der Gaußschen Flächentheorie dargestellt. Obwohl dieser Abschnitt in sachlicher Hinsicht nicht viel Neues bietet, zeigt sich auch in diesem Falle die Nützlichkeit des absoluten, koordinatenfreien Standpunktes. In der Theorie der Flächen beschränken wir uns auf den Fall einer m-dimensionalen Fläche, die in einem $(m+1)$-dimensionalen euklidischen Raum eingebettet ist. Entsprechend der leitenden Tendenz unseres Werkes, werden die Gesichtspunkte der „inneren Geometrie" stark hervorgehoben, und die Theorie wird so aufgebaut, daß sie eine unabhängige Darstellung der Riemannschen Geometrie und der affinen Differentialgeometrie mitenthält. Zu diesem Zweck mußte die Tensorrechnung besondere Beachtung finden. Auch diese Lehre wird koordinatenfrei entwickelt. Die Ausschaltung der Koordinaten und der Indizes, welche in den üblichen Tensordarstellungen schon typographisch lästig sind, vereinfacht die Schreibweise. Andererseits werden sehr weitgehende Abstraktionen vermieden, wie sie etwa bei Bourbaki vorkommen. Unser Ziel war, die Tensorrechnung so zu gestalten, daß ihr Zusammenhang mit der klassischen Darstellung nicht gebrochen wird und daß sie den Charakter eines automatischen Kalküls behält. Es scheint uns, daß der so modifizierte Kalkül, wie die absolute Infinitesimalrechnung überhaupt, nicht nur in der Mathematik sondern auch in der theoretischen Physik mit Vorteil angewandt werden kann.

I. Lineare Algebra

§ 1. Der lineare Raum mit reellem Multiplikatorenbereich

1.1. Die linearen Grundrelationen. Es sei R eine Menge, deren Elemente wir mit $a, b, c, \ldots, x, y, z, \ldots$ bezeichnen.

Wir setzen voraus, daß in dieser Menge die Addition und die Multiplikation mit einem reellen Multiplikator λ in einer den folgenden *linearen Gesetzen* genügenden Weise definiert sind:

Summe. Jedem Elementenpaar a, b entspricht in R eindeutig ein Element $a + b$, die Summe von a und b, mit folgenden Eigenschaften:

I.1. Die Summe ist assoziativ,

$$a + (b + c) = (a + b) + c.$$

I.2. Es existiert in R ein eindeutiges Element 0, die Null, derart, daß für jedes a dieser Menge

$$a + 0 = 0 + a = a.$$

I.3. Jedes Element a hat in R ein eindeutiges Gegenelement, $-a$, mit der Eigenschaft

$$a + (-a) = (-a) + a = 0.$$

I.4. Die Summe ist kommutativ,

$$a + b = b + a.$$

Die drei ersten Axiome besagen, daß R in bezug auf die Addition eine Gruppe ist, und zwar infolge I.4 eine kommutative oder Abelsche Gruppe. Hieraus folgt die Existenz einer eindeutigen Differenz $a - b$ mit der Eigenschaft

$$b + (a - b) = (a - b) + b = a;$$

es ist nämlich

$$a - b = a + (-b) = (-b) + a.$$

Produkt. Jedem reellen λ und jedem Element a entspricht in R eindeutig ein Element λa, das Produkt von λ und a, mit folgenden Eigenschaften:

II.1. Es ist $1a = a$ für jedes a.

II.2. Das Produkt ist assoziativ,

$$\lambda(\mu a) = (\lambda \mu) a.$$

II.3. Das Produkt ist distributiv,

$$\lambda(a+b) = \lambda a + \lambda b, \qquad (\lambda + \mu) a = \lambda a + \mu a.$$

Aus den distributiven Gesetzen folgt für $b = 0$ und $\mu = 0$

$$\lambda 0 = 0 a = 0.$$

Umgekehrt folgt aus $\lambda a = 0$, falls $\lambda \neq 0$, daß

$$a = 1 a = \left(\frac{1}{\lambda}\lambda\right) a = \frac{1}{\lambda}(\lambda a) = 0.$$

Das Produkt verschwindet also dann und nur dann, wenn einer der Faktoren Null ist. Da für $a \neq 0$ die Gleichung $\lambda a = \mu a$ nur für $\lambda = \mu$ besteht, so muß die additive Abelsche Gruppe R sich entweder auf das Element Null reduzieren oder unendlich hoher Ordnung sein; denn mit $a \neq 0$ enthält R allenfalls sämtliche Elemente λa, die für verschiedene Multiplikatoren λ verschieden sind.

Ferner bemerke man, daß wegen II.3 und II.1 für ein ganzzahliges positives $\lambda = m$

$$m a = (\underbrace{1 + \cdots + 1}_{m}) a = \underbrace{1 a + \cdots + 1 a}_{m} = \underbrace{a + \cdots + a}_{m},$$

folglich für ein positives rationales $\lambda = p/q$

$$\frac{p}{q} a = \left(p \frac{1}{q}\right) a = p\left(\frac{1}{q} a\right).$$

1.2. Lineare Abhängigkeit. Dimensionen. Eine Menge R, deren Elemente den oben aufgezählten Axiomen der Addition und der Multiplikation genügen, heißt ein *linearer Raum über dem reellen Multiplikatorenbereich*. Sind $a_1, \ldots, a_n$ beliebige Elemente des Raumes und $\lambda_1, \ldots, \lambda_n$ beliebige reelle Zahlen, so ist auch die lineare Kombination

$$\lambda_1 a_1 + \cdots + \lambda_n a_n$$

sinnvoll und in R enthalten.

Die Elemente $a_1, \ldots, a_n$ heißen voneinander *linear unabhängig*, wenn die obige lineare Kombination nur für $\lambda_1 = \ldots = \lambda_n = 0$ gleich dem Element Null ist; anderenfalls sind sie *linear abhängig*.

Aus dieser Definition folgt unmittelbar, daß jede Teilmenge linear unabhängiger Elemente ebenfalls linear unabhängig ist. Weil die lineare Unabhängigkeit eines einzigen Elementes a mit $a \neq 0$ gleichbedeutend ist, so impliziert dies speziell, daß linear unabhängige Elemente stets von Null verschieden sind.

Bezüglich der linearen Abhängigkeit der Elemente eines linearen Raumes R sind zwei Möglichkeiten vorhanden: Entweder existiert eine ganze positive Zahl m derart, daß $m+1$ Elemente stets linear abhängig sind, während andererseits wenigstens ein m Elemente umfassendes linear unabhängiges System vorhanden ist; oder es gibt kein solches maximales System: für jedes noch so große m existieren immer $m+1$ linear unabhängige Elemente.

Im ersten Fall nennt man m die *Dimension* des linearen Raumes R; im zweiten Fall ist die Dimension unendlich. Wir werden uns überwiegend mit dem ersten, weit einfacheren Fall befassen, wollen jedoch zunächst einige von der Dimension unabhängige Begriffe besprechen.

1.3. Unterräume. Kongruenzen. Eine Untermenge U des linearen Raumes R, die in bezug auf die in diesem gegebenen Grundrelationen selber ein linearer Raum ist, heißt ein *Unterraum* von R. Hierzu ist notwendig und hinreichend, daß U jede endliche lineare Kombination ihrer Elemente enthält.

Jeder Unterraum enthält das Element Null des gegebenen Raumes R, und dieses Element allein ist schon ein Unterraum.

Es seien U ein Unterraum, a und b zwei Elemente in R.

Die Elemente a und b heißen *kongruent modulo* U,

$$a \equiv b \pmod{U},$$

wenn $b - a$ in U enthalten ist.

Aus dem Begriff eines Unterraumes folgt erstens, daß eine Kongruenz eine *Äquivalenz* ist:

1°. Es ist $a \equiv a$;

2°. Aus $a \equiv b$ folgt $b \equiv a$;

3°. Aus $a \equiv b$ und $b \equiv c$ folgt $a \equiv c$;

alles modulo U. Ferner gilt, daß mit $a \equiv b$ und $c \equiv d$ auch die Kongruenz

$$a \pm c \equiv b \pm d$$

und für jedes λ die Kongruenz

$$\lambda a \equiv \lambda b$$

modulo U bestehen.

Umgekehrt ist jede in R bestehende Äquivalenz, $a \sim b$, mit den zwei letztgenannten operativen Eigenschaften eine Kongruenz modulo eines bestimmten Unterraumes U, der genau diejenigen Elemente des Raumes R enthält, welche mit der Null äquivalent sind (vgl. 1.6 Aufgabe 1).

Eine Kongruenz des Raumes R kann hiernach auch als eine Äquivalenz mit den oben genannten operativen Eigenschaften definiert werden.

1.4. Hyperebenen. Faktorräume. Jede in R gegebene Äquivalenz zerlegt die Gesamtheit der R-Elemente in elementenfremde Klassen, so daß zwei Elemente derselben Äquivalenzklasse genau dann angehören, wenn sie äquivalent sind. Ist die Äquivalenz insbesondere eine Kongruenz modulo eines Unterraumes U, so gehören also zwei Elemente zu derselben Kongruenzklasse, falls die Differenz ein Element aus U ist.

In Konformität mit der in der nachfolgenden Nummer eingeführten geometrischen Terminologie nennen wir diese Kongruenzklassen modulo U *Hyperebenen* (oder kürzer *Ebenen*), die zu U „parallel" sind. Ist a ein beliebiges Element einer solchen zu U parallelen Hyperebene, so enthält sie genau alle Elemente $a + U$. Unter diesen parallelen Hyperebenen ist nur U, die das Nullelement enthält, ein Unterraum.

Unter Beibehaltung der linearen Grundrelationen im Raume R, ersetze man die ursprüngliche Identität der Elemente durch die Kongruenz modulo U. Durch diese Identifikation modulo U entsteht aus R ein neuer linearer Raum, der *Faktorraum* von R modulo U:

$$R_U = R/U.$$

Als Elemente dieses Faktorraumes sind die Elemente der Hyperebene $a + U$ alle gleich a.

1.5. Der affine Vektorraum. Parallelverschiebung. Wir haben bisher von „Elementen" des „Raumes" R gesprochen, ohne uns um anschauliche Deutungen dieser Begriffe zu kümmern. Es ist jedoch nützlich, den abstrakt definierten linearen Raum als Verallgemeinerung der anschaulichen 1-, 2- und 3-dimensionalen Räume aufzufassen und eine entsprechende geometrische Terminologie einzuführen.

Ein geordnetes Elementenpaar $[a, b]$ des linearen Raumes R heißt ein *Vektor*; a ist der „Anfangspunkt", b der „Endpunkt" des Vektors. Mit Benutzung der in R gegebenen linearen Grundrelationen definieren wir

$$[a, b] + [c, d] = [a + c, b + d]$$

und für jedes reelle λ

$$\lambda[a, b] = [\lambda a, \lambda b].$$

Man verifiziert unmittelbar, daß die Vektoren mit diesen Definitionen einen linearen Raum, den zu R assozierten *affinen Vektorraum* bilden. Das Nullelement dieses Vektorraumes ist der Vektor $[0, 0]$ und der Gegenvektor von $[a, b]$

$$-[a, b] = [-a, -b].$$

Setzt man

$$[a, b] \equiv [c, d],$$

falls $b - a = d - c$, so wird hierdurch im affinen Vektorraum eine Äquivalenz und sogar eine *Kongruenz* definiert. Denn aus $[a, b] \equiv [c, d]$

und $[a', b'] \equiv [c', d']$ folgt gemäß den obigen Definitionen, daß auch

$$[a, b] + [a', b'] \equiv [c, d] + [c', d'] \quad \text{und} \quad \lambda[a, b] \equiv \lambda[c, d].$$

Der Modul dieser Kongruenz ist der aus sämtlichen Vektoren $[a, a]$ bestehende Unterraum des affinen Vektorraumes, und der diesem Unterraum entsprechende Faktorraum des affinen Vektorraumes besteht aus sämtlichen Vektoren mit einem beliebigen festen Anfangspunkt, z. B. aus sämtlichen Vektoren $[0, x]$ mit dem festen Anfangspunkt 0. Dieser Faktorraum ist also mit dem ursprünglichen linearen Raum R linear isomorph; denn in der umkehrbar eindeutigen Zuordnung

$$[0, x] \longleftrightarrow x$$

sind $x + y$ und $[0, x] + [0, y] = [0, x + y]$, desgleichen λx und $\lambda[0, x] = [0, \lambda x]$ Bildelemente. Diese Bildelemente können somit identifiziert werden und das Element x des ursprünglichen linearen Raumes R hiernach entweder als ein mit $[0, x]$ kongruenter Vektor oder als Punkt, nämlich als Endpunkt des Vektors $[0, x]$, aufgefaßt werden.

Aus der Kongruenz $[a, b] \equiv [c, d]$ folgt $c - a = d - b$, somit die Kongruenz

$$[a, c] \equiv [b, d],$$

und umgekehrt. Die kongruenten Vektoren $[a, b]$, $[c, d]$ und $[a, c]$, $[b, d]$ sind die „parallelen" Seitenpaare des Parallelogramms $a\,b\,c\,d$. Man sagt $[c, d]$ sei aus $[a, b]$ durch *Parallelverschiebung* um den Vektor $[a, c] \equiv [b, d]$, desgleichen $[b, d]$ aus $[a, c]$ vermittels Parallelverschiebung um den Vektor $[a, b] \equiv [c, d]$ erhalten.

Gemäß den aufgestellten Definitionen ist

$$[a, b] + [b, c] = [a + b, b + c] \equiv [a, c];$$

das ist die elementargeometrische Regel der „Zusammensetzung" zweier Vektoren, woraus allgemeiner

$$[a, b_1] + [b_1, b_2] + \cdots + [b_{n-2}, b_{n-1}] + [b_{n-1}, c] \equiv [a, c]$$

folgt.

1.6. Aufgaben. 1. Es sei $\sim$ eine im linearen Raum R gegebene Äquivalenz mit folgenden Eigenschaften: aus $a \sim b$ und $c \sim d$ folgt

$$a + c \sim b + d,$$

und für jedes reelle λ

$$\lambda a \sim \lambda b.$$

Man beweise, daß die Gesamtheit der Elemente $u \sim 0$ ein Unterraum U von R ist und ferner, daß die Äquivalenz $a \sim b$ mit der Kongruenz

$$a \equiv b \pmod{U}$$

gleichbedeutend ist.

2. Es seien $M_1, \ldots, M_k$ beliebige Punktmengen des linearen Raumes R und

$$(M_1, \ldots, M_k)$$

die Gesamtheit der endlichen linearen Kombinationen von Elementen dieser Mengen.

Man beweise, daß diese Gesamtheit ein Unterraum ist. Dieser Unterraum ist von den Mengen $M_1, \ldots, M_k$ in R *erzeugt* oder *aufgespannt*.

3. Es seien die Mengen der vorangehenden Aufgabe insbesondere Unterräume $U_1, \ldots, U_k$ von R und

$$U = (U_1, \ldots, U_k)$$

der von diesen Unterräumen aufgespannte Unterraum in R.

Man zeige: genau dann, wenn die Gleichung

$$u_1 + \cdots + u_k = 0$$

mit u_i aus U_i nur für $u_1 = \ldots = u_k = 0$ besteht, kann jedes Element aus U in eindeutiger Weise als Summe von Elementen aus den Unterräumen U_i dargestellt werden.

Im vorliegenden Fall nennt man die Unterräume U_i *linear unabhängig* und schreibt U als *direkte Summe*

$$U = U_1 \dotplus \cdots \dotplus U_k.$$

4. Man zeige, unter Beibehaltung der obigen Bezeichnungen, daß der *Durchschnitt*

$$[U_1, \ldots, U_k],$$

d. h. die Gesamtheit der gemeinsamen Elemente der Unterräume U_i, ein Unterraum ist.

5. Man beweise: Notwendig und hinreichend, damit die Unterräume $U_1, \ldots, U_k$ des Raumes R linear unabhängig seien, ist, daß die k Durchschnitte

$$[U_i, (U_1, \ldots, U_{i-1}, U_{i+1}, \ldots, U_k)] = 0 \qquad (i = 1, \ldots, k).$$

Insbesondere sind also zwei Unterräume U_1 und U_2 linear unabhängig genau dann, wenn sie bis auf den Nullpunkt punktfremd sind.

6. Es seien R_x und R_y zwei lineare Räume über dem reellen Multiplikatorenbereich. Wir betrachten die Menge sämtlicher geordneter Punktpaare $[x, y]$ und definieren:

$$[x_1, y_1] = [x_2, y_2]$$

dann und nur dann, wenn $x_1 = x_2$ in R_x und $y_1 = y_2$ in R_y. Ferner sei

$$[x_1, y_1] + [x_2, y_2] = [x_1 + x_2, y_1 + y_2]$$

und für jedes reelle λ

$$\lambda[x, y] = [\lambda x, \lambda y].$$

Man beweise, daß die Elemente $[x, y]$ mit diesen Definitionen einen linearen Raum, den *Produktraum*

$$R_x \times R_y,$$

bilden, und konstruiere allgemeiner den Produktraum von k linearen Räumen $R_1, \ldots, R_k$.

7. Man identifiziere in der obigen Konstruktion $[x, 0]$ mit x und $[0, y]$ mit y und zeige, daß dann R_x und R_y linear unabhängige Unterräume des Produktraumes sind und

$$R_x \times R_y = R_x + R_y.$$

§ 2. Der endlichdimensionale lineare Raum

2.1. Lineare Koordinatensysteme. Nach Einführung der Grundbegriffe des allgemeinen linearen (und affinen) Raumes betrachten wir jetzt insbesondere diejenigen von endlicher Dimension.

Es sei also R^m ein linearer Raum der Dimension m: Jedes System mit $m + 1$ Vektoren ist linear abhängig, während mindestens ein m Vektoren umfassendes linear unabhängiges System $a_1, \ldots, a_m$ existiert.

Hieraus folgt sofort, daß jeder Vektor x des Raumes in eindeutiger Weise als lineare Kombination dieser Vektoren dargestellt werden kann:

$$x = \sum_{i=1}^{m} \xi^i a_i.$$

Die linear unabhängigen Vektoren a_i erzeugen somit den ganzen Raum $R^m = (a_1, \ldots, a_m)$: sie bilden eine *Basis* oder ein lineares *Koordinatensystem* dieses Raumes. Die eindeutigen reellen Zahlen ξ^i sind die m linearen *Koordinaten* des Punktes x in jenem Koordinatensystem. Wir behaupten:

Jedes Koordinatensystem eines m-dimensionalen Raumes enthält genau m linear unabhängige Vektoren.

Neben $a_1, \ldots, a_m$ sei $b_1, \ldots, b_n$ eine zweite Basis. Da diese Vektoren linear unabhängig sind, so muß $n \leqq m$ sein; wir behaupten, daß $n = m$.

Da die Vektoren b_j gemäß Voraussetzung den ganzen Raum R^m erzeugen, so sind insbesondere die Vektoren a_i eindeutige lineare Kombinationen der Vektoren b_j. Da nun $a_1 \neq 0$, so können die Koeffizienten in der Darstellung von a_1 nicht sämtlich verschwinden. Diese Gleichung kann somit nach einem b_j, z. B. b_1, aufgelöst werden und der Ausdruck von b_1 in denjenigen von $a_2, \ldots, a_m$ eingesetzt werden, welche dann lineare Kombinationen von a_1 und $b_2, \ldots, b_n$ werden. Wegen der linearen Unabhängigkeit von a_1 und a_2 können in dem so erhaltenen Ausdruck von a_2 nicht sämtliche Koeffizienten von

$b_2, \ldots, b_n$ verschwinden, und die Gleichung kann somit z. B. nach b_2 aufgelöst und b_2 aus den Ausdrücken von $a_3, \ldots, a_m$ eliminiert werden.

Wäre nun $n < m$, so würde die Fortsetzung dieses Eliminationsprozesses nach n Schritten zu einer Gleichung der Form

$$a_{n+1} = \sum_{i=1}^{n} \lambda^i a_i$$

führen, was der linearen Unabhängigkeit der Vektoren a_i widerspricht. Es ist somit $n = m$, und die Behauptung ist bewiesen.

2.2. Monomorphie des Raumes R^m. Aus dem obigen Satz folgt, daß sämtliche m-dimensionale lineare Räume in bezug auf die linearen Relationen isomorph sind, somit dieselbe lineare Struktur haben. In der Tat:

Es seien R^m und $\bar{R}^m$ zwei m-dimensionale lineare Räume mit den Koordinatensystemen a_i und $\bar{a}_i$. Für zwei beliebige Punkte x und $\bar{x}$ dieser Räume hat man dann mit eindeutigen Koordinaten

$$x = \sum_{i=1}^{m} \xi^i a_i, \qquad \bar{x} = \sum_{i=1}^{m} \bar{\xi}^i \bar{a}_i.$$

Läßt man nun x und $\bar{x}$ einander dann und nur dann entsprechen, wenn $\xi^i = \bar{\xi}^i$ $(i = 1, \ldots, m)$, so erhält man eine umkehrbar eindeutige Abbildung

$$x \longleftrightarrow \bar{x}$$

der betrachteten Räume mit folgenden Eigenschaften:

1. Aus $x + y = z$ in R^m folgt $\bar{x} + \bar{y} = \bar{z}$ in $\bar{R}^m$.

2. Aus $y = \lambda x$ in R^m folgt $\bar{y} = \lambda \bar{x}$ in $\bar{R}^m$.

Die eben definierte umkehrbar eindeutige Abbildung bewahrt somit die linearen Grundrelationen, auf welche jede lineare Aussage sich reduzieren läßt: jede in R^m richtige lineare Aussage bleibt richtig, wenn die darin auftretenden Punkte mit den Bildpunkten in $\bar{R}^m$ ersetzt werden; und umgekehrt. Das bedeutet, daß diese Räume gleicher Dimension dieselbe lineare Struktur haben, sie sind linear isomorph.

Umgekehrt folgt offenbar aus einer gegebenen isomorphen Abbildung

$$R^m \longleftrightarrow \bar{R}^m,$$

daß jedem Koordinatensystem a_i in R^m ein eindeutig bestimmtes Koordinatensystem $\bar{a}_i \longleftrightarrow a_i$ in $\bar{R}^m$ entspricht. Auf die Bestimmung dieser Koordinatensysteme und der entsprechenden Isomorphismen kommen wir später in Zusammenhang mit den linearen Abbildungen zurück.

Wir bemerken noch, daß die oben bewiesene lineare Monomorphie des m-dimensionalen Raumes auch in folgender Weise ausgedrückt werden kann:

Wenn man zu den in 1.1 aufgezählten Axiomen der Summe und des Produktes noch ein Dimensionsaxiom hinzufügt, wonach die Dimension m sein soll, so ist dieses Axiomensystem *vollständig*: jede lineare Aussage ist entweder richtig oder falsch; es gibt genau eine m-dimensionale lineare (und affine) Geometrie.

2.3. Unterräume und Faktorräume in R^m. Es sei U^d ein Unterraum der Dimension d von R^m; es ist also $0 \leqq d \leqq m$. Für $d = 0$ reduziert sich U^d auf den Nullpunkt, für $d = m$ umfaßt er R^m. Es sei U^d ein echter Unterraum, somit $0 < d < m$.

Ist dann $a_1, \ldots, a_d$ eine Basis von U^d, so kann diese offenbar zu einem vollständigen Koordinatensystem des Raumes R^m ergänzt werden. Hierzu nehme man neue Basisvektoren $a_{d+1}, \ldots, a_m$, so daß a_{d+i+1} in dem von den vorhergehenden Vektoren erzeugten Unterraum $(a_1, \ldots, a_{d+i})$ nicht enthalten ist.

Nach dieser Ergänzung hat man für jedes x aus R^m

$$x = \sum_{i=1}^{d} \xi^i a_i + \sum_{i=d+1}^{m} \xi^i a_i,$$

was auch als Kongruenz

$$x \equiv \sum_{i=d+1}^{m} \xi^i a_i \pmod{U^d}$$

geschrieben werden kann. Aus der linearen Unabhängigkeit der Vektoren $a_1, \ldots, a_m$ folgt, daß hier die $m - d$ Basisvektoren rechts sogar modulo U^d linear unabhängig sind, somit eine Basis des Faktorraumes R^m/U^d bilden. Dieser Faktorraum hat also die Dimension $m - d$.

Als Vektoren des ursprünglichen Raumes R^m erzeugen die Vektoren $a_{d+1}, \ldots, a_m$ einen Unterraum V^{m-d} der Dimension $m - d$. Die Unterräume U^d und V^{m-d} sind offenbar linear unabhängig, und es ist

$$R^m = U^d + V^{m-d}.$$

Diese Unterräume sind linear unabhängige *Komplemente* voneinander in R^m.

Aus obigem ist zu sehen, daß einem gegebenen Unterraum U^d in unendlich mannigfacher Weise ein linear unabhängiges Komplement V^{m-d} erzeugt werden kann. Sie sind alle von der Dimension $m - d$ und untereinander und mit dem Faktorraum R^m/U^d linear isomorph.

Allgemein gilt folgendes: Wenn die linear unabhängigen Unterräume $U_i^{d_i} (i = 1, \ldots, k)$ bzw. von den Dimensionen d_i sind und R^m

erzeugen, so besteht die Dimensionsgleichung

$$\sum_{i=1}^{k} d_i = m.$$

Ist dann $a_1^i, \ldots, a_{d_i}^i$ eine beliebige Basis von U_i, so ergibt die Gesamtheit dieser m Basisvektoren ein Koordinatensystem in R^m.

2.4. Hyperebenen in R^m. Die Hyperebenen haben wir in 1.4 als Kongruenzklassen modulo der Unterräume definiert. Ein Unterraum U^d der Dimension $d \leqq m$ und ein Punkt x_0 von R^m bestimmen eine d-dimensionale mit U^d parallele Hyperebene E^d durch x_0, welche die Gesamtheit der Punkte x mit der Eigenschaft

$$x \equiv x_0 \pmod{U^d}$$

enthält.

Für $d = 0$ reduziert sich E^d auf den Punkt x_0; für $d = 1$ ist E^d eine Gerade durch x_0 usw. Zwei Punkte x_0, x_1 bestimmen eindeutig eine diese Punkte enthaltende Gerade, drei Punkte x_0, x_1, x_2, die nicht auf derselben Gerade liegen, eine Ebene durch diese Punkte. Wir beweisen allgemein:

Wenn $x_0, x_1, \ldots, x_d$ $(d \leqq m)$ Punkte des Raumes R^m derart sind, daß die d Differenzen

$$x_1 - x_0, \ldots, x_d - x_0$$

linear unabhängig sind, so gibt es eine und nur eine d-dimensionale Ebene E^d durch diese Punkte; E^d enthält genau die Gesamtheit der Punkte

$$x = \sum_{i=0}^{d} \mu^i x_i \quad \text{mit} \quad \sum_{i=0}^{d} \mu^i = 1,$$

wobei die Zahlen μ^i für jedes x der Ebene eindeutig bestimmt sind.

Zum Beweis bemerke man, daß es gleichgültig ist, welcher der $d + 1$ Vektoren x_i in den obigen Differenzen als Subtrahend auftritt. Denn sind die obigen Differenzen linear unabhängig, so gilt offenbar dasselbe für die Differenzen

$$x_0 - x_j, \ldots, x_{j-1} - x_j, x_{j+1} - x_j, \ldots, x_d - x_j$$

für jedes $j = 1, \ldots, d$. Sie bestimmen denselben d-dimensionalen Unterraum U^d.

Die gesuchte Ebene E^d durch die gegebenen Punkte ist mit dem Unterraum U^d parallel und enthält somit, da sie durch x_0 geht, sämtliche Punkte

$$x = x_0 + \sum_{i=1}^{d} \xi^i (x_i - x_0).$$

Setzt man

$$\mu^0 = 1 - \sum_{i=1}^{d} \xi^i, \qquad \mu^i = \xi^i \quad (i = 1, \ldots, d),$$

so erhalten wir die Gleichung der gesuchten Ebene E^d in der obigen Form.

Umgekehrt definiert diese Punktmenge offensichtlich eine mit dem Unterraum U^d parallele Hyperebene E^d durch die gegebenen Punkte, wobei die Zahlen μ^i für ein gegebenes x aus E^d eindeutig bestimmt sind. Hiermit ist die Behauptung bewiesen.

Die oben besprochene Ebene E^d enthält den Nullpunkt und fällt mit dem Unterraum U^d zusammen, wenn ein Zahlensystem μ^i mit $\sum_{i=0}^{d} \mu^i = 1$ derart existiert, daß

$$\sum_{i=0}^{d} \mu^i x_i = 0,$$

wenn also die $d + 1$ Vektoren x_i linear abhängig sind. Dies ist für $d = m$ selbstverständlich immer der Fall, und es ist dann $E^m = U^m = R^m$.

2.5. Simplexe. Baryzentrische Koordinaten. Eine Konfiguration der oben betrachteten Art, die aus $d + 1$ beliebigen Punkten $x_0, x_1, \ldots, x_d$ $(d \leqq m)$ mit linear unabhängigen Differenzen $x_i - x_0$ besteht, heißt ein d-dimensionales *Simplex*.

Wie oben gezeigt wurde, bestimmt das Simplex eine Ebene E^d, in welcher das Simplex liegt, und die Punkte dieser Ebene sind eindeutig durch

$$x = \sum_{i=0}^{d} \mu^i x_i \quad \text{mit} \quad \sum_{i=0}^{d} \mu^i = 1$$

gegeben. Diese Darstellung kann in folgender Weise gedeutet werden:

Soll man die Gesamtmasse 1 unter den Ecken x_i so verteilen, daß der Schwerpunkt des Systems in x liegt, so muß dem Punkt x_i genau die Masse μ^i erteilt werden. Man nennt daher die Zahlen μ^i *baryzentrische* oder Schwerpunktskoordinaten des E^d-Punktes x in bezug auf das E^d bestimmende Simplex.

Sind die baryzentrischen Koordinaten des Punktes x sämtlich positiv, so heißt x ein *innerer* Punkt des Simplexes. Sind eine oder mehrere der Koordinaten Null, die übrigen positiv, so ist x ein *Randpunkt*. Wenn schließlich wenigstens eine dieser Koordinaten negativ ist, so heißt x ein *äußerer* Punkt des Simplexes.

Die Eckpunkte x_j des d-dimensionalen Simplexes erhält man für $\mu^j = 1$ und $\mu^i = 0\,(i \neq j)$, also mit Benutzung des Kroneckerschen Symbols δ^i_j für $\mu^i = \delta^i_j$; das sind die Seitensimplexe nullter Dimension.

Allgemein hat das d-dimensionale Simplex

$$\binom{d+1}{p+1}$$

Seitensimplexe p-ter Dimension, deren innere Punkte man erhält, wenn je $d-p$ baryzentrische Koordinaten Null, die übrigen $p+1$ positiv sind.

2.6. Aufgaben. 1. Es seien U^p und V^q Unterräume des linearen Raumes R^m der Dimensionen p bzw. q. Der von diesen Unterräumen erzeugte Raum (U^p, V^q) habe die Dimension s und der Durchschnitt $[U^p, V^q]$ die Dimension r. Man zeige, daß

$$s + r = p + q,$$

und bestimme r falls insbesondere die Unterräume $U^p \neq V^q$ von der Dimension $p = q = m - 1$ sind.

2. Es seien

$$s^m = s^m(x_0, \ldots, x_m), \qquad \bar{s}^m = \bar{s}^m(\bar{x}_0, \ldots, \bar{x}_m)$$

zwei m-dimensionale Simplexe derselben m-dimensionalen Ebene E^m und

$$\bar{x}_j = \sum_{i=0}^{m} \mu_j^i x_i \quad (j = 0, \ldots, m)$$

die baryzentrischen Darstellungen der Punkte $\bar{x}_j$ in bezug auf s^m. Es sei ferner x ein Punkt der Ebene E^m und

$$x = \sum_{j=0}^{m} \lambda^j \bar{x}_j$$

die baryzentrische Darstellung von x in bezug auf $\bar{s}^m$.

Man bestimme die baryzentrische Darstellung dieses Punktes in bezug auf s^m.

3. Es sei in der vorangehenden Aufgabe insbesondere $\bar{x}_j = x_j$ für $j = 1, \ldots, m$ und

$$\bar{x}_0 = \mu x_0 + \sum_{i=1}^{m} \mu^i x_i$$

die baryzentrische Darstellung des Eckpunktes $\bar{x}_0$ in bezug auf s^m, folglich umgekehrt

$$x_0 = \frac{1}{\mu} \bar{x}_0 - \sum_{i=1}^{m} \frac{\mu^i}{\mu} \bar{x}_i$$

die baryzentrische Darstellung von x_0 in bezug auf $\bar{s}^m$. Man beweise:

Die Simplexe

$$s^m(x_0, x_1, \ldots, x_m) \quad \text{und} \quad \bar{s}^m(\bar{x}_0, x_1, \ldots, x_m)$$

der Ebene E^m mit dem gemeinsamen $(m - 1)$-dimensionalen Seitensimplex

$$s_0^{m-1}(x_1, \ldots, x_m)$$

haben dann und nur dann keine gemeinsamen inneren Punkte, wenn $\mu < 0$.

§ 3. Lineare Abbildungen

3.1. Lineare Abbildung. Es seien R_x^m und R_y^n zwei lineare Räume der Dimensionen m bzw. n, ferner G_x eine vorläufig beliebige Punktmenge in R_x^m. Wenn dann jedem Punkt x aus G_x ein eindeutiger Punkt

$$y = y(x)$$

des Raumes R_y^n entspricht, so ist eine *Abbildung* der Menge G_x aus R_x^m in R_y^n erklärt. G_x ist der *Definitionsbereich* und die Menge $y(G_x)$ der Bildpunkte in R_y^n der *Wertevorrat* dieser abbildenden *Vektorfunktion* $y(x)$.

Solche allgemeinen Vektorfunktionen werden wir später eingehend untersuchen. Hier sollen die einfachsten, nämlich die *linearen Abbildungen* besprochen werden.

Die Abbildung $y = y(x)$ heißt linear, wenn stets $y(x_1 + x_2) = y(x_1) + y(x_2)$ und $y(\lambda x) = \lambda y(x)$ für jedes reelle λ, folglich für jede endliche lineare Kombination

$$y\left(\sum_{i=1}^{k} \lambda_i x_i\right) = \sum_{i=1}^{k} \lambda_i y(x_i).$$

Wir werden im folgenden die Vektorfunktion $y(x)$ mit $A(x)$ bezeichnen und die Klammern bei linearen Abbildungen im allgemeinen weglassen, somit statt $y = A(x)$ kurz $y = Ax$ schreiben.

3.2. Definitionsbereich und Wertevorrat linearer Abbildungen. Damit die obige Definition einer linearen Abbildung sinnvoll sei, muß der Definitionsbereich, die Punktmenge G_x, sämtliche endliche Linearkombinationen ihrer Vektoren enthalten, somit ein Unterraum von R_x^m sein. Im folgenden beschränken wir uns auf diesen Unterraum und bezeichnen ihn von vornherein mit R_x^m.

Es sei

$$y = Ax$$

eine lineare Abbildung von R_x^m in R_y^n. Wir beweisen folgenden Satz:

In R_y^n ist das Bild $A\,U_x$ eines Unterraumes U_x von R_x^m, insbesondere also auch der ganze Wertevorrat $A\,R_x^m$, ein Unterraum von R_y^n, dessen Dimension höchstens gleich der Dimension des Urbildes U_x ist.

Es sei $x = \sum_{i=1}^{k} \lambda_i x_i$ eine endliche lineare Kombination der Vektoren x_i aus U_x und $A x_i = y_i$. Dann ist

$$y = A x = A\left(\sum_{i=1}^{k} \lambda_i x_i\right) = \sum_{i=1}^{k} \lambda_i A x_i = \sum_{i=1}^{k} \lambda_i y_i.$$

Sind umgekehrt $y_1, \ldots, y_k$ beliebige Punkte des Bildes $A U_x$, so existieren in U_x solche Punkte x_i, daß die obigen Gleichungen bestehen. Da U_x ein Unterraum ist, so liegt auch x in U_x, somit y in $A U_x$. Diese Menge enthält hiernach jede endliche lineare Kombination ihrer Vektoren und ist somit ein Unterraum von R_y^n.

Auch das Bild des engsten, nur den Nullpunkt von R_x^m enthaltenden Unterraumes ist ein Unterraum; da jeder Unterraum den Nullpunkt enthält, so ist also $A\,0 = 0$. Diese Gleichung folgt übrigens auch direkt aus $A(\lambda x) = \lambda A x$ für $\lambda = 0$.

Aus dieser Bemerkung und aus den obigen Gleichungen ist zu sehen, daß die Bildvektoren $y_i = A x_i$ linear abhängiger Vektoren x_i ebenfalls linear abhängig sind. Die Dimension des Bildraumes $A U_x$ kann somit nicht die Dimension des Urbildes überschreiten.

3.3. Reguläre und irreguläre lineare Abbildungen. Die Gesamtheit derjenigen Vektoren des Originalraumes R_x^m, welche bei einer linearen Abbildung A auf den Nullvektor des Bildraumes R_y^n abgebildet werden, enthält offenbar alle endlichen linearen Kombinationen ihrer Vektoren und ist somit ein Unterraum $K^p = K^p(A)$ von R_x^m. Dieser Unterraum, dessen Dimension $p (\leqq m)$ sei, heißt der *Kern* von A.

Falls $p = 0$, so ist $A x = 0$ nur für $x = 0$, daher $A x_1 = A x_2$ nur für $x_1 = x_2$. Der Wertevorrat $A R_x^m$ in R_y^n ist dann „schlicht“; die Abbildung heißt in diesem Fall *regulär*.

Da bei einer regulären Abbildung die lineare Abhängigkeit der Vektoren x_i aus der linearen Abhängigkeit der Bildvektoren $y_i = A x_i$ folgt, so ist die Dimension des Urbildes U_x nicht größer als die Dimension des Bildraumes $A U_x$. Diese Dimensionen sind also bei einer regulären linearen Abbildung gleich. Insbesondere ist auch die Dimension des Wertevorrates $A R_x^m$ gleich m, somit notwendig $m \leqq n$.

Wenn die Dimension des Kernes $K^p(A)$ nicht $= 0$ ist, so heißt die Abbildung A *irregulär*.

Um in diesem Fall die Dimension des Bildes $A U^d$ eines d-dimensionalen Unterraumes U^d von R_x^m zu bestimmen, beachte man, daß A, als Abbildung des Raumes U^d aufgefaßt, den Durchschnitt

$$[U^d, K^p] = K_0$$

als Kern hat, dessen Dimension p_0 sei $(0 \leqq p_0 \leqq d, p)$. Geht man nun von U^d zu dem Faktorraum

$$U_{K_0} = U^d / K_0$$

über, indem man die ursprüngliche Relation der Identität in U^d durch die Kongruenz modulo K_0 ersetzt, so wird A offenbar in U_{K_0} regulär. Da im Bildraum R_y^n nichts geändert wurde, so ist $A\,U_{K_0} = A\,U^d$, und dieser Bildraum hat nach obigem dieselbe Dimension wie U_{K_0}, also $d - p_0$.

Sind U^d und K^p linear unabhängig, so ist $p_0 = 0$, und die Dimension von $A\,U^d$ gleich d. Ist K^p ein Unterraum von U^d, so ist diese Dimension $d - p$. Wenn schließlich U^d ein Unterraum des Kernes K^p ist, so ist $A\,U^d$ von der Dimension 0 und reduziert sich auf den Nullpunkt.

Aus dieser einfachen Betrachtung folgt insbesondere, daß die Dimension des Wertevorrates $A\,R_x^m$ gleich

$$r = m - p$$

ist. Es muß somit bei einer linearen Abbildung von R_x^m in R_y^n stets $m - p \leqq n$ und folglich die Dimension des Kernes

$$p \geqq m - n$$

sein.

3.4. Matrizen. Wir fixieren in den Räumen R_x^m und R_y^n zwei Koordinatensysteme $a_1, \ldots, a_m$ und $b_1, \ldots, b_n$. Dann ist

$$x = \sum_{i=1}^{m} \xi^i a_i \quad \text{und} \quad y = A\,x = \sum_{j=1}^{n} \eta^j b_j.$$

Insbesondere sei

$$A\,a_i = \sum_{j=1}^{n} \alpha_i^j b_j,$$

folglich

$$A\,x = A\left(\sum_{i=1}^{m} \xi^i a_i\right) = \sum_{i=1}^{m} \xi^i A\,a_i = \sum_{j=1}^{n}\left(\sum_{i=1}^{m} \alpha_i^j \xi^i\right) b_j.$$

Hiernach ist

$$\eta^j = \sum_{i=1}^{m} \alpha_i^j \xi^i \quad (j = 1, \ldots, n).$$

Wir sehen:

Einer linearen Abbildung oder, wie wir auch sagen wollen, einem linearen *Operator* A von R_x^m in R_y^n, entspricht in bezug auf zwei fixierte Koordinatensysteme dieser Räume ein Gleichungssystem, das die n Koordinaten von $y = A\,x$ als lineare homogene Ausdrücke der

m Koordinaten von x gibt. Die Koeffizienten dieses Gleichungssystems bilden eine *Matrix*

$$\begin{pmatrix} \alpha_1^1 \dots \alpha_m^1 \\ \vdots \quad\quad \vdots \\ \alpha_1^n \dots \alpha_m^n \end{pmatrix} = (\alpha_i^j)$$

mit n Zeilen und m Spalten. Umgekehrt definiert eine solche Matrix vermittels des obigen Gleichungssystems eine lineare Abbildung $y = A\,x$, wenn

$$x = \sum_{i=1}^{m} \xi^i a_i \quad \text{und} \quad y = \sum_{j=1}^{n} \eta^j b_j$$

gesetzt wird.

Falls R_z^p ein dritter linearer Raum ist und $z = B\,y$ eine lineare Abbildung von R_y^n in R_z^p bezeichnet mit der Matrix

$$\begin{pmatrix} \beta_1^1 \dots \beta_n^1 \\ \vdots \quad\quad \vdots \\ \beta_1^p \dots \beta_n^p \end{pmatrix} = (\beta_j^k)$$

in bezug auf das obige Koordinatensystem $b_1, \dots, b_n$ in R_y^n und ein Koordinatensystem $c_1, \dots, c_p$ in R_z^p, so definiert die Gleichung

$$z = B\,y = B\,A\,x$$

offenbar eine lineare Abbildung von R_x^m in R_z^p die durch Zusammensetzung der linearen Abbildungen A und B entstanden ist. In bezug auf die Koordinatensysteme $a_1, \dots, a_m$ in R_x^m und $c_1, \dots, c_p$ in R_z^p hat diese Abbildung als Matrix das Produkt der Matrizen (β_j^k) und (α_i^j)

$$(\gamma_i^k) = (\beta_j^k)(\alpha_i^j) = \left(\sum_{j=1}^{n} \beta_j^k \alpha_i^j\right)$$

mit p Zeilen und m Spalten.

3.5. Der lineare Operatorenraum. Wir betrachten jetzt die Menge sämtlicher linearer Operatoren von R_x^m in R_y^n und wollen sie als Elemente eines Raumes auffassen, dem wir durch folgende Definitionen eine lineare Struktur geben.

Falls A und B zwei lineare Operatoren von R_x^m in R_y^n sind, so setzen wir $A = B$ dann, wenn identisch in x

$$A\,x = B\,x.$$

Die Summe $A + B$ definieren wir durch die Identität

$$(A + B)\,x = A\,x + B\,x$$

und das Produkt $\lambda\,A$ durch

$$(\lambda\,A)\,x = \lambda\,A\,x.$$

Mit diesen Definitionen bilden die betrachteten linearen Operatoren offenbar einen linearen Raum, den *linearen Operatorenraum* von R_x^m in R_y^n, dessen Nullelement die identisch verschwindende lineare Abbildung ist, welche sämtliche Vektoren von R_x^m auf den Nullvektor von R_y^n abbildet.

Um die Dimension dieses linearen Operatorenraumes zu bestimmen, betrachten wir einen beliebigen Operator A des Raumes und haben mit den früheren Bezeichnungen für jedes x aus R_x^m

$$A\,x = \sum_{j=1}^{n}\left(\sum_{i=1}^{m} \alpha_i^j \xi^i\right) b_j = \sum_{i=1}^{m}\sum_{j=1}^{n} \alpha_i^j \xi^i b_j = \sum_{i=1}^{m}\sum_{j=1}^{n} \alpha_i^j A_j^i x,$$

wo

$$A_j^i x = \xi^i b_j \quad (i = 1, \ldots, m;\ j = 1, \ldots, n)$$

lineare Abbildungen von R_x^m in R_y^n sind. Da die obigen Gleichungen identisch in x gelten, so haben wir im Operatorenraum

$$A = \sum_{i=1}^{m}\sum_{j=1}^{n} \alpha_i^j A_j^i,$$

woraus zu sehen ist, daß die mn Operatoren A_j^i den ganzen Operatorenraum aufspannen. Da überdies wegen

$$A\,a_i = \sum_{j=1}^{n} \alpha_i^j b_j$$

die Koeffizienten α_i^j durch den Operator A eindeutig bestimmt sind, so sind die Erzeugenden A_j^i linear unabhängig und bilden eine Basis des Operatorenraumes. Dieser Raum hat somit die Dimension mn.

3.6. Der Fall $n = 1$. Der duale Raum. Besondere Beachtung verdient der Fall $n = 1$, wo R_y^n eine eindimensionale Gerade

$$y = \eta\, b$$

ist, die, wenn man will, mit der reellen η-Achse identifiziert werden kann. Der lineare Operatorenraum von R_x^m in die reelle Zahlenachse hat nach obigem die Dimension m und wird in diesem Fall der zu R_x^m *duale lineare Raum* genannt.

Dieser duale Raum wird durch die linear unabhängigen Operatoren $A_j^i = A^i$:

$$A^i x = \xi^i b = \xi^i$$

aufgespannt, wo nach wie vor für jedes x aus R_x^m

$$x = \sum_{i=1}^{m} \xi^i a_i.$$

Wenn wir diese zu a_i *duale Basis* A^i des dualen Operatorenraumes mit a^{*i} und die Operatoren allgemein mit x^* bezeichnen, so hat man für jeden Operator x^* des dualen Raumes mit eindeutig bestimmten reellen Koeffizienten $x^* a_i = \xi_i^*$

$$x^* = \sum_{i=1}^{m} \xi_i^* a^{*i}.$$

Wird dieser Operator auf x angewandt, so erhält man die lineare Abbildung

$$y = x^* x = \sum_{i=1}^{m} \xi_i^* \xi^i$$

des Raumes R_x^m in die reelle y-Achse.

Hiernach entspricht jedem Vektor x aus R_x^m und jedem Operator oder „Vektor" x^* des dualen Raumes $R_{x^*}^m$ eine bestimmte reelle Zahl, die sowohl von x wie von x^* linear abhängt, somit eine reellwertige bilineare Funktion dieser Vektoren ist. Jedem festen x_0^* des dualen Operatorenraumes $R_{x^*}^m$ entspricht die reelle lineare Funktion $x_0^* x$ des Vektors x, und jedes feste x_0 aus R_x^m gibt eine reelle lineare Funktion $x^* x_0$ des Vektors oder Operators x^* aus dem dualen Raum $R_{x^*}^m$, also ein Element x_0^{**} des zu diesem Operatorenraum dualen ebenfalls m-dimensionalen Raumes $R_{x^{**}}^m$. Die Zuordnung

$$x_0 \longleftrightarrow x_0^{**}$$

ist umkehrbar eindeutig und linear isomorph. Wenn diese Bildelemente identifiziert werden, so wird aus $R_x^m = R_{x^{**}}^m$ umgekehrt der zu $R_{x^*}^m$ duale Raum; in diesem Sinn ist die Dualität in der Tat symmetrisch und die Benennung „dual" motiviert.

3.7. Der Fall $n = m$. Lineare Transformationen. Für $n = m$ sind die Räume R_x^m und R_y^n isomorph: sie können umkehrbar eindeutig aufeinander bezogen werden, so daß die linearen Relationen bei der Abbildung invariant bleiben.

Eine solche isomorphe Abbildung ist offenbar nichts anderes als eine reguläre lineare Abbildung von R_x^m auf R_y^m. Denn wird das eindeutige Bild von x in R_y^m mit $y = A\,x$ bezeichnet, so folgt aus der Invarianz der linearen Relationen unmittelbar, daß A linear ist; und da die Abbildung umkehrbar eindeutig ist, so ist A überdies regulär. Umgekehrt vermittelt jede reguläre lineare Abbildung von R_x^m auf R_y^m einen Isomorphismus zwischen diesen Räumen.

Im vorliegenden Fall existiert die *inverse* lineare Abbildung $x = A^{-1} y$ von R_y^m auf R_x^m; sie ist ebenfalls regulär, und es bestehen die Identitäten

$$A^{-1} A\,x = x, \quad A\,A^{-1} y = y.$$

Werden die isomorphen Räume R_x^m und R_y^m irgendwie identifiziert, so gehen die linearen Abbildungen in lineare Selbstabbildungen des m-dimensionalen linearen Raumes R^m über. Solche Selbstabbildungen wollen wir lineare *Transformationen* von R^m nennen und mit $y = T\,x$ bezeichnen.

Falls eine solche Transformation regulär ist, so bildet sie R^m umkehrbar eindeutig auf sich, und es existiert die ebenfalls reguläre inverse lineare Transformation T^{-1} mit der Eigenschaft

$$T^{-1}T = T\,T^{-1} = I,$$

wo I die identische Transformation $y = x$ bezeichnet.

Ist dagegen die Transformation T irregulär, mit dem p-dimensionalen Kern $K^p = K^p(T)$, so ist $T\,K^p = 0$ und der Raum R^m wird auf den $(m - p)$-dimensionalen Unterraum $T\,R^m$ abgebildet, der mit dem Faktorraum R^m/K^p isomorph ist.

Hinsichtlich der regulären linearen Transformationen des linearen Raumes R^m sei noch bemerkt, daß sie offenbar in bezug auf die Zusammensetzung oder Multiplikation eine Gruppe bilden. Denn sind T_1 und T_2 zwei reguläre lineare Transformationen, so ist auch die zusammengesetzte Transformation

$$T\,x = T_1\,T_2\,x$$

linear und regulär. Ferner ist die identische Transformation I regulär und

$$T\,I = I\,T = T.$$

Schließlich hat, wie schon bemerkt wurde, jede reguläre lineare Transformation T eine reguläre inverse lineare Transformation T^{-1}. Diese Gruppe der regulären linearen Transformationen ist nicht kommutativ.

Dagegen bilden sämtliche lineare Transformationen von R^m keine Gruppe. Wohl ergibt die Zusammensetzung zweier Transformationen wieder eine lineare Transformation, und es existiert die identische Transformation I. Eine irreguläre Transformation hat aber keine inverse Transformation.

3.8. Bestimmung sämtlicher linearer Koordinatensysteme in R^m. Ein lineares Koordinatensystem $a_1, \ldots, a_m$ von R^m wird durch eine reguläre lineare Transformation T auf m Vektoren $b_i = T\,a_i$ abgebildet, die ebenfalls linear unabhängig sind und somit eine Basis von R^m bilden; und zwar erhält man so sämtliche lineare Koordinatensysteme. Denn ist $b_1, \ldots, b_m$ zunächst ein beliebiges geordnetes System von Vektoren aus R^m, so existiert eine einzige lineare Transformation $y = T\,x$, nämlich

$$y = T\,x = \sum_{i=1}^{m} \xi^i\,b_i \quad \text{für} \quad x = \sum_{i=1}^{m} \xi^i\,a_i,$$

die a_i in b_i transformiert. Sind die Vektoren b_i außerdem linear unabhängig, so ist T offenbar regulär: aus $y = 0$ folgt $x = 0$. Wir sehen:

Die geordneten Koordinatensysteme des Raumes R^m einerseits und die regulären linearen Transformationen dieses Raumes andererseits entsprechen sich umkehrbar eindeutig.

Es seien a_i und b_j zwei Koordinatensysteme des Raumes R^m. Für ein beliebiges x ist dann

$$x = \sum_{i=1}^{m} \xi^i a_i = \sum_{j=1}^{m} \eta^j b_j.$$

Nach obigem existiert eine eindeutige reguläre Transformation T derart, daß

$$b_j = T a_j = \sum_{i=1}^{m} \alpha_j^i a_i, \qquad a_i = T^{-1} b_i = \sum_{j=1}^{m} \beta_i^j b_j,$$

wobei also wegen $T^{-1} T = T T^{-1} = I$

$$\sum_{j=1}^{m} \beta_i^j \alpha_j^k = \sum_{j=1}^{m} \alpha_i^j \beta_j^k = \delta_i^k.$$

Werden die Ausdrücke für a_i bzw. b_j in den obigen Darstellungen von x eingesetzt, so erhält man die Formeln der linearen Koordinatentransformation:

$$\eta^j = \sum_{i=1}^{m} \beta_i^j \xi^i, \qquad \xi^i = \sum_{j=1}^{m} \alpha_j^i \eta^j.$$

3.9. Affine Transformationen. Außer den linearen Transformationen des Raumes R_x^m betrachten wir etwas allgemeiner die *affinen* Transformationen dieses Raumes. Eine solche Transformation ergibt sich durch Zusammensetzung einer linearen Transformation $T x$ mit einer *Translation* des Raumes. Eine Translation des Raumes R_x^m ist eine eindeutige Abbildung $A(x)$ dieses Raumes auf sich, so daß jeder Vektor $[x_1, x_2]$ mit dem Anfangspunkt x_1 und dem Endpunkt x_2 in einen kongruenten Vektor $[A(x_1), A(x_2)]$ transformiert wird. Folglich muß

$$A(x_1) - x_1 = A(x_2) - x_2$$

sein. Setzt man $x_1 = 0$, $x_2 = x$, so folgt hieraus für die Translation die notwendige Form

$$A(x) = x_0 + x,$$

wo $x_0 = A(0)$.

Dies ist die allgemeine Form einer Translation; denn für einen beliebigen Vektor x_0 hat der Ausdruck $A(x) = x_0 + x$ die von der Definition verlangte Eigenschaft.

Die allgemeine affine Transformation ist

$$A(x) = x_0 + T x,$$

wo $T x$ eine lineare Transformation des Raumes R_x^m ist.

Diejenigen affinen Transformationen, bei denen die lineare Transformation T regulär ist, bilden eine Gruppe. In dieser Gruppe ist die Menge der Translationen eine kommutative Untergruppe.

3.10. Aufgaben. 1. Wir gehen von der in 3.4 eingeführten Matrix

$$\begin{pmatrix} \alpha_1^1 \dots \alpha_m^1 \\ \vdots \quad\; \vdots \\ \alpha_1^n \dots \alpha_m^n \end{pmatrix} = (\alpha_i^j)$$

aus und definieren mit den dort verwendeten Bezeichnungen die „Spaltenvektoren"

$$y_i = \sum_{j=1}^{n} \alpha_i^j b_j \quad (i = 1, \dots, m)$$

in R_y^n und die „Zeilenvektoren"

$$x_j = \sum_{i=1}^{m} \alpha_i^j a_i \quad (j = 1, \dots, n)$$

in R_x^m. Die *transponierte* Matrix

$$\begin{pmatrix} \alpha_1^1 \dots \alpha_1^n \\ \vdots \quad\; \vdots \\ \alpha_m^1 \dots \alpha_m^n \end{pmatrix} = (\alpha_j^i)$$

hat umgekehrt die Spaltenvektoren x_j und die Zeilenvektoren y_i.

Mittels der Gleichungen

$$A a_i = y_i \quad (i = 1, \dots, m), \qquad A^* b_j = x_j \quad (j = 1, \dots, n)$$

definieren wir in R_x^m und R_y^n die linearen Abbildungen A und A^* und bezeichnen deren Kerne der Dimensionen $p \leqq m$ bzw. $q \leqq n$ mit $K_x^p = K_x^p(A)$ und $K_y^q = K_y^q(A^*)$; es ist somit $A x = 0$ bzw. $A^* y = 0$ genau dann, wenn x in K_x^p bzw. y in K_y^q liegt.

Man beweise, daß die Dimension

$$\dim A R_x^m = m - p = n - q = \dim A^* R_y^n.$$

Beweis. Es ist A eine reguläre lineare Abbildung des Faktorraumes R_x^m / K_x^p in R_y^n, folglich $\dim A R_x^m = \dim A (R_x^m / K_x^p) = m - p$; desgleichen ist $\dim A^* R_y^n = \dim A^* (R_y^n / K_y^q) = n - q$.

Um $m - p = n - q$ zu beweisen, zeigt man, daß $A R_x^m$ und $K_y^q(A^*)$ linear unabhängige Unterräume in R_y^n sind. In der Tat: Falls y ein gemeinsamer Vektor dieser Unterräume ist, so hat man

$$y = A x = \sum_{i=1}^{m} \xi^i y_i = \sum_{j=1}^{n} \eta^j b_j \quad \text{mit} \quad A^* y = \sum_{j=1}^{n} \eta^j x_j = 0,$$

folglich

$$\eta^j = \sum_{i=1}^{m} \alpha_i^j \xi^i \quad \text{mit} \quad \sum_{j=1}^{n} \alpha_i^j \eta^j = 0.$$

Also ist

$$0 = \sum_{i=1}^{m} \xi^i \sum_{j=1}^{n} \alpha_i^j \eta^j = \sum_{j=1}^{n} \eta^j \sum_{i=1}^{m} \alpha_i^j \xi^i = \sum_{j=1}^{n} (\eta^j)^2,$$

somit $y = 0$.

Aus $A^* A x = 0$ folgt hiernach $A x = 0$ und es ist somit A eine reguläre Abbildung des Faktorraumes R_x^m / K_x^p in den Faktorraum R_y^n / K_y^q, also $m - p \leqq n - q$.

In derselben Weise ergibt sich die lineare Unabhängigkeit der Unterräume $A^* R_y^n$ und $K_x^p(A)$ in R_x^m, woraus umgekehrt $n - q \leqq m - p$ folgt. Es ist somit $m - p = n - q$, w. z. b. w.

Bemerkung 1. Die nach obigem von der Wahl der Koordinatensysteme a_i und b_j unabhängige Matrixinvariante

$$r = m - p = n - q$$

heißt der *Rang* der Matrix (α_i^j) und der Transponierten (α_j^i). Er gibt die Anzahl linear unabhängiger Spaltenvektoren und Zeilenvektoren dieser Matrizen an. Falls $m = n$, nennt man die Matrix (α_i^j) *quadratisch*. Die quadratische Matrix (α_i^j) ist *symmetrisch*, wenn $\alpha_i^j = \alpha_j^i$, also wenn die Matrix mit ihrer Transponierten identisch ist. Ferner heißt eine quadratische, nicht notwendig symmetrische Matrix mit m Zeilen und Spalten *regulär*, falls der Rang der Matrix $r = m$ ist.

Bemerkung 2. Aus obigem folgt, daß $A R_x^m$ und $K_y^q(A^*)$ in R_y^n, desgleichen $A^* R_y^n$ und $K_x^p(A)$ in R_x^m sogar linear unabhängige Komplemente sind:

$$R_y^n = A R_x^m + K_y^q(A^*), \quad R_x^m = A^* R_y^n + K_x^p(A).$$

2. Die Resultate der Aufgabe 1 enthalten die vollständige Theorie der linearen (reellen) Gleichungssysteme. Man verifiziere folgende Hauptsätze:

a. Ist in dem linearen und homogenen Gleichungssystem

$$\sum_{i=1}^{m} \alpha_i^j \xi^i = 0 \quad (j = 1, \ldots, n)$$

die Koeffizientenmatrix vom Range r, so hat das System genau $m - r$ linear unabhängige Lösungsvektoren $x = \sum_{i=1}^{m} \xi^i a_i$.

b. Damit das entsprechende nichthomogene System

$$\sum_{i=1}^{m} \alpha_i^j \xi^i = \beta^j \quad (j = 1, \ldots, n)$$

lösbar sei, ist notwendig und hinreichend, daß für jede Lösung $y = \sum_{j=1}^{n} \eta^j b_j$ des transponierten homogenen Systems

$$\sum_{j=1}^{n} \alpha_i^j \eta^j = 0 \quad (i = 1, \ldots, m)$$

die Gleichung

$$\sum_{j=1}^{n} \beta^j \eta^j = 0$$

bestehe. Ist dann $x_0 = \sum_{i=1}^{m} \xi_0^i a_i$ eine partikuläre Lösung des inhomogenen Systems, so erhält man die allgemeine Lösung durch Addition der allgemeinen Lösung des entsprechenden homogenen Gleichungssystems.

Beweis. Die in Satz b genannte Bedingung ist offenbar notwendig. Daß sie auch hinreichend ist, folgt unmittelbar aus Bemerkung 2 der Aufgabe 1, wonach $b = \sum_{j=1}^{n} \beta^j b_j$ eindeutig in zwei Komponenten $b = c + d$ zerlegt werden kann, mit $c = \sum_{j=1}^{n} \gamma^j b_j$ aus $A R_x^m$ und $A^* d = 0$. Es ist somit $d = \sum_{j=1}^{n} \delta^j b_j$ ein Lösungsvektor des transponierten homogenen Gleichungssystems, und es existiert ein $x = \sum_{i=1}^{m} \xi^i a_i$ in R_x^m mit der Eigenschaft $c = A x$, d. h. $\gamma^j = \sum_{i=1}^{m} \alpha_i^j \xi^i$. Da nun für jeden Lösungsvektor $y = \sum_{j=1}^{n} \eta^j b_j$ des transponierten homogenen Systems, wegen

$$\sum_{j=1}^{n} \gamma^j \eta^j = \sum_{i=1}^{m} \xi^i \sum_{j=1}^{n} \alpha_i^j \eta^j = 0,$$

die Gleichung

$$\sum_{j=1}^{n} \beta^j \eta^j = \sum_{j=1}^{n} \delta^j \eta^j$$

gilt und die linke Seite voraussetzungsgemäß immer $= 0$ ist, so wird speziell für $\eta^j = \delta^j$ auch

$$\sum_{j=1}^{n} \beta^j \delta^j = \sum_{j=1}^{n} (\delta^j)^2 = 0,$$

somit $d = 0$ und $b = c$.

3. Es sei T eine lineare Transformation in R_x^m. Man zeige, daß T dann und nur dann regulär ist, wenn die entsprechende Matrix von

T in bezug auf ein beliebiges Koordinatensystem regulär, d. h. vom Rang m ist.

4. Es seien $x_1^* = L_1, \ldots, x_m^* = L_m$ Elemente des zu R_x^m dualen Raumes $R_{x^*}^m$. Man zeige, daß sie genau dann linear unabhängig sind, wenn das Gleichungssystem

$$L_i x = 0 \quad (i = 1, \ldots, m)$$

in R_x^m den einzigen Lösungsvektor $x = 0$ hat.

Hieraus folgt, daß $x = 0$, falls $L x = 0$ für alle Operatoren $x^* = L$ des dualen Raumes ist.

5. Es seien

$$A = (\alpha_i^j), \qquad B = (\beta_i^j)$$

Matrizen, A mit n Zeilen und m Spalten, B mit m Zeilen und p Spalten. Die transponierten Matrizen bezeichnen wir mit A' und B'. Man verifiziere:

a. $(A B)' = B' A'$.

b. Falls $n = m$ und A regulär ist, d. h. vom Rang m, so existiert die Matrix A^{-1} mit der Eigenschaft

$$A A^{-1} = A^{-1} A = I,$$

wo I die Einheitsmatrix (δ_i^j) und δ_i^j das Kroneckersche Symbol ist. Ferner hat man dann

$$(A^{-1})' = (A')^{-1}.$$

6. Es sei $T x$ eine lineare Transformation des linearen Raumes R_x^m. Man beweise: Dann und nur dann, wenn die Kerne

$$K(T) = K(T^2),$$

sind die Unterräume $K(T)$ und $T R_x^m$ linear unabhängig und

$$R_x^m = K(T) + T R_x^m.$$

7. Es seien U und V linear unabhängige Komplemente des Raumes R_x^m, somit für jedes x aus R_x^m

$$x = u + v,$$

mit eindeutig bestimmten Vektoren u aus U und v aus V.

Man zeige, daß $u = P x$, $v = Q x$ lineare Transformationen sind mit der Eigenschaft

$$P^2 x = P x, \qquad Q^2 x = Q x.$$

$P x = u$ heißt die *Projektion* von x auf U in der „Richtung“ V und $Q x = v$ die Projektion von x auf V in der Richtung U.

8. Man zeige umgekehrt: Ist $P x$ eine lineare Transformation von R_x^m mit der Eigenschaft $P^2 x = P x$, so existieren eindeutig bestimmte

linear unabhängige Komplemente U und V von R_x^m derart, daß $u = Px$ die Projektion von x auf U in der Richtung V und $v = x - Px = Qx$ die Projektion von x auf V in der Richtung U ist.

9. Es sei T eine lineare Transformation in R_x^m und λ eine reelle Zahl.

Man zeige, daß die Gesamtheit der Lösungen der Gleichung

$$Tx = \lambda x$$

ein Unterraum von R_x^m ist.

Falls die Dimension dieses Unterraumes $d > 0$ ist, so heißt λ ein d-facher *Eigenwert* von T; die Lösungen x sind zugehörige *Eigenvektoren* und deren Unterraum der zu λ gehörige *Eigenraum*.

10. Man zeige, daß die Transformation T, bei Beachtung der Multiplizität der Eigenwerte, höchstens m Eigenwerte haben kann.

Anleitung. Die verschiedenen Eigenwerten zugehörigen Eigenräume sind linear unabhängig.

11. Es sei $Tx \equiv Px$ die Projektion auf U in der Richtung V. Man bestimme die Eigenwerte und Eigenräume von P.

§ 4. Bilineare und quadratische Funktionen

4.1. Reelle bilineare und quadratische Funktionen. Es seien R_x^m und R_y^n zwei lineare Räume und

$$z = Bxy$$

eine in diesen Räumen definierte Funktion. Eine solche Funktion heißt *bilinear*, wenn sie in bezug auf beide Argumente linear ist.

Den Wertevorrat könnte man aus einem dritten linearen Raum R_z^p nehmen. Indessen werden wir uns im folgenden auf den Fall $p = 1$ beschränken und somit, was dann keine Einschränkung bedeutet, nur reellwertige bilineare Funktionen besprechen.

Wir nehmen ferner $n = m$ an. Die Argumentenräume R_x^m und R_y^n sind dann linear isomorph. Identifiziert man in irgendeiner isomorphen Abbildung dieser Räume die einander entsprechenden Vektoren, so handelt es sich im folgenden schließlich um reelle bilineare Funktionen der Vektoren x und y, die unabhängig in dem m-dimensionalen linearen Raum R^m variieren.

Fixiert man in R^m ein Koordinatensystem, worin

$$x = \sum_{i=1}^{m} \xi^i a_i \quad \text{und} \quad y = \sum_{j=1}^{m} \eta^j a_j,$$

so folgt aus der Bilinearität von B, daß

$$Bxy = \sum_{i,j=1}^{m} \xi^i \eta^j B a_i a^j = \sum_{i,j=1}^{m} \beta_{ij} \xi^i \eta^j$$

eine bilineare Form der Koordinaten ξ^i und η^j wird mit reellen Koeffizienten. Umgekehrt definiert jede solche Form mit beliebigen reellen Koeffizienten, wenn die Zahlen ξ^i und η^j als Koordinaten in bezug auf ein lineares Koordinatensystem gedeutet werden, eine reelle bilineare Funktion in R^m. Die quadratische Matrix der Koeffizienten

$$\beta_{ij} = B\, a_i\, a_j$$

heißt die Matrix der Bilinearform in bezug auf das fixierte Koordinatensystem.

Die bilineare Funktion $B\,x\,y$ geht für $y = x$ über in die zugehörige *quadratische* Funktion bzw. Form

$$B\,x\,x = B\,x^2 = \sum_{i,j=1}^{m} \beta_{ij}\, \xi^i\, \xi^j,$$

die mit der erzeugenden bilinearen Funktion durch die *Polarisationsformel*

$$B(x+y)^2 - B(x-y)^2 = 2(B\,x\,y + B\,y\,x)$$

verbunden ist.

Die Bilinearfunktion ist *symmetrisch*, wenn

$$B\,y\,x = B\,x\,y,$$

und *alternierend*, falls

$$B\,y\,x = -B\,x\,y.$$

Jede bilineare Funktion B kann in eindeutiger Weise als Summe einer symmetrischen bilinearen Funktion S und einer alternierenden bilinearen Funktion A dargestellt werden:

$$B\,x\,y = S\,x\,y + A\,x\,y;$$

offenbar ist hier

$$S\,x\,y = \frac{1}{2}(B\,x\,y + B\,y\,x), \quad A\,x\,y = \frac{1}{2}(B\,x\,y - B\,y\,x).$$

Die von einer alternierenden Bilinearfunktion erzeugte quadratische Funktion verschwindet identisch, und aus der Polarisationsformel folgt, daß auch das umgekehrte der Fall ist. Der symmetrische Teil S einer bilinearen Funktion B erzeugt dieselbe quadratische Funktion wie B selber, und nach der Polarisationsformel ist

$$B(x+y)^2 - B(x-y)^2 = 4S\,x\,y,$$

somit S durch die quadratische Funktion $B\,x^2$ eindeutig bestimmt.

Eine quadratische Funktion heißt positiv oder negativ *definit*, wenn sie nur für $x = 0$ verschwindet, im übrigen positive bzw. negative Werte annimmt. Sie ist *semidefinit*, wenn sie auch für gewisse Vektoren $x \neq 0$ verschwindet, sonst aber überall positiv bzw. negativ ist. Sie ist *indefinit*, wenn sie sowohl positive wie negative Werte annimmt. Die entsprechende Terminologie benutzen wir auch für die erzeugende eindeutig bestimmte symmetrische Bilinearfunktion.

4.2. Der Trägheitssatz. Es sei $B\,x^2$ eine reelle quadratische Funktion im Raum R^m und $B\,x\,y$ die eindeutig bestimmte symmetrische erzeugende Bilinearfunktion, folglich

$$B(x+y)^2 - B(x-y)^2 = 4B\,x\,y.$$

Wir beweisen folgenden

Trägheitssatz. *Es existieren in R^m solche Koordinatensysteme $e_1, \ldots, e_m$, daß*

$$(*) \quad B\,e_i\,e_j = 0 \text{ für } i \neq j, \quad B\,e_i^2 = +1 \text{ oder } = -1 \text{ oder } = 0.$$

Ist dann $B\,e_i^2 = +1$ für $i = 1, \ldots, p$, $B\,e_i^2 = -1$ für $i = p+1, \ldots, p+q$ und $B\,e_i^2 = 0$ für $i = p+q+1, \ldots, p+q+r = m$ und sind die von diesen drei Vektorengruppen aufgespannten linear unabhängigen Unterräume U^p, V^q, W^r (bzw.), folglich

$$R^m = U^p + V^q + W^r,$$

so bestehen folgende Invarianzen:

Die Dimensionen p, q, r der genannten Unterräume sind für jedes Koordinatensystem mit den Eigenschaften (*) invariante für die Funktion B charakteristische Zahlen, und der Unterraum W^r sogar an und für sich invariant.

Ehe wir zum Beweis übergehen, wollen wir mit Hinblick auf spätere metrische Begriffe folgende Terminologie einführen.

Zwei Vektoren x und y heißen in bezug auf die gegebene symmetrische Bilinearfunktion B zueinander *orthogonal*, wenn

$$B\,x\,y = B\,y\,x = 0.$$

Ferner heißt x ein positiver oder negativer Vektor, je nachdem $B\,x^2 > 0$ oder $B\,x^2 < 0$, insbesondere ein „Einheitsvektor", wenn $B\,x^2 = \pm 1$, während x ein „Nullvektor" ist, falls $B\,x^2 = 0$; alles in bezug auf B. Ein positiver oder negativer Vektor kann durch Multiplikation mit

$$\lambda = \frac{1}{\sqrt{|B\,x^2|}}$$

auf einen Einheitsvektor normiert werden.

Hiernach ist ein Koordinatensystem mit den Eigenschaften (*) in bezug auf B orthogonal und normiert, kurz *orthonormiert*.

In einem solchen Koordinatensystem erhält die symmetrische Bilinearfunktion eine besonders einfache Form. Wenn nämlich

$$x = \sum_{i=1}^{m} \xi^i e_i, \qquad y = \sum_{i=1}^{m} \eta^i e_i,$$

so wird

$$B\,x\,y = \sum_{i=1}^{p} \xi^i \eta^i - \sum_{j=p+1}^{p+q} \xi^j \eta^j.$$

Die Unterräume U^p, V^q, W^r mit den Vektoren

$$u = \sum_{i=1}^{p} \xi^i e_i, \qquad v = \sum_{j=p+1}^{p+q} \xi^j e_j, \qquad w = \sum_{k=p+q+1}^{p+q+r} \xi^k e_k$$

sind paarweise orthogonal, indem

$$B\,u\,v = B\,u\,w = B\,v\,w = 0,$$

und für jedes x aus R^m ist die Darstellung $x = u + v + w$ eindeutig. Ferner ist

$$B\,u^2 = \sum_{i=1}^{p} (\xi^i)^2, \qquad B\,v^2 = -\sum_{j=p+1}^{p+q} (\xi^j)^2, \qquad B\,w^2 = 0,$$

und B somit in U^p positiv definit, in V^q negativ definit, während W^r lauter Nullvektoren enthält.

4.3. Erster Beweis des Trägheitssatzes. Wenn R^m nur Nullvektoren enthält, so folgt aus der Polarisationsformel, daß $B\,x\,y \equiv 0$. Sämtliche Vektoren sind in bezug auf B zueinander orthogonal, und jedes Koordinatensystem genügt dem Trägheitssatz. Es ist $U^p = V^q = 0$ und R^m reduziert sich auf den Nullraum $W^r = W^m$.

Ist dies nicht der Fall, so enthält R^m positive oder negative Vektoren, folglich auch Einheitsvektoren. Es sei e_1 z. B. ein positiver Einheitsvektor, also $B\,e_1^2 = 1$.

Dann ist die Gesamtheit der zu e_1 orthogonalen Vektoren x_1 $(B\,e_1\,x_1 = B\,x_1\,e_1 = 0)$ offenbar ein Unterraum. Wir behaupten, daß dieser Unterraum und der von e_1 erzeugte eindimensionale Unterraum (e_1) linear unabhängige Komplemente in R^m sind. In der Tat kann jeder Vektor x in eindeutiger Weise in Komponenten

$$x = \xi^1 e_1 + x_1$$

aus diesen Unterräumen zerlegt werden; denn aus

$$0 = B\,x_1\,e_1 = B(x - \xi^1 e_1)\,e_1 = B\,x\,e_1 - \xi^1$$

ergibt sich für ξ^1 eindeutig der Wert

$$\xi^1 = B\,x\,e_1.$$

Es ist $\xi^1 e_1$ die orthogonale *Projektion* des Vektors x auf e_1 und x_1 die projizierende *Normale* in bezug auf B. Das aus diesen Normalen bestehende orthogonale und linear unabhängige Komplement zu (e_1) hat die Dimension $m - 1$ und kann mit R^{m-1} bezeichnet werden.

Man verfährt nun mit R^{m-1} genau wie oben mit R^m und setzt das Verfahren fort bis man zu einem Unterraum R^r der Dimension $r \geqq 0$ gelangt, der lauter Nullvektoren enthält, wo somit gemäß der Polarisationsformel $B\,x\,y \equiv 0$. Alsdann hat man der Reihe nach $m - r$ positive oder negative paarweise orthogonale Einheitsvektoren gefunden, die mit einem beliebigen Koordinatensystem des zu diesen Einheitsvektoren orthogonalen Nullraumes R^r zu einem vollständigen in bezug auf B orthonormierten Koordinatensystem komplettiert wird. Wenn unter den Einheitsvektoren $p \geqq 0$ positiv, $q \geqq 0$ negativ sind, so ist $p + q + r = m$; die positiven Einheitsvektoren erzeugen einen p-dimensionalen Unterraum U^p, wo B positiv definit ist; in dem von den negativen Einheitsvektoren erzeugten q-dimensionalen Unterraum ist B negativ definit; und $W^r = R^r$ enthält lauter Nullvektoren.

Hiermit ist die Existenz eines Koordinatensystems der im Trägheitssatz verlangten Art nachgewiesen, und es erübrigt noch die behaupteten Invarianzen zu beweisen.

Zunächst folgt die Invarianz des Nullraumes $R^r = W^r$ daraus, daß dieser Raum genau diejenigen Vektoren w aus R^m enthält, welche zu *jedem* R^m-Vektor x orthogonal in bezug auf B sind. In der Tat ist nach obigem für ein beliebiges $x = u + v + w$ und ein w_0 aus W^r

$$B\,x\,w_0 = B\,u\,w_0 + B\,v\,w_0 + B\,w\,w_0 = 0.$$

Wenn umgekehrt für ein $y_0 = u_0 + v_0 + w_0$ die Identität $B\,x\,y_0 = 0$ in R^m besteht, so hat man insbesondere für $x = u_0$

$$0 = B\,u_0\,y_0 = B\,u_0^2 + B\,u_0\,v_0 + B\,u_0\,w_0 = B\,u_0^2$$

und somit, da B in U^p positiv definit ist, $u_0 = 0$. In derselben Weise ergibt sich $v_0 = 0$, folglich $y_0 = w_0$, womit die Invarianz des Nullraumes W^r bewiesen ist[1].

Dagegen sind der positive Raum U^p und der negative Raum V^q im allgemeinen als Unterräume nicht invariant, wohl aber deren Dimensionen p und q.

Um dies einzusehen, betrachten wir eine zweite Zerlegung der verlangten Art,

$$R^m = \overline{U}^{\bar{p}} + \overline{V}^{\bar{q}} + \overline{W}^{\bar{r}},$$

---

[1] Der invariante Nullraum W^r enthält zwar lauter Nullvektoren aber im allgemeinen keineswegs *alle* Nullvektoren. In der Tat ist ja, falls $x = u + v + w$,

$$B\,x^2 = B\,u^2 + B\,v^2 = 0$$

genau dann, wenn $-B\,v^2 = B\,u^2$. Nur wenn $B\,x^2$ identisch verschwindet oder semidefinit ist, folgt aus obigem $u = v = 0$ und somit $x = w$.

wobei nach obigem $\overline{W}^r = W^r$. Die Dimensionen von $\overline{U}^p$ und $\overline{V}^q$ seien $\overline{p}$ und $\overline{q}$; es wird behauptet, daß $\overline{p} = p$ und $\overline{q} = q$.

In der Tat: für ein beliebiges u aus U^p hat man gemäß der zweiten Zerlegung eindeutig

$$u = \overline{u} + \overline{v} + \overline{w}.$$

Hier ist offenbar $\overline{u} = A u$ eine lineare Abbildung des Raumes U^p in den Raum $\overline{U}^p$, und zwar eine *reguläre* Abbildung. Denn aus $\overline{u} = A u = 0$ folgt $u = \overline{v} + \overline{w}$, daher

$$B u^2 = B(\overline{v} + \overline{w})^2 = B \overline{v}^2 + 2B \overline{v}\,\overline{w} + B \overline{w}^2 = B \overline{v}^2 \leqq 0,$$

also, weil B in U^p positiv definit ist, $B u^2 = 0$ und $u = 0$.

Dann muß aber gemäß 3.3 $p \leqq \overline{p}$ sein, und da aus Symmetriegründen auch umgekehrt $\overline{p} \leqq p$, so hat man $\overline{p} = p$, folglich auch $\overline{q} = m - \overline{p} - \overline{r} = m - p - r = q$, womit die Invarianzbehauptungen des Trägheitssatzes bewiesen sind.

4.4. Das Orthogonalisierungsverfahren von E. Schmidt. Zweiter Beweis des Trägheitssatzes. Wir geben noch eine zweite Variante des obigen Beweises, die wohl nicht kürzer ist, dafür aber Betrachtungen veranlaßt, die an sich nützlich sind.

Wir betrachten zunächst den Fall, daß B in R^m *definit*, z. B. positiv definit ist, und werden unter dieser Voraussetzung aus einem beliebigen Koordinatensystem

$$a_1, \ldots, a_m$$

ein in bezug auf B orthonormiertes System herleiten.

Da $a_1 \neq 0$, so ist $B a_1^2 > 0$. Wenn die reelle Zahl $\pm \lambda_{11}$ durch

$$\lambda_{11}^2 = B a_1^2$$

definiert wird, so ergibt die Gleichung

$$a_1 = \lambda_{11} e_1$$

wegen $\lambda_{11} \neq 0$ einen positiven Einheitsvektor e_1.

Man projiziere dann a_2 auf e_1, bestimme also die Zahl λ_{21} so, daß

$$B(a_2 - \lambda_{21} e_1)\, e_1 = 0,$$

woraus

$$\lambda_{21} = B\, a_2\, e_1$$

folgt. Da a_1 und a_2 linear unabhängig sind, so sind es auch e_1 und a_2; folglich ist die Normale $a_2 - \lambda_{21} e_1 \neq 0$ und $B(a_2 - \lambda_{21} e_1)^2 > 0$. Die Wurzeln λ_{22} der Gleichung

$$\lambda_{22}^2 = B(a_2 - \lambda_{21} e_1)^2$$

sind also reell und $\neq 0$, so daß durch

$$a_2 = \lambda_{21} e_1 + \lambda_{22} e_2$$

ein zu e_1 orthogonaler positiver Einheitsvektor bestimmt wird.

Im dritten Schritt projizieren wir a_3 auf den Unterraum $(e_1, e_2) = (a_1, a_2)$, bestimmen also die Zahlen λ_{31} und λ_{32} so, daß

$$B(a_3 - \lambda_{31} e_1 - \lambda_{32} e_2)\, e_i = 0$$

für $i = 1, 2$; es wird

$$\lambda_{3i} = B\, a_3\, e_i.$$

Wegen der linearen Unabhängigkeit der Vektoren a_1, a_2 und a_3 sind auch e_1, e_2 und a_3 linear unabhängig, folglich die Normale $a_3 - \lambda_{31} e_1 - \lambda_{32} e_2$ von a_3 auf $(e_1, e_2) = (a_1, a_2)$ von Null verschieden und somit $B(a_3 - \lambda_{31} e_1 - \lambda_{32} e_2)^2 > 0$. Wir bestimmen $\lambda_{33} \neq 0$ durch

$$\lambda_{33}^2 = B(a_3 - \lambda_{31} e_1 - \lambda_{32} e_2)^2$$

und definieren vermittels

$$a_3 = \lambda_{31} e_1 + \lambda_{32} e_2 + \lambda_{33} e_3$$

einen dritten Einheitsvektor e_3, der zu e_1 und e_2 orthogonal ist.

Indem man so weiter geht, erhält man zur Bestimmung des orthonormierten Systems $e_1, \ldots, e_m$ das Gleichungssystem

$$\begin{aligned}
a_1 &= \lambda_{11} e_1, \\
a_2 &= \lambda_{21} e_1 + \lambda_{22} e_2, \\
a_3 &= \lambda_{31} e_1 + \lambda_{32} e_2 + \lambda_{33} e_3, \\
&\vdots \\
a_m &= \lambda_{m1} e_1 + \lambda_{m2} e_2 + \lambda_{m3} e_3 + \cdots + \lambda_{mm} e_m,
\end{aligned}$$

wo für $j < i \leqq m$

$$\lambda_{ij} = B\, a_i\, e_j$$

und für $i = 1, \ldots, m$

$$\lambda_{ii}^2 = B(a_i - \lambda_{i1} e_1 - \cdots - \lambda_{i(i-1)} e_{i-1})^2.$$

Für jedes i ist $(e_1, \ldots, e_i) = (a_1, \ldots, a_i)$ und man erhält durch sukzessive Auflösung des obigen Gleichungssystems

$$\begin{aligned}
e_1 &= \mu_{11} a_1, \\
e_2 &= \mu_{21} a_1 + \mu_{22} a_2, \\
e_3 &= \mu_{31} a_1 + \mu_{32} a_2 + \mu_{33} a_3, \\
&\vdots \\
e_m &= \mu_{m1} a_1 + \mu_{m2} a_2 + \mu_{m3} a_3 + \cdots + \mu_{mm} a_m.
\end{aligned}$$

Damit ist das Orthogonalisierungsverfahren von E. Schmidt zu Ende gebracht.

Es sei jetzt B eine beliebige reelle und symmetrische Bilinearfunktion in R^m, die nicht identisch verschwindet. Wenn dann $B x^2$ z. B. positive Werte annimmt, so sei U^p ein maximaler positiver Raum, also ein Unterraum möglichst hoher Dimension p, wo B positiv definit ist. In diesem Unterraum können wir vermittels des Schmidtschen Orthogonalisierungsverfahrens ein in bezug auf B orthonormiertes Koordinatensystem

$$e_1, \ldots, e_p$$

konstruieren. Es ist also $B e_i e_j = 0$ für $i \neq j$, $B e_i^2 = +1$ und $U^p = (e_1, \ldots, e_p)$.

Wir wollen nun den beliebigen R^m-Vektor x auf U^p projizieren und die entsprechende Normale von x auf U^p bestimmen. Es handelt sich also um die Zerlegung von x in zwei Komponenten

$$x = \sum_{i=1}^{p} \xi^i e_i + n = u_0 + n$$

derart, daß die Normale n zu allen Vektoren u orthogonal ist, folglich $B n u = 0$ für jedes u aus U^p gilt. Hierzu ist offenbar hinreichend und notwendig, daß n zu allen Erzeugenden e_j von U^p orthogonal ist:

$$B n e_j = B\left(x - \sum_{i=1}^{p} \xi^i e_i\right) e_j = B x e_j - \xi^j = 0.$$

Es wird hiernach die Projektion

$$u_0 = \sum_{i=1}^{p} e_i B x e_i$$

und $n = x - u_0$. Man bemerke, daß diese Projektion sowie die entsprechende Normale durch x und U^p eindeutig bestimmt also von der Wahl des orthonormierten Systems e_i in U^p unabhängig ist. Denn ist

$$x = u_0' + n'$$

eine zweite Zerlegung der verlangten Art, so ist der U^p-Vektor $u_0' - u_0 = n - n'$ orthogonal zu U^p, insbesondere zu sich selbst, folglich $B(u_0' - u_0)^2 = 0$. Da B in U^p definit ist, muß hiernach $u_0' = u_0$ sein, somit auch $n' = n$.

Die Gesamtheit der U^p-Normalen n bilden offenbar einen Unterraum N^{m-p}, das linear unabhängige in bezug auf B *orthogonale Komplement* von U^p in R^m. Wegen der Maximalität von U^p kann N^{m-p} keine positiven Vektoren enthalten; denn wäre $B n^2 > 0$, so hätte man für jedes u aus U^p

$$B(u + n)^2 = B u^2 + 2 B n u + B n^2 = B u^2 + B n^2 \geqq B n^2 > 0$$

und B wäre somit in dem $(p+1)$-dimensionalen von U^p und n erzeugten Raum positiv definit.

Falls N^{m-p} negative Vektoren enthält, so sei V^q ein maximaler negativer Unterraum der Dimension q in N^{m-p} und

$$e_{p+1}, \ldots, e_{p+q}$$

ein vermittels des Schmidtschen Orthogonalisierungsverfahrens konstruiertes orthonormiertes Koordinatensystem in V^q, somit $B\, e_i\, e_j = 0$ für $i \neq j$ und $B e_i^2 = -1$.

Ist dann W^r das nach der obigen Methode konstruierte orthogonale Komplement von V^q in N^{m-p}, so enthält W^r lauter Nullvektoren und ist von der Dimension $r = m - p - q$. Man hat

$$R^m = U^p + V^q + W^r,$$

und fügt man zu den obigen $p + q$ Vektoren e_i noch eine beliebige Basis

$$e_{p+q+1}, \ldots, e_{p+q+r} = e_m$$

des Unterraumes W^r hinzu, so hat man in R^m ein Koordinatensystem konstruiert, das den Forderungen des Trägheitssatzes genügt. Die Invarianz des Raumes W^r und der Dimensionen p und q wird wie in der vorangehenden Nummer bewiesen.

4.5. Orthogonale Transformationen. Im Anschluß an den Trägheitssatz wollen wir noch einige ergänzende Betrachtungen anstellen.

Zunächst handelt es sich um die Bestimmung *sämtlicher* in bezug auf die symmetrische Bilinearfunktion B orthonormierter Koordinatensysteme des Raumes R^m.

Es sei also $\bar{e}_i$ neben e_i eine zweite in bezug auf B orthonormierte Basis. Gemäß dem Trägheitssatz enthält diese Basis ebenfalls p positive, q negative Einheitsvektoren und r Nullvektoren $\bar{e}_i$. Die Nullvektoren $\bar{e}_i$ spannen denselben Nullraum $\overline{W^r} = W^r$ wie die r Nullvektoren e_i auf. Ordnet man ferner die Vektoren beider Systeme z. B. so, daß zuerst die positiven, dann die negativen und zuletzt die Nullvektoren aufgeschrieben werden, so hat man für alle Indizes $i, j = 1, \ldots, m$

$$B\, \bar{e}_i\, \bar{e}_j = B\, e_i\, e_j.$$

Für jede Anordnung dieser Art existiert nach 3.8 eine eindeutig bestimmte lineare Transformation

$$\bar{x} = T\, x,$$

welche e_i auf $\bar{e}_i$ abbildet, und da beide Vektorensysteme linear unabhängig sind, so ist diese Transformation regulär. Ist dann

$$x = \sum_{i=1}^{m} \xi^i e_i, \qquad y = \sum_{j=1}^{m} \eta^j e_j,$$

so wird

$$\bar{x} = \sum_{i=1}^{m} \xi^i T e_i = \sum_{i=1}^{m} \xi^i \bar{e}_i, \qquad \bar{y} = \sum_{j=1}^{m} \eta^j T e_j = \sum_{j=1}^{m} \eta^j \bar{e}_j$$

und

$$B \bar{x} \bar{y} = \sum_{i,j=1}^{m} \xi^i \eta^j B \bar{e}_i \bar{e}_j = \sum_{i,j=1}^{m} \xi^i \eta^j B e_i e_j = B x y,$$

also identisch

$$B(T x)(T y) = B x y.$$

Die symmetrische Bilinearfunktion $B x y$ ist somit gegenüber der regulären Lineartransformation T invariant. Eine solche Lineartransformation des Raumes R^m heißt in bezug auf B *orthogonal.*

Wenn umgekehrt T eine beliebige reguläre Transformation ist, die $B x y$ invariant läßt und hierbei e_i auf $T e_i = \bar{e}_i$ abbildet, so sind die m Vektoren $\bar{e}_i$ wegen der Regularität von T linear unabhängig und außerdem infolge der Gleichungen

$$B \bar{e}_i \bar{e}_j = B(T e_i)(T e_j) = B e_i e_j$$

in bezug auf B orthonormiert. Sie bilden also eine in bezug auf B orthonormierte Basis des Raumes R^m. Wir sehen:

Wenn unter einer in bezug auf die symmetrische bilineare Funktion $B x y$ orthogonalen Transformation T eine Lineartransformation verstanden wird, die erstens regulär ist und überdies diese Bilinearfunktion invariant läßt, so entsprechen sich sämtliche geordnete und in bezug auf B orthonormierte Koordinatensysteme des Raumes R^m einerseits und sämtliche in bezug auf B orthogonale Transformationen dieses Raumes andererseits umkehrbar eindeutig.

Die für eine symmetrische Bilinearfunktion B orthogonalen Lineartransformationen T des Raumes R^m bilden offenbar bezüglich der Zusammensetzung eine Gruppe, die in bezug auf B orthogonale Transformationsgruppe. Sie ist eine Untergruppe der in 3.7 erwähnten Gruppe sämtlicher regulärer Lineartransformationen des Raumes.

4.6. Ausgeartete Bilinearfunktionen. Es sei $B x y$ eine reelle, nicht notwendig symmetrische Bilinearfunktion des linearen Raumes R^m. Diejenigen Vektoren y, für welche

$$B x y = 0$$

identisch in x ist, bilden offenbar einen Unterraum in R^m. Falls die Dimension r dieses Unterraumes positiv ist, so sagen wir $B x y$ sei r-fach *ausgeartet* in bezug auf y. Wenn also $B x y$ in bezug auf y nicht ausgeartet ist, so folgt aus der obigen Identität in x, daß $y = 0$.

Falls in einem beliebigen Koordinatensystem a_i

$$x = \sum_{i=1}^{m} \xi^i a_i, \qquad y = \sum_{j=1}^{m} \eta^j a_j,$$

also

$$B\,x\,y = \sum_{i,j=1}^{m} \xi^i \eta^j B\,a_i\,a_j = \sum_{i,j=1}^{m} \beta_{ij} \xi^i \eta^j,$$

so ist die Tatsache, daß B in bezug auf y r-fach ausgeartet ist, offenbar damit gleichbedeutend, daß das lineare homogene Gleichungssystem

$$\sum_{j=1}^{m} \beta_{ij} \eta^j = 0 \quad (i = 1, \ldots, m)$$

genau r linear unabhängige Lösungsvektoren y hat. Da dann das transponierte Gleichungssystem

$$\sum_{i=1}^{m} \beta_{ij} \xi^i = 0 \quad (j = 1, \ldots, m)$$

ebenfalls genau r linear unabhängige Lösungsvektoren x hat (vgl. 3.10 Aufgaben 1 und 2), so sehen wir: die Bilinearfunktion $B\,x\,y$ ist sowohl in bezug auf y wie in bezug auf x, also überhaupt r-fach ausgeartet, wenn der Rang der Matrix (β_{ij}) gleich $m - r$ ist. Insbesondere ist B nicht ausgeartet genau dann, wenn dieser Rang m und die Matrix somit regulär ist.

Falls B symmetrisch ist, so ist B offenbar r-fach ausgeartet genau dann, wenn die Dimension des im Trägheitssatz genannten Nullraumes W^r gleich r ist.

Bezüglich des oben Gesagten sei noch bemerkt, daß die einer semidefiniten quadratischen Funktion $B\,x^2$ entsprechende polarisierte symmetrische Bilinearfunktion offenbar immer ausgeartet ist. Eine nichtausgeartete symmetrische Bilinearfunktion erzeugt stets eine quadratische Funktion, die definit oder indefinit, nie semidefinit ist.

4.7. Satz von Fréchet-Riesz. Es sei $B\,x\,y$ eine nichtausgeartete reelle Bilinearfunktion in R^m; Symmetrie wird nicht verlangt. Für ein festes y ist

$$B\,x\,y = L\,x$$

eine reelle Linearfunktion von x, also ein Element des zu R^m dualen Raumes. Wenn y den Raum R^m durchläuft, so erhalten wir in dieser Weise sämtliche Elemente des dualen Raumes, jedes einmal. Wenn nämlich $a_1, \ldots, a_m$ ein Koordinatensystem in R^m ist, wo

$$y = \sum_{i=1}^{m} \eta^i a_i,$$

so wird

$$L x = B x y = \sum_{i=1}^{m} \eta^i B x a_i = \sum_{i=1}^{m} \eta^i L_i x,$$

und hier sind die Operatoren L_i rechts linear unabhängig, bilden somit eine Basis des dualen Raumes, wenn B nicht ausgeartet ist.

Für jedes L des zu R^m dualen Raumes existiert somit ein eindeutiges y in R^m derart, daß für alle x aus R^m

$$L x = B x y .$$

Das ist der *Satz von Fréchet-Riesz* im vorliegenden elementaren Fall einer endlichen Dimension m [1].

4.8. Adjungierte Lineartransformationen. Bei Beibehaltung der obigen Voraussetzungen sei jetzt T eine beliebige Lineartransformation. Es ist dann $B(T x) y$ bei festem y eine Linearfunktion von x, und gemäß dem Satz von Fréchet-Riesz existiert somit für jedes y aus R^m ein eindeutiges y^* in R^m derart, daß identisch in x

$$B(T x) y = B x y^*.$$

Man verifiziert unmittelbar, daß hier

$$y^* = T^* y$$

eine lineare Transformation des Raumes R^m ist, die zu T in bezug auf B *adjungierte* Transformation. Es ist also identisch in x und y

$$B(T x) y = B x (T^* y).$$

Falls die nichtausgeartete Bilinearfunktion $B x y$ außerdem symmetrisch ist, so kann diese Identität $B y (T x) = B (T^* y) x$ oder, nach Vertauschung von x und y,

$$B(T^* x) y = B x (T y)$$

geschrieben werden. Es ist also dann umgekehrt T die zu T^* adjungierte Lineartransformation, folglich

$$(T^*)^* = T^{**} = T .$$

Die Beziehung der Adjunktion ist somit dann involutorisch.

Besondere Beachtung verdienen die in bezug auf eine gegebene symmetrische und nichtausgeartete Bilinearfunktion B *selbstadjungierten* (oder *symmetrischen*) Lineartransformationen, bei denen

$$T^* = T .$$

---

[1] Unter dem Satz von Fréchet-Riesz versteht man eigentlich den tiefer liegenden entsprechenden Satz in Hilbertschen Räumen *unendlicher* Dimension. Wir haben dieselbe Benennung für den fast trivialen Fall eines Raumes endlicher Dimension beibehalten.

Ist T eine in bezug auf B orthogonale, somit reguläre Lineartransformation, so hat man identisch $B(Tx)(Ty) = Bxy$, also

$$B(Tx)y = Bx(T^{-1}y).$$

Es ist hiernach

$$T^* = T^{-1},$$

eine Beziehung, die offenbar mit der ursprünglichen Definition einer in bezug auf B orthogonalen Transformation äquivalent ist, sofern B symmetrisch und nichtausgeartet ist.

Falls eine lineare Transformation mit ihrer Adjungierten vertauschbar ist,

$$T\,T^* = T^*\,T,$$

so heißt T in bezug auf B *normal*. Selbstadjungierte und orthogonale Transformationen sind spezielle normale Transformationen.

4.9. Aufgaben. 1. Es sei $B = (\beta_i^j)$ eine symmetrische quadratische Matrix mit m Zeilen und Spalten. Man beweise, daß es solche reguläre quadratische Matrizen M gibt, daß

$$M'\,B\,M = D = (\varepsilon_i^j),$$

wo M' die Transponierte von M ist und D eine Diagonalmatrix bezeichnet mit $\varepsilon_i^j = 0$ für $j \neq i$ und $\varepsilon_i^i = +1$ für $i = 1, \ldots, p$, $\varepsilon_i^i = -1$ für $i = p+1, \ldots, p+q$, $\varepsilon_i^i = 0$ für $i = p+q+1, \ldots, p+q+r = m$.

Man zeige ferner, daß, falls $M = M_0$ das obige leistet, die übrigen M aus

$$M = T\,M_0$$

erhalten werden, wo T eine beliebige reguläre Matrix mit der Eigenschaft

$$T'\,B\,T = B$$

bezeichnet.

2. Es sei $B\,x\,y$ eine symmetrische Bilinearfunktion im Raume R^m und $C\,x\,y$ dort eine zweite Bilinearfunktion. Man beweise:

Falls aus $B\,x\,y = 0$ stets $C\,x\,y = 0$ folgt, so ist identisch

$$C\,x\,y = \varkappa\,B\,x\,y,$$

wo $\varkappa$ eine reelle Konstante ist.

3. Es sei $B\,x\,y$ in R^m eine symmetrische Bilinearfunktion und U ein Unterraum von R^m.

Es soll die notwendige und hinreichende Bedingung aufgestellt werden für die Existenz einer von dem gegebenen Punkt x auf U in bezug auf B gefällten Normale.

Man gebe den allgemeinen Ausdruck dieser Normalen und zeige insbesondere, daß die Normale eindeutig bestimmt ist genau dann, wenn B in U nicht ausgeartet ist.

4. Man beweise, falls $B\,x\,y$ in R^m positiv definit ist, die sogenannte Besselsche Ungleichung

$$B\,p^2 \leqq B\,x^2,$$

wo p die in bezug auf B orthogonale Projektion von x auf U bezeichnet, und zeige ferner, daß die sogenannte Parsevalsche Gleichung

$$B\,p^2 = B\,x^2$$

nur für $x = p$ besteht.

5. Es sei $B\,x\,y$ eine nichtausgeartete bilineare Funktion in R^m und $T\,x$ eine lineare Transformation von R^m, T^*x deren adjungierte Transformation in bezug auf B. Man beweise, daß die Kerne dieser Transformationen dieselbe Dimension haben.

6. Unter den Voraussetzungen und Bezeichnungen der vorangehenden Aufgabe fixieren wir in R^m ein beliebiges Koordinatensystem. In bezug auf dieses Koordinatensystem haben die Bilinearfunktion B und die linearen Transformationen T und T^* bestimmte quadratische Matrizen, die wir mit denselben Buchstaben bezeichnen:

$$B = (\beta_i^j), \qquad T = (\tau_i^j), \qquad T^* = (\tau^{*j}_i).$$

Man beweise, daß allgemein

$$T^* = B'\,T'(B^{-1})', \qquad T = B(T^*)'\,B^{-1},$$

und zeige insbesondere:

a. T ist in bezug auf B selbstadjungiert, wenn

$$T\,B = B\,T'.$$

b. T ist in bezug auf B orthogonal, falls

$$T\,B = B(T^{-1})'.$$

c. T ist in bezug auf B normal, wenn

$$T'\,B^{-1}\,T\,B = B^{-1}\,T\,B\,T'.$$

Man zeige schließlich, daß, falls B symmetrisch und definit ist, das Koordinatensystem so gewählt werden kann, daß

$$T^* = T'.$$

7. Es seien R_x^m und R_y^n lineare Räume, in denen je eine reelle Bilinearfunktion gegeben ist, die wir kurz mit $(x_1, x_2)_x$ bzw. $(y_1, y_2)_y$ bezeichnen. Man zeige:

a. Falls die Bilinearfunktionen nicht ausgeartet sind, so können die linearen Abbildungen $y = A\,x$ von R_x^m in R_y^n und die linearen Abbildungen $x = A^*y$ von R_y^n in R_x^m paarweise zueinander *adjungiert* werden, so daß identisch in x und y

$$(A\,x, y)_y = (x, A^*y)_x.$$

b. Sind die Bilinearfunktionen überdies definit, so ist

$$R_x^m = K(A) + A^* R_y^n, \qquad R_y^n = K(A^*) + A R_x^m,$$

wo $K(A)$ und $K(A^*)$ die Kerne der Abbildungen A bzw. A^* bezeichnen.

Anleitung. a ist eine direkte Folge des Satzes von Fréchet-Riesz. Um b zu beweisen, zeigt man, daß die Unterräume $K(A)$ und $A^* R_y^n$ außer dem Nullvektor keine gemeinsamen Vektoren haben, somit linear unabhängig sind. Falls nämlich $x = A^* y$ ein Nullvektor ist, so hat man $A x = A A^* y = 0$, folglich $(A A^* y, y)_y = (A^* y, A^* y)_x = 0$ somit $A^* y = x = 0$.

Bemerkung. Das obige wiederholt offenbar in kürzerer Formulierung das bereits in den Aufgaben 1 und 2 von 3.10 Gesagte.

8. Es sei $A\,x\,y$ eine im Raume R^m erklärte reelle bilineare und alternierende Funktion, die nicht identisch verschwindet; für beliebige Vektoren des Raumes ist also

$$A\,x\,y = -A\,y\,x$$

und $A\,x\,x = 0$. Man beweise:

Es existieren in R^m Koordinatensysteme $e_1, \ldots, e_m$ und eine Zahl $n\,(\leqq m/2)$, so daß

$$A\,e_{2i-1}\,e_{2i} = -A\,e_{2i}\,e_{2i-1} = 1$$

für $i = 1, \ldots, n$, während $A\,e_h\,e_k = 0$ für jedes andere Indexpaar h, k, folglich

$$A\,x\,y = \sum_{i=1}^{n} (\xi^{2i-1}\eta^{2i} - \xi^{2i}\eta^{2i-1}),$$

wo $\xi^1, \ldots, \xi^m$ und $\eta^1, \ldots, \eta^m$ die Koordinaten von x bzw. y in einem solchen ausgezeichneten Koordinatensystem bezeichnen.

Anleitung. Da $A\,x\,y$ nicht identisch verschwindet, so existieren zwei Vektoren a_1 und a_2, so daß $A\,a_1\,a_2 = -A\,a_2\,a_1 > 0$. Diese Vektoren sind offenbar linear unabhängig, und dasselbe gilt für die normierten Vektoren

$$e_1 = \frac{a_1}{\sqrt{A\,a_1\,a_2}}, \qquad e_2 = \frac{a_2}{\sqrt{A\,a_1\,a_2}},$$

für die $A\,e_1\,e_2 = -A\,e_2\,e_1 = 1$ wird und die einen zweidimensionalen Unterraum U_1^2 in R^m aufspannen.

Jeder Vektor x des Raumes R^m kann nun in eindeutiger Weise in zwei Komponenten

$$x = p_1 + x_1$$

zerlegt werden, so daß $p_1 = \lambda^1 e_1 + \lambda^2 e_2$ in U_1^2 liegt, während x_1 in bezug auf A zu U_1^2 senkrecht steht. Denn aus

$$A\, e_1(x - p_1) = A\, e_2(x - p_1) = 0$$

folgt $\lambda^1 = -A\, e_2\, x$, $\lambda^2 = A\, e_1\, x$.

Die Normalen x_1 bilden im Raume R^m ein linear unabhängiges Komplement R_1^{m-2} zu U_1^2, und es wird, wenn

$$y = q_1 + y_1$$

die obige Zerlegung für y ist,

$$A\, x\, y = A\, p_1\, q_1 + A\, x_1\, y_1.$$

Falls $A\, x_1\, y_1 = 0$ in R_1^{m-2}, so sind wir fertig. Sonst setzt man das eingeschlagene Verfahren in R_1^{m-2} fort und gelangt so schrittweise zu dem erwünschten Endergebnis.

Die Zahl n ist, wie leicht zu sehen, eine nur von A abhängige Invariante.

9. Mit den Voraussetzungen und Bezeichnungen der vorigen Aufgabe zeige man: Man erhält sämtliche Koordinatensysteme der dort genannten Art aus einem vermittels der Gruppe derjenigen regulären linearen Transformationen T, die A invariant lassen, so daß

$$A\, T x\, T y \equiv A\, x\, y.$$

§ 5. Multilineare Funktionen

5.1. Reelle n-lineare Funktionen. Eine für die n Vektoren $x_1, \ldots, x_n$ des Raumes R^m definierte reelle Funktion

$$M\, x_1 \ldots x_n$$

heißt n-linear, wenn sie in jedem der Argumente linear ist. Für $n = 1$ ist M eine lineare, für $n = 2$ eine bilineare Funktion.

In einem beliebigen Koordinatensystem des Raumes R^m sei

$$x_j = \sum_{i_j=1}^{m} \xi_j^{i_j} a_{i_j} \quad (j = 1, \ldots, n).$$

Es wird dann

$$M\, x_1 \ldots x_n = \sum_{i_1, \ldots, i_n = 1}^{m} \mu_{i_1 \ldots i_n} \xi_1^{i_1} \ldots \xi_n^{i_n}$$

mit

$$\mu_{i_1 \ldots i_n} = M\, a_{i_1} \ldots a_{i_n}$$

eine reelle homogene Form des Grades n in den Koordinaten der Vektoren x_j. Umgekehrt definiert eine solche Form mit beliebigen reellen

Koeffizienten und gegebenem Koordinatensystem a_i in R_m eine reelle n-lineare Funktion.

Die n Vektoren x_j lassen die $n!$ Permutationen der symmetrischen Permutationsgruppe zu. Diese Permutationen sind gerade oder ungerade, je nachdem sie in eine gerade oder ungerade Anzahl Transpositionen $(x_i\, x_j)$ aufgelöst werden können. Die $n!/2$ geraden Permutationen bilden die alternierende Untergruppe der symmetrischen Permutationsgruppe.

Eine n-lineare Vektorfunktion M, die bei den Permutationen der symmetrischen Permutationsgruppe, somit bei jeder Transposition der Vektoren x_i, unverändert bleibt, heißt *symmetrisch.*

Wenn sie dagegen genau bei allen Permutationen der alternierenden Permutationsgruppe den Wert M_1 hat, so hat sie für sämtliche ungerade Permutationen einen Wert $M_2 (\neq M_1)$. Es ist dann $M_1 - M_2$ eine *alternierende* n-lineare Funktion, die bei jeder Transposition der Vektoren x_i nur das Vorzeichen wechselt.

Übt man auf eine beliebige n-lineare Funktion $M\, x_1 \ldots x_n$ sämtliche Permutationen der alternierenden Permutationsgruppe, so ist die Summe der erhaltenen Funktionen entweder symmetrisch oder höchstens zweiwertig mit den Werten M_1^* und M_2^*. Man nennt dann die n-lineare alternierende Funktion

$$\frac{1}{n!}(M_1^* - M_2^*)$$

den *alternierenden Teil* der n-linearen Funktion M und bezeichnet ihn mit

$$\wedge\, M\, x_1 \ldots x_n .$$

Im folgenden werden uns insbesondere die reellen alternierenden multilinearen Funktionen mehrerer Vektoren interessieren.

5.2. Alternierende Funktionen und Determinanten. Es sei also

$$D\, x_1 \ldots x_n$$

eine in R^m definierte reelle multilineare und alternierende Funktion.

Für $n = 1$ ist $D\, x_1$ eine reelle einfach lineare Funktion. Es ist zweckmäßig, eine solche Funktion ebenfalls als „alternierend" aufzufassen, weil sämtliche für eigentlich $(n > 1)$ alternierende multilineare Funktionen gültige Sätze dann auch für $n = 1$ bestehen, wie man in jedem einzelnen Fall leicht verifizieren wird.

Bei Vertauschung zweier Vektoren x_i und x_j $(i \neq j)$ ändert D das Zeichen und muß somit für $x_i = x_j$ verschwinden. Hieraus ergibt sich allgemeiner:

Wenn die Vektoren $x_1, \ldots, x_n$ *linear abhängig* sind, so ist

$$D\, x_1 \ldots x_n = 0.$$

Für $n = 1$ besagt dies, daß jede einfach lineare Funktion $D\, x_1$ für $x_1 = 0$ verschwindet. Falls $n > 1$, so ist einer der Vektoren, z. B.

$$x_n = \sum_{i=1}^{n-1} \lambda_i x_i,$$

eine lineare Kombination der übrigen, somit wegen der Linearität von D in x_n

$$D\, x_1 \ldots x_n = \sum_{i=1}^{n-1} \lambda_i D\, x_1 \ldots x_{n-1}\, x_i;$$

und hier verschwinden sämtliche Glieder rechts.

Ist die Anzahl n der Argumente größer als die Dimension des Raumes R^m, so sind die Argumentvektoren stets linear abhängig und somit $D = 0$. Alternierende n-lineare Funktionen, die nicht identisch verschwinden, existieren also in R^m nur für $n \leqq m$. Wir betrachten im folgenden insbesondere den Fall $n = m$.

Ist dann der Wert von D für *ein* linear unabhängiges Vektorensystem $a_1, \ldots, a_m$ gegeben, so ist D in R^m *eindeutig* bestimmt. In der Tat ist für ein beliebiges Vektorensystem $x_1, \ldots, x_m$

$$x_j = \sum_{i_j=1}^{m} \xi_j^{i_j} a_{i_j},$$

und da

$$D\, a_{i_1} \ldots a_{i_m} = \pm D\, a_1 \ldots a_m$$

mit dem Vorzeichen $+$ oder $-$, je nachdem die Permutation $j \to i_j$ $(j = 1, \ldots, m)$ gerade oder ungerade ist, so wird

$$D\, x_1 \ldots x_m = \delta\, D\, a_1 \ldots a_m,$$

wo die reelle Zahl

$$\delta = \sum_{i_1, \ldots, i_m = 1}^{m} \pm \xi_1^{i_1} \ldots \xi_m^{i_m} = \sum_{j_1, \ldots, j_m = 1}^{m} \pm \xi_{j_1}^{1} \ldots \xi_{j_m}^{m} = \det(\xi_j^i) = \det(\xi_i^j)$$

die m-reihige Determinante der Koordinaten ξ_j^i ist. Der Wert $D\, x_1 \ldots x_m$ ist somit gemäß der obigen Gleichung eindeutig bestimmt, wenn $D\, a_1 \ldots a_m$ gegeben ist.

Hieraus folgt unmittelbar, daß D in R^m identisch verschwindet, wenn sie für ein einziges linear unabhängiges Vektorensystem a_i gleich Null wird. Schließt man diesen Fall aus, so verschwindet D nur, wenn die m Argumentvektoren linear abhängig sind. Es existiert dann in R^m genau eine bis auf den beliebig normierbaren Faktor $D\, a_1 \ldots a_m = \alpha \neq 0$

eindeutig bestimmte m-lineare alternierende Funktion, nämlich

$$D\, x_1 \ldots x_m = \alpha \det(\xi_j^i).$$

Indessen werden wir nicht von der herkömmlichen Determinantentheorie Gebrauch machen. Im Gegenteil läßt sich diese Theorie aus dem Begriff einer m-linearen alternierenden Vektorfunktion des Raumes R^m leicht herleiten. Um z. B. in dieser Weise die Multiplikationsregel der Determinanten zu beweisen, gehe man von zwei beliebigen m-reihigen Determinanten $\det(\xi_j^i)$ und $\det(\eta_k^j)$ aus und setze, unter $a_1, \ldots, a_m$ eine Basis von R^m verstanden,

$$x_j = \sum_{i=1}^{m} \xi_j^i a_i, \qquad y_k = \sum_{j=1}^{m} \eta_k^j x_j,$$

woraus

$$y_k = \sum_{i=1}^{m} \left(\sum_{j=1}^{m} \eta_k^j \xi_j^i \right) a_i$$

folgt. Es ist dann einerseits

$$D\, y_1 \ldots y_m = \det\left(\sum_{j=1}^{m} \eta_k^j \xi_j^i \right) D\, a_1 \ldots a_m,$$

andererseits

$$D\, y_1 \ldots y_m = \det(\eta_k^j)\, D\, x_1 \ldots x_m = \det(\eta_k^j) \det(\xi_j^i)\, D\, a_1 \ldots a_m$$

und folglich, da $D\, a_1 \ldots a_n \neq 0$,

$$\det(\eta_k^j) \det(\xi_j^i) = \det\left(\sum_{j=1}^{m} \eta_k^j \xi_j^i \right) = \det\left(\sum_{j=1}^{m} \xi_i^j \eta_k^j \right) = \det\left(\sum_{j=1}^{m} \xi_j^i \eta_j^k \right).$$

5.3. Orientierung eines Simplexes. Indem wir uns auf das in 2.4 und 2.5 Gesagte beziehen, betrachten wir in einem linearen Raum R^n ein m-dimensionales ($m \leqq n$) Simplex $s^m(x_0, \ldots, x_m)$ mit den Ecken $x_0, \ldots, x_m$ und linear unabhängigen Kanten $x_1 - x_0, \ldots, x_m - x_0$. Diese Kanten erzeugen einen m-dimensionalen Unterraum U^m, und das Simplex liegt in einer mit diesem Raum U^m parallelen Hyperebene E^m, dessen Punkte

$$x = \sum_{i=0}^{m} \mu^i x_i$$

in bezug auf das Simplex eindeutige baryzentrische Koordinaten μ^i mit

$$\sum_{i=0}^{m} \mu^i = 1$$

haben.

Um sämtliche in E^m oder in damit parallelen Ebenen liegende Simplexe, deren Kanten denselben Unterraum U^m bestimmen, zu *orientieren*, nehmen wir die bis auf einen willkürlichen Faktor eindeutig bestimmte m-lineare reelle alternierende Funktion D des Raumes U^m und bilden für jedes der genannten Simplexe $s^m(x_0, \ldots, x_m)$ den Ausdruck

$$D(x_1 - x_0) \ldots (x_m - x_0) \equiv \Delta(x_0, \ldots, x_m).$$

Da die Kanten $x_i - x_0$ linear unabhängige Vektoren des Raumes U^m sind, so ist diese reelle Zahl von Null verschieden, somit positiv oder negativ. Wir definieren:

Das Simplex $s^m(x_0, \ldots, x_m)$ ist bei der gegebenen Anordnung der Ecken in bezug auf Δ positiv oder negativ orientiert, je nachdem der obige Ausdruck positiv oder negativ ausfällt.

Die Funktion Δ ist zwar nicht linear, aber immer noch alternierend, ändert somit bei jeder Transposition $(x_i\, x_j)$ das Vorzeichen. Für $i, j \neq 0$ ist dies evident. Bei einer Transposition $(x_0\, x_j)$ setze man für jedes i

$$x_i - x_j = (x_i - x_0) + (x_0 - x_j),$$

woraus

$$\begin{aligned}
&\Delta(x_j, x_1, \ldots, x_{j-1}, x_0, x_{j+1}, \ldots, x_m)\\
&\quad = D(x_1 - x_j) \ldots (x_{j-1} - x_j)(x_0 - x_j)(x_{j+1} - x_j) \ldots (x_m - x_j)\\
&\quad = D(x_1 - x_0) \ldots (x_{j-1} - x_0)(x_0 - x_j)(x_{j+1} - x_0) \ldots (x_m - x_0)\\
&\quad = -D(x_1 - x_0) \ldots (x_{j-1} - x_0)(x_j - x_0)(x_{j+1} - x_0) \ldots (x_m - x_0)\\
&\quad = -\Delta(x_0, x_1, \ldots, x_{j-1}, x_j, x_{j+1}, \ldots, x_m)
\end{aligned}$$

folgt. Also ändert Δ auch bei dieser Transposition das Vorzeichen und ist somit alternierend. Man bemerke, daß dies auch für $m = 1$ gilt.

Hieraus folgt gemäß der obigen Definition, daß die Orientierung eines Simplexes bei geraden Permutationen der Ecken unverändert bleibt und bei ungeraden das Vorzeichen ändert[1].

Das m-dimensionale Simplex $s^m(x_0, \ldots, x_m)$ hat die $(m-1)$-dimensionalen Seitensimplexe

$$s_i^{m-1}(x_0, \ldots, \hat{x}_i, \ldots, x_m) \quad (i = 0, \ldots, m),$$

wo $\widehat{\ }$ das Weglassen des so bezeichneten Punktes angibt. Wenn s^m in obiger Weise durch $\Delta(x_0, \ldots, x_m)$ orientiert ist, so definieren wir die von dieser Orientierung *induzierte* Orientierung der Seitensimplexe s_i^{m-1} durch die Vorzeichen der alternierenden Funktionen

$$\Delta_i(x_0, \ldots, \hat{x}_i, \ldots, x_m) \equiv (-1)^i\, \Delta(x_0, \ldots, x_i, \ldots, x_m).$$

[1] Das ist die übliche Definition der Orientierung. Die oben gegebene haben wir vorgezogen, weil die Funktion $\Delta(x_0, \ldots, x_m)$ nicht nur die Orientierung des Simplexes $s^m(x_0, \ldots, x_m)$ entscheidet, sondern auch die aus dem nachfolgenden Satz in 5.4 hervorgehende Bedeutung für das Simplex hat.

Man bemerke, daß Δ_i in bezug auf das Seitensimplex s_i^{m-1} und den von dessen Kanten aufgespannten Raum U_i^{m-1} genau dieselbe Bedeutung hat, wie

$$\Delta(x_0, \ldots, x_m) = D\, h_1 \ldots h_m \quad (h_i = x_i - x_0)$$

für den Raum U^m. Ist nämlich zunächst $i \neq 0$, so hängt in

$$\Delta_i(x_0, \ldots, \hat{x}_i, \ldots, x_m) = (-1)^i D\, h_1 \ldots h_{i-1}(x_i - x_0)\, h_{i+1} \ldots h_m$$
$$\equiv D_i\, h_1 \ldots \hat{h}_i \ldots h_m$$

der $(m-1)$-lineare und alternierende Operator D_i bei *festem* x_i nur scheinbar von x_0 ab. Denn ersetzt man x_0 durch einen beliebigen anderen Punkt $\bar{x}_0$ des Seitensimplexes s_i^{m-1}, so sind $\bar{x}_0 - x_0$ und $h_1, \ldots, \hat{h}_i, \ldots, h_m$ als Vektoren des Raumes U_i^{m-1} linear abhängig, folglich

$$D\, h_1 \ldots h_{i-1}(x_i - \bar{x}_0)\, h_{i+1} \ldots h_m = D\, h_1 \ldots h_{i-1}(x_i - x_0)\, h_{i+1} \ldots h_m .$$

Es ist somit D_i die bis auf einen normierbaren reellen Faktor eindeutig bestimmte $(m-1)$-lineare alternierende Grundform des Raumes U_i^{m-1}. Für $i = 0$ schreibe man z. B. $x_i - x_0 = (x_i - x_1) + (x_1 - x_0)$, somit

$$\Delta_0(x_1, \ldots, x_m) = D(x_1 - x_0)\, k_2 \ldots k_m \quad (k_i = x_i - x_1).$$

Auch hier hängt, wie man unmittelbar sieht, der Operator rechts bei festem x_0 nur scheinbar von x_1 ab, und es ist somit

$$D_0\, k_2 \ldots k_m \equiv D(x_1 - x_0)\, k_2 \ldots k_m$$

die $(m-1)$-lineare alternierende Grundform des Raumes U_0^{m-1}.

5.4. Additivität der Funktion Δ. Wir betrachten nun eine Zerlegung des abgeschlossenen Simplexes $s^m(x_0, \ldots, x_m)$ (d. h. der abgeschlossenen konvexen Hülle der Punkte $x_0, \ldots, x_m$) in eine endliche Anzahl m-dimensionaler Teilsimplexe:

$$s^m(x_0, \ldots, x_m) = \sum_k s_k^m(x_0^k, \ldots, x_m^k).$$

Dies bedeutet folgendes:

1°. *s^m ist die Vereinigungsmenge der abgeschlossenen Teilsimplexe s_k^m.*

2°. *Je zwei Teilsimplexe haben keine gemeinsamen inneren Punkte.*

Für eine solche Zerlegung gilt folgender

Satz. *Falls s^m und die Teilsimplexe s_k^m in bezug auf*

$$\Delta(x_0, \ldots, x_m) = D(x_1 - x_0) \ldots (x_m - x_0)$$

gleich orientiert sind, so ist

$$\Delta(x_0, \ldots, x_m) = \sum_k \Delta(x_0^k, \ldots, x_m^k)$$

und die Summe rechts somit von der vorliegenden Zerlegung unabhängig.

Die Funktion Δ ist somit im Sinne dieses Satzes eine *additive* Mengenfunktion.

Eine Zerlegung des Simplexes s^m heißt insbesondere *simplizial*, wenn sie außer den zwei oben genannten allgemeinen Eigenschaften noch folgende spezielle Eigenschaft hat:

3°. *Jedes* $(m-1)$*-dimensionale Seitensimplex* s^{m-1} *der Teilsimplexe, welches innere Punkte von* s^m *enthält, gehört als gemeinsames Seitensimplex zu genau zwei wohlbestimmten Teilsimplexen* s_h^m *und* s_k^m.

Da nun jede Zerlegung eines Simplexes s^m Unterteilungen besitzt, die simplizial sind[1], so genügt es, den obigen Satz für simpliziale Zerlegungen zu beweisen, was in den nachfolgenden Nummern vermittels Induktion nach der Dimension geschehen soll.

5.5. Hilfssätze. Um den Beweis des obigen Satzes ohne störende Unterbrechungen führen zu können, wollen wir einige vorbereitende Betrachtungen anstellen.

Es sei

$$x = \sum_{j=0}^{m} \mu^j x_j$$

ein beliebiger Punkt der Ebene des Simplexes $s^m(x_0, \ldots, x_m)$. Wegen $\sum_{j=0}^{m} \mu^j = 1$ hat man

$$x - x_0 = \sum_{j=1}^{m} \mu^j (x_j - x_0),$$

folglich, wenn wir in $\Delta(x_0, \ldots, x_m)$ den Punkt x_i durch x ersetzen, zunächst für $i \neq 0$,

$$\begin{aligned} &\Delta(x_0, \ldots, x_{i-1}, x, x_{i+1}, \ldots, x_m) \\ &= D(x_1 - x_0) \ldots (x_{i-1} - x_0)(x - x_0)(x_{i+1} - x_0) \ldots (x_m - x_0) \\ &= \sum_{j=1}^{m} \mu^j D(x_1 - x_0) \ldots (x_{i-1} - x_0)(x_j - x_0)(x_{i+1} - x_0) \ldots (x_m - x_0), \end{aligned}$$

also, da sämtliche Glieder für $j \neq i$ verschwinden,

$$\Delta(x_0, \ldots, x_{i-1}, x, x_{i+1}, \ldots, x_m) = \mu^i \Delta(x_0, \ldots, x_{i-1}, x_i, x_{i+1}, \ldots, x_m).$$

Für $i = 0$ schreibe man z. B. $x_j - x_0 = (x_j - x_m) + (x_m - x_0)$, woraus

$$\Delta(x_0, x_1, \ldots, x_m) = D(x_1 - x_m) \ldots (x_{m-1} - x_m)(x_m - x_0)$$

folgt.

---

[1] T. Nieminen [*1*].

Substituiert man hier statt x_0

$$x = \sum_{j=0}^{m} \mu^j x_j = x_m + \sum_{j=0}^{m-1} \mu^j (x_j - x_m),$$

so wird

$$\begin{aligned} \Delta(x, x_1, \ldots, x_m) &= -\mu^0 D(x_1 - x_m) \ldots (x_{m-1} - x_m)(x_0 - x_m) \\ &= \mu^0 \Delta(x_0, x_1, \ldots, x_m), \end{aligned}$$

woraus zu sehen ist, daß die obige Gleichung auch für $i = 0$ besteht. Beachtet man noch die Aufgabe 3 in 2.6, so hat man den

Hilfssatz A. *Sind*

$$s^m(x_0, \ldots, x_{i-1}, x_i, x_{i+1}, \ldots, x_m) \quad \textit{und} \quad \bar{s}^m(x_0, \ldots, x_{i-1}, x, x_{i+1}, \ldots, x_m)$$

Simplexe derselben m-dimensionalen Hyperebene mit dem gemeinsamen Seitensimplex $s_i^{m-1}(x_0, \ldots, \hat{x}_i, \ldots, x_m)$ *und ist in der baryzentrischen Darstellung von* x *in bezug auf* s^m *der Koeffizient von* x_i *gleich* μ^i, *so hat man für* $i = 0, \ldots, m$

$$\begin{aligned} &\Delta(x_0, \ldots, x_{i-1}, x, x_{i+1}, \ldots, x_m) \\ &\qquad = \mu^i \Delta(x_0, \ldots, x_{i-1}, x_i, x_{i+1}, \ldots, x_m). \end{aligned}$$

Da $\mu^i < 0$ *die notwendige und hinreichende Bedingung ist, damit die Simplexe* s^m *und* $\bar{s}^m$ *keine gemeinsamen inneren Punkte haben, so ist dies genau dann der Fall, wenn die Simplexe bei den gegebenen Eckenfolgen entgegengesetzt orientiert sind.*

Nimmt man in diesem Hilfssatz der Reihe nach $i = 0, \ldots, m$, so ergibt die Addition der erhaltenen Gleichungen den

Hilfssatz B. *Für jedes* x *der Ebene des Simplexes* s^m *ist*

$$\sum_{i=0}^{m} \Delta(x_0, \ldots, x_{i-1}, x, x_{i+1}, \ldots, x_m) = \Delta(x_0, \ldots, x_m).$$

Man bemerke, daß diese Gleichung bereits die zu beweisende Additivität enthält in dem Spezialfall einer „sternförmigen" Zerlegung. Falls nämlich x im Innern oder auf dem Rande von s^m liegt, so ist offenbar

$$s^m(x_0, \ldots, x_m) = \sum_{i=0}^{m} s^m(x_0, \ldots, x_{i-1}, x, x_{i+1}, \ldots, x_m)$$

eine von x ausstrahlende sternförmig simpliziale Zerlegung von s^m, wo die Teilsimplexe rechts wegen $\mu^i \geqq 0$ gemäß dem Hilfssatz A sämtlich wie s^m orientiert sind.

5.6. Beweis des Satzes. Nach diesen Vorbereitungen beweisen wir jetzt allgemein die behauptete Additivität von Δ, wobei wir, wie schon erwähnt, uns auf simpliziale Zerlegungen

$$s^m(x_0, \ldots, x_m) = \sum_k s_k^m(x_0^k, \ldots, x_m^k)$$

des Simplexes s^m beschränken können.

Indem wir mit x einen vorläufig beliebigen Punkt der Ebene von s^m bezeichnen, haben wir nach Hilfssatz B für jedes k

$$\Delta(x_0^k, \ldots, x_m^k) = \sum_{i=0}^{m} \Delta(x_0^k, \ldots, x_{i-1}^k, x, x_{i+1}^k, \ldots, x_m^k),$$

somit

$$\sum_k \Delta(x_0^k, \ldots, x_m^k) = \sum_k \sum_{i=0}^{m} \Delta(x_0^k, \ldots, x_{i-1}^k, x, x_{i+1}^k, \ldots, x_m^k).$$

Es handelt sich um die Auswertung der Doppelsumme rechts.

Es sei hierzu s^{m-1} ein $(m-1)$-dimensionales Seitensimplex der Teilsimplexe, welches innere Punkte von s^m enthält. Da die Zerlegung simplizial ist, so existieren genau zwei Teilsimplexe,

$$s_h^m(x_0^h, \ldots, x_{p-1}^h, x_p^h, x_{p+1}^h, \ldots, x_m^h)$$

und

$$s_k^m(x_0^k, \ldots, x_{q-1}^k, x_q^k, x_{q+1}^k, \ldots, x_m^k),$$

denen das Seitensimplex s^{m-1} gemeinsam ist, wobei x_p^h und x_q^k die einzigen nichtgemeinsamen Eckpunkte der Nachbarsimplexe s_h^m und s_k^m seien. Da nun diese Simplexe keine gemeinsamen inneren Punkte haben und bei der obigen Eckenfolge gemäß Voraussetzung *gleich* orientiert sind, so folgt aus dem Hilfssatz A unmittelbar, daß die Anordnung

$$x_0^h, \ldots, x_{p-1}^h, x_q^k, x_{p+1}^h, \ldots, x_m^h$$

eine *ungerade* Permutation der Anordnung

$$x_0^k, \ldots, x_{q-1}^k, x_q^k, x_{q+1}^k, \ldots, x_m^k$$

der Eckpunkte von s_k^m sein muß. Dann ist aber

$$x_0^h, \ldots, x_{p-1}^h, x, x_{p+1}^h, \ldots, x_m^h$$

ebenfalls eine ungerade Permutation der Anordnung

$$x_0^k, \ldots, x_{q-1}^k, x, x_{q+1}^k, \ldots, x_m^k$$

und die entsprechenden Δ-Glieder der obigen Doppelsumme heben sich somit auf.

In dieser Doppelsumme bleiben also nur diejenigen Glieder übrig, die von solchen Seitensimplexen s^{m-1} der Teilsimplexe herrühren, die keine inneren, somit lauter Randpunkte des zerlegten Simplexes s^m enthalten. Verlegt man jetzt noch den Punkt x in einen Eckpunkt dieses Simplexes, z. B. in x_0, so bleiben nur die dem gegenüber x_0 liegenden

4*

Seitensimplex s_0^{m-1} von s^m entsprechenden Glieder übrig. Bringt man schließlich in diesen restierenden Gliedern x_0 vermittels einer *geraden* Permutation der Ecken an die erste Stelle, was für $m > 1$ offenbar möglich ist und die Orientierungen unverändert läßt, so wird

$$\sum_k \Delta(x_0^k, \ldots, x_m^k) = \sum_h \Delta(x_0, y_1^h, \ldots, y_m^h),$$

wo die Summe links nach wie vor über sämtliche Teilsimplexe der ursprünglichen simplizialen Zerlegung von s^m und die Summe rechts über die induzierte simpliziale Zerlegung

$$s_0^{m-1}(x_1, \ldots, x_m) = \sum_h s_h^{m-1}(y_1^h, \ldots, y_m^h)$$

des Seitensimplexes s_0^{m-1} zu erstrecken ist[1].

Nun ist, wenn $y_1, \ldots, y_m$ beliebige Punkte der Ebene des Seitensimplexes s_0^{m-1} bezeichnen, gemäß der Bemerkung in 5.3

$$\Delta(x_0, y_1, \ldots, y_m) = D_0(y_2 - y_1) \ldots (y_m - y_1)$$

die bis auf einen reellen Faktor eindeutig bestimmte $(m-1)$-lineare und alternierende Grundform des zu s_0^{m-1} parallelen Raumes U_0^{m-1}. Wir behaupten, daß die Ausdrücke

$$\Delta(x_0, y_1^h, \ldots, y_m^h)$$

sämtlich das Vorzeichen von $\Delta(x_0, \ldots, x_m)$ haben und folglich gleich orientiert sind.

In der Tat kommt in der ursprünglichen Zerlegung ein Teilsimplex vor, der bis auf eine gerade Permutation der Ecken gleich

$$s_h^m(x_0^h, y_1^h, \ldots, y_m^h)$$

ist, wo x_0^h ein innerer Eckpunkt der Zerlegung ist. Dieses Simplex ist somit wie

$$s^m(x_0, x_1, \ldots, x_m)$$

orientiert, andererseits aber auch wie

$$s^m(x_0, y_1^h, \ldots, y_m^h).$$

Denn in der baryzentrischen Darstellung

$$x_0^h = \mu^0 x_0 + \sum_{i=1}^m \mu^i x_i$$

sind die Koeffizienten μ^i, insbesondere also μ^0, positiv. Substituiert man hier die baryzentrischen Darstellungen von $x_1, \ldots, x_m$ in bezug auf $y_1^h, \ldots, y_m^h$, so erhält man die baryzentrische Darstellung von x_0^h

[1] T. Nieminen [*1*].

in bezug auf $x_0, y_1^h, \ldots, y_m^h$, wo der Koeffizient von x_0 unverändert gleich μ^0, somit positiv ist. Gemäß Hilfssatz A ist nun

$$\Delta(x_0^h, y_1^h, \ldots, y_m^h) = \mu^0 \Delta(x_0, y_1^h, \ldots, y_m^h),$$

woraus zu sehen ist, daß $\Delta(x_0, y_1^h, \ldots, y_m^h)$ in der Tat das Vorzeichen von $\Delta(x_0^h, y_1^h, \ldots, y_m^h)$, also für jedes h das Vorzeichen von $\Delta(x_0, x_1, \ldots, x_m)$ hat. Die induzierte simpliziale Zerlegung von s_0^{m-1} ist somit gleich orientiert.

Gesetzt, daß der Satz für Dimensionen $<m$ bereits bewiesen ist, so folgt aus obigem, daß

$$\sum_h \Delta(x_0, y_1^h, \ldots, y_m^h) = \Delta(x_0, x_1, \ldots, x_m).$$

Dann ist aber auch

$$\sum_k \Delta(x_0^k, \ldots, x_m^k) = \sum_h \Delta(x_0, y_1^h, \ldots, y_m^h) = \Delta(x_0, \ldots, x_m),$$

und der Satz für die Dimension m richtig.

Für die Dimension $m = 1$ ist der Satz trivial, und der Beweis ist somit zu Ende geführt.

5.7. Aufgaben. 1. Es sei

$$D\, x_1 \ldots x_n$$

eine reelle n-lineare und alternierende Funktion im linearen Raum R^m und $n \leqq m$, ferner in einem Koordinatensystem $a_1, \ldots, a_m$ dieses Raumes

$$x_j = \sum_{i=1}^{m} \xi_j^i a_i \quad (j = 1, \ldots, n).$$

Man zeige, daß

$$D\, x_1 \ldots x_n = \sum_{1 \leqq i_1 < \cdots < i_n \leqq m} \delta^{i_1 \ldots i_n} D\, a_{i_1} \ldots a_{i_n},$$

wo $\delta^{i_1 \ldots i_n}$ die aus der i_1-ten, $\ldots$, i_n-ten Zeile der Matrix

$$(\xi_i^j) = \begin{pmatrix} \xi_1^1 \ldots \xi_n^1 \\ \vdots \quad\quad \vdots \\ \xi_1^m \ldots \xi_n^m \end{pmatrix}$$

gebildete Determinante bezeichnet.

2. Man zeige, daß die obigen $\binom{m}{n}$ Determinanten $\delta^{i_1 \ldots i_n}$ linear unabhängige n-lineare alternierende Funktionen sind, die den linearen Raum sämtlicher solcher Funktionen von $x_1, \ldots, x_n$ aufspannen. Man beachte insbesondere die extremen Fälle $n = 1$ und $n = m$.

3. Es sei T eine lineare Transformation des Raumes R^m und D die bis auf einen reellen Faktor eindeutig bestimmte reelle m-lineare und alternierende Grundform dieses Raumes.

Man zeige: Der Quotient

$$\frac{D\,T\,x_1 \ldots T\,x_m}{D\,x_1 \ldots x_m}$$

ist von den Vektoren $x_1, \ldots, x_m$ unabhängig und in jedem Koordinatensystem gleich der Determinante

$$\det T = \det(\tau_i^j)$$

der Transformation T; diese Determinante ist somit eine vom Koordinatensystem unabhängige Invariante.

4. Man zeige, daß allgemein für jedes k $(1 \leqq k \leqq m)$ der Quotient

$$q_k = \frac{1}{D\,x_1 \ldots x_m} \sum_{1 \leqq i_1 < \cdots < i_k \leqq m} D\,x_1 \ldots T\,x_{i_1} \ldots T\,x_{i_k} \ldots x_m$$

von den Vektoren $x_1, \ldots, x_m$ unabhängig ist und in jedem Koordinatensystem gleich dem mit $(-1)^{m-k}$ multiplizierten Koeffizienten von λ^{m-k} des Polynoms m-ten Grades

$$\det(T - \lambda I) = \det(\tau_i^j - \lambda\,\delta_i^j),$$

wo I die identische Transformation bezeichnet.

Bemerkung. Es ist insbesondere

$$q_1 = \frac{1}{D\,x_1 \ldots x_m} \sum_{i=1}^{m} D\,x_1 \ldots x_{i-1}\,T\,x_i\,x_{i+1} \ldots x_m$$

gleich der *Spur*

$$\operatorname{Sp} T \equiv \sum_{i=1}^{m} \tau_i^i$$

der Transformation T (oder der Matrix (τ_i^j)).

5. Man beweise: Notwendig und hinreichend damit λ_0 ein Eigenwert der Transformation T sei ist, daß λ_0 der *Sekulärgleichung*

$$\det(T - \lambda I) = \det(\tau_i^j - \lambda\,\delta_i^j) = 0$$

genügt (vgl. 3.10 Aufgaben 9—10).

Man zeige ferner: Falls λ_0 ein n-facher $(1 \leqq n \leqq m)$ Eigenwert der Transformation T ist, so ist sie wenigstens ein n-facher Wurzel der Sekulärgleichung.

Bemerkung. Die Umkehrung der zweiten Behauptung gilt *nicht*, wie folgendes Beispiel zeigt.

Es seien $x_1, \ldots, x_m$ beliebige linear unabhängige Vektoren des Raumes R^m und die Transformation T durch

$$T\,x_1 = \ldots = T\,x_n = 0,\; T\,x_{n+1} = x_n,\; \ldots,\; T\,x_m = x_{m-1}$$

eindeutig erklärt, wobei $1 \leqq n \leqq m - 1$. Dann ist, wie unmittelbar zu sehen, die Sekulärgleichung

$$\lambda^m = 0,$$

während $\lambda = 0$ ein genau n-facher Eigenwert der Transformation T ist.

6. Wir betrachten ein m-dimensionales Simplex

$$s^m = s^m(x_0, \ldots, x_m)$$

und ordnen die Eckpunkte in $(m + 1)!$ verschiedenen Reihenfolgen

$$x_{i_0}, \ldots, x_{i_m}.$$

Man beweise, daß die diesen $(m + 1)!$ Permutationen p entsprechenden abgeschlossenen Simplexe $s^m(p)$, mit den Ecken

$$y_{i_k} = \frac{1}{k+1} \sum_{j=0}^{k} x_{i_j} \quad (k = 0, \ldots, m)$$

in den Schwerpunkten der Seitensimplexe 0-ter, ..., m-ter Dimension von s^m, dieses abgeschlossene Simplex simplizial zerlegen.

Man zeige ferner: Falls D die bis auf einen reellen Faktor eindeutige m-lineare und alternierende Grundform des von den Kanten $h_i = x_i - x_0$ des Simplexes s^m aufgespannten Raumes $R^m = (h_1, \ldots, h_m)$ ist, also mit früheren Bezeichnungen

$$D\, h_1 \ldots h_m = \Delta(x_0, \ldots, x_m),$$

so ist für jedes der obigen Teilsimplexe $s^m(p)$

$$|\Delta(y_{i_0}, \ldots, y_{i_m})| = \frac{1}{(m+1)!} |\Delta(x_0, \ldots, x_m)|.$$

Man zeige schließlich: Falls

$$\overline{y}(p) = \frac{1}{m+1} \sum_{k=0}^{m} y_{i_k}$$

den Schwerpunkt des der Permutation p entsprechenden Teilsimplexes $s^m(p)$ bezeichnet, so ist

$$\frac{1}{(m+1)!} \sum_{p} \overline{y}(p) = \frac{1}{m+1} \sum_{i=0}^{m} x_i,$$

also der Schwerpunkt dieser $(m + 1)!$ Schwerpunkte $\overline{y}(p)$ gleich dem Schwerpunkt des Simplexes s^m.

Bemerkung. Die obige simpliziale Zerlegung von s^m heißt die *baryzentrische* Zerlegung erster Stufe. Wird jedes Teilsimplex $s^m(p)$ wiederum baryzentrisch zerlegt, so erhält man die baryzentrische Zerlegung zweiter Stufe von s^m, usw.

7. Es seien $h_i = x_i - x_0$ $(i = 1, \ldots, m)$ linear unabhängige Vektoren eines linearen Raumes und D die m-lineare und alternierende Grundform des von diesen Vektoren aufgespannten Raumes R^m. Man zeige:

a. Die m Simplexe

$$s_i^m(x_0 + h_m, \ldots, x_{i-1} + h_m, x_i, \ldots, x_{m-1}, x_i + h_m),$$

wo $i = 0, \ldots, m-1$, sind gleich orientiert und haben dasselbe „Volumen", indem für jedes i

$$\varDelta(x_0 + h_m, \ldots, x_{i-1} + h_m, x_i, \ldots, x_{m-1}, x_i + h_m) = D\, h_1 \ldots h_m.$$

b. Die genannten Simplexe zerlegen das *Prisma*

$$x = \mu\, h_m + \sum_{i=0}^{m-1} \mu^i x_i,$$

wo $0 \leqq \mu \leqq 1$, $\mu^i \geqq 0$, $\sum_{i=0}^{m-1} \mu^i = 1$, simplizial.

Bemerkung. Diese simpliziale Zerlegung des m-dimensionalen Prismas ist eine Verallgemeinerung der für $m = 2$ und $m = 3$ schon von Euklid angegebenen Zerlegung.

8. Man beweise, daß das von den linear unabhängigen Vektoren $h_1, \ldots, h_m$ im Punkte x_0 aufgespannte m-dimensionale *Parallelepiped*

$$x = x_0 + \sum_{i=1}^{m} \mu^i h_i \quad (0 \leqq \mu^i \leqq 1)$$

in $m!$ „volumengleiche" und gleich orientierte Simplexe simplizial zerlegt werden kann.

Anleitung. Der Beweis ergibt sich aus der Aufgabe 7 vermittels Induktion nach der Dimension m.

§ 6. Metrisierung affiner Räume

6.1. Die natürliche Topologie der linearen Räume endlicher Dimension. Ein linearer Raum *endlicher* Dimension besitzt eine „natürliche" Topologie, die auf die Topologie des reellen Multiplikatorenbereiches zurückgeht. Ist nämlich $a_1, \ldots, a_m$ eine Basis des Raumes, in der

$$x = \sum_{i=1}^{m} \xi^i a_i, \qquad x_0 = \sum_{i=1}^{m} \xi_0^i a_i,$$

so kann z. B. der Grenzübergang $x \to x_0$ durch die m im reellen Zahlengebiet sinnvollen Grenzübergänge

$$\xi^i \to \xi_0^i \quad (i = 1, \ldots, m)$$

erklärt werden, und zwar in einer von der Wahl des Koordinatensystems unabhängiger Weise: Ist gemäß dieser Definition $x \to x_0$ vom Standpunkte eines Koordinatensystems, so folgt aus den endlichen und linearen Transformationsformeln der Koordinaten, daß dies dann in allen Koordinatensystemen der Fall ist. Entsprechendes gilt für die übrigen topologischen Grundbegriffe und Relationen wie Häufungspunkt einer Punktmenge, innerer Punkt eines Gebietes, usw.

Auf der Existenz dieser natürlichen Topologie beruht es, daß die Grundbegriffe und Relationen der in den folgenden Kapiteln entwickelten „absoluten Analysis“ in endlichdimensionalen Räumen größtenteils rein affinen Charakters sein werden. Wir werden zwar, teils um die Begriffe und Sätze bequem formulieren zu können, teils aus beweistechnischen Gründen, fast überall die in diesem Abschnitt einzuführenden metrischen Begriffe benutzen; aber die Begriffe und Sätze der absoluten Analysis werden an sich meistens von der besonderen Wahl der eingeführten Hilfsmetriken unabhängig sein.

6.2. Die Minkowski-Banach-Streckenmetrik. Die gewissermaßen einfachste d-dimensionale Punktmenge eines affinen Raumes ist das abgeschlossene d-dimensionale Simplex

$$s^d(x_0, \ldots, x_d)$$

mit den Ecken x_i und den d linear unabhängigen Kanten $x_1 - x_0, \ldots, x_d - x_0$. Dieses Gebilde ist möglichst elementar vor allem deshalb, weil die Punktmenge

$$x = \sum_{i=0}^{d} \mu^i x_i, \qquad \sum_{i=0}^{d} \mu^i = 1, \qquad \mu^i \geqq 0,$$

affin, ohne jegliche Metrik, erklärt ist und bei beliebigen regulären Lineartransformationen des Raumes ihren Charakter als d-dimensionales Simplex invariant beibehält.

Bei Begründung einer allgemeinen Maßtheorie für Punktmengen des affinen Raumes ist es daher zweckmäßig, zunächst den Begriff des Inhalts für Simplexe sinngemäß festzulegen.

Für $d = 0$ schrumpft das Simplex zu einem einzigen Punkt, dessen „Inhalt“ wir $= 0$ setzen.

Für $d = 1$ handelt es sich um eine abgeschlossene Strecke

$$x = \mu^0 x_0 + \mu^1 x_1, \qquad \mu^0 + \mu^1 = 1, \qquad \mu^0 \geqq 0, \qquad \mu^1 \geqq 0.$$

Wir machen den Anfang mit Einführung einer sinngemäßen Definition des Inhalts oder der Länge einer solchen Strecke $x_0 x_1$.

Soll der Längenbegriff unseren gewohnten Vorstellungen entsprechen, so wird er eine für jede Strecke $x_0 x_1$ definierte reelle Zahl $|x_0, x_1|$ sein, die jedenfalls folgenden Postulaten genügt:

A. *Die Länge* $|x_0, x_1|$ *ist von der Orientierung des Simplexes* $s^1(x_0, x_1)$ *unabhängig und gegenüber Parallelverschiebungen desselben invariant.*

Hiernach ist

$$|x_0, x_1| = |x_1, x_0| = |0, x_1 - x_0| = |0, x_0 - x_1|.$$

Wir bezeichnen daher diese Länge kürzer mit

$$|x_1 - x_0| = |x_0 - x_1|.$$

B. *Die Länge soll im folgenden Sinne additiv sein: Für einen inneren Punkt*

$$x = \mu^0 x_0 + \mu^1 x_1, \qquad \mu^0 + \mu^1 = 1, \qquad \mu^0 > 0, \qquad \mu^1 > 0,$$

der Strecke ist

$$|x - x_0| + |x_1 - x| = |x_1 - x_0|.$$

C. *Es ist*

$$|x_1 - x_0| \geqq 0,$$

und $= 0$ *nur, wenn* $x_1 = x_0$ *und die Strecke in einen einzigen Punkt ausartet.*

Diese Postulate sind mit den folgenden äquivalent (vgl. 6.11 Aufgabe 1).

Jedem Vektor x des affinen Raumes ist eine reelle Zahl $|x|$, die *Länge* oder die *Norm* des Vektors, zugeordnet mit folgenden Eigenschaften:

1°. *Für jedes reelle* λ *ist* $|\lambda x| = |\lambda|\,|x|$.

2°. *Es ist* $|x| \geqq 0$, *und* $= 0$ *nur für* $x = 0$.

Wenn außerdem für jedes Dreieck des Raumes die *Dreiecksungleichung*

3°. $|x_2 - x_0| \leqq |x_2 - x_1| + |x_1 - x_0|$

besteht, so liegt eine *Minkowski-Banach-Streckenmetrik* des affinen Raumes vor, und zwar eine Minkowskische oder Banachsche, je nachdem die Dimension des Raumes endlich oder unendlich ist.

Man zeigt leicht, daß die „Einheitskugel“

$$|x| \leqq 1$$

einer solchen Metrik eine *konvexe* Punktmenge ist. Umgekehrt kann die Dreiecksungleichung unter Beibehaltung der übrigen Postulate durch die Forderung der Konvexität der Einheitskugel ersetzt werden (vgl. 6.11 Aufgabe 2).

Im folgenden wird es sich fast ausschließlich um den von Minkowski betrachteten Fall eines endlichdimensionalen Raumes R^m handeln. In bezug auf eine solche Minkowskische Streckenmetrik ist folgendes zu beachten.

Es sei in irgendeinem Koordinatensystem $a_1, \ldots, a_m$

$$x = \sum_{i=1}^{m} \xi^i a_i .$$

Dann ist jede Minkowskische Länge $|x|$ eine stetige Funktion der Koordinaten ξ^i, und umgekehrt sind diese, als eindeutige Funktionen von x, stetig in bezug auf die gegebene Metrik.

Es genügt offenbar, dies für $\xi^1 = \ldots = \xi^m = 0$ bzw. $x = 0$ zu zeigen. Wir setzen hierzu

$$\sum_{i=1}^{m} (\xi^i)^2 = \varrho^2 ,$$

und behaupten also, daß $|x| \to 0$ für $\varrho \to 0$ und umgekehrt.

In der Tat ist infolge der Dreiecksungleichung und 1°

$$|x| \leqq \sum_{i=1}^{m} |\xi^i| \, |a_i| ,$$

also

$$|x|^2 \leqq \left(\sum_{i=1}^{m} |\xi^i| \, |a_i| \right)^2 \leqq \sum_{i=1}^{m} |a_i|^2 \sum_{i=1}^{m} (\xi^i)^2 = K^2 \varrho^2$$

somit $|x| \leqq K \varrho$ und $|x| \to 0$ für $\varrho \to 0$.

Da hiernach $|x|$ eine stetige Funktion der m Koordinaten ξ^i ist, so hat $|x|$ auf der Fläche

$$\sum_{i=1}^{m} (\xi^i)^2 = 1$$

eine nichtnegative untere Grenze k, die wenigstens für ein System ξ_0^i erreicht wird. Wegen

$$x_0 = \sum_{i=1}^{m} \xi_0^i a_i \neq 0$$

ist $k = |x_0|$ gemäß 2° positiv, und für ein beliebiges x hat man infolge 1°

$$|x| = \left| \varrho \frac{x}{\varrho} \right| = \varrho \left| \frac{x}{\varrho} \right| \geqq k \varrho ,$$

woraus umgekehrt $\varrho \to 0$ für $|x| \to 0$ folgt.

Falls also $x \to 0$ in der natürlichen Topologie des Raumes, so ist auch in jeder Minkowskischen Metrik $|x| \to 0$; und umgekehrt.

6.3. Normen linearer Operatoren. Es sei

$$y = A x$$

eine lineare Abbildung des Minkowskischen Raumes R_x^m in den Minkowskischen Raum R_y^n. Da in den natürlichen Topologien dieser Räume offenbar $A x \to 0$ für $x \to 0$, so ist dies gemäß dem oben Gesagten auch in den Minkowskischen Metriken der Fall: $|A x| \to 0$

für $|x| \to 0$. Nach der Dreiecksungleichung ist für beliebige x und h aus R_x^m

$$||A(x+h)| - |Ax|| \leqq |A(x+h) - Ax| = |Ah|,$$

und es folgt hieraus, daß sowohl Ax wie $|Ax|$ stetige Funktionen von x sind. Auf der m-dimensionalen Sphäre $|x| = 1$ hat somit $|y| = |Ax|$ eine endliche obere Grenze

$$\sup_{|x|=1} |Ax| = |A|,$$

die sogar in wenigstens einem Punkt der Sphäre erreicht wird. Das ist die *Norm* des linearen Operators A in bezug auf die eingeführten Metriken der Räume R_x^m und R_y^n.

Für ein beliebiges $x \neq 0$ hat man

$$|Ax| = |x| \left| A\left(\frac{x}{|x|}\right)\right| \leqq |A|\,|x|.$$

Falls Ax identisch verschwindet, so ist $|A| = 0$; aus der obigen Ungleichung ist zu sehen, daß umgekehrt aus $|A| = 0$ das identische Verschwinden von Ax folgt. Es ist also $|A| = 0$ genau dann, wenn A der Nulloperator des in 3.5 eingeführten mn-dimensionalen Operatorenraumes ist.

Ferner ist offenbar für jedes reelle λ die Norm

$$|\lambda A| = |\lambda|\,|A|.$$

Schließlich folgt aus der Dreiecksungleichung, wenn B einen zweiten linearen Operator dieses Operatorenraumes bezeichnet, daß

$$|(A+B)x| = |Ax + Bx| \leqq |Ax| + |Bx| \leqq (|A| + |B|)\,|x|;$$

somit gilt für die Normen die Ungleichung

$$|A+B| \leqq |A| + |B|.$$

Wir sehen: Wird der genannte Operatorenraum durch Einführung der Normen in bezug auf irgendwelche Minkowskische Metriken der Räume R_x^m und R_y^n metrisiert, so ist diese Normenmetrik ebenfalls eine Minkowskische.

Überdies bemerke man folgendes. Falls R_z^p einen dritten Minkowskischen Raum und

$$z = Cy$$

eine lineare Abbildung von R_y^n in R_z^p bezeichnet mit der Norm

$$|C| = \sup_{|y|=1} |Cy|,$$

so erhält man für die zusammengesetzte lineare Abbildung CB

$$|z| = |CBx| \leqq |C|\,|Bx| \leqq |C|\,|B|\,|x|,$$

folglich für die Normen die Ungleichung

$$|C\,B| \leqq |C|\,|B|.$$

Die Norm einer multilinearen Abbildung

$$y = M\,x_1 \ldots x_p$$

zweier Minkowskischer Räume R_x^m und R_y^n wird in entsprechender Weise als die obere Grenze

$$|M| = \sup_{|x_1| = \ldots = |x_p| = 1} |M\,x_1 \ldots x_p|$$

definiert. Für beliebige Vektoren $x_1, \ldots, x_p$ aus R_x^m hat man also

$$|M\,x_1 \ldots x_p| \leqq |M|\,|x_1| \ldots |x_p|.$$

6.4. Die euklidische Metrik. In einer allgemeinen Minkowski-Banach-Metrik gibt es keine Winkelmessung. Dagegen wird in der elementaren euklidischen Geometrie, außer dem Längenmaß, auch ein Maß für den von zwei Vektoren x und y gebildeten Winkel ϑ eingeführt, der mit den Längen dieser Vektoren durch das „Cosinustheorem"

$$|x + y|^2 = |x|^2 + |y|^2 + 2|x|\,|y| \cos\vartheta$$

verbunden ist.

Ersetzt man in dieser Formel y mit $-y$, so ergibt die Addition beider Gleichungen die *Parallelogrammidentität*

4°. $|x + y|^2 + |x - y|^2 = 2|x|^2 + 2|y|^2,$

das nur noch Vektorlängen enthält und wonach die Quadratsumme der Diagonalen gleich der Quadratsumme der vier Seiten des Parallelogramms mit den Ecken $0,\ x,\ y,\ x + y$ ist.

Fügt man diese in jeder Minkowski-Banach-Metrik sinnvolle Gleichung als viertes Postulat zu den drei schon genannten, so ist die in dieser Weise spezialisierte Metrik bekanntlich eine *euklidische*, d. h.:

Es existiert im affinen Raum eine eindeutig bestimmte bilineare symmetrische und positiv definite Funktion $G\,x\,y$ derart, daß für jedes x

$$|x| = +\sqrt{G\,x^2}.$$

Wird umgekehrt in einem affinen Raum eine Streckenmetrik dieser Art eingeführt, wobei die *metrische Fundamentalform* G die oben genannten Eigenschaften hat, im übrigen aber beliebig angenommen werden darf; so genügt diese Metrik den drei Postulaten 1°, 2°, 3° einer Minkowski-Banach-Metrik und überdies der Parallelogrammidentität 4°.

Wir werden in den beiden nachfolgenden Nummern der Vollständigkeit wegen diese für die euklidische Metrik fundamentalen Behauptungen kurz beweisen.

6.5. Herleitung von G aus den vier metrischen Postulaten. Es sei in einem affinen Raum (auf die Dimension kommt es hier nicht an) die Länge der Vektoren in einer den vier oben genannten Postulaten 1°—4° genügenden Weise definiert. Es wird behauptet, daß dann eine bilineare symmetrische und positiv definite Funktion $G x y$ existiert, so daß $|x| = + \sqrt{G x^2}$.

Gesetzt, daß die Behauptung richtig ist, so folgt aus der Polarisationsformel (vgl. 4.1) für G der Ausdruck

$$4 G x y = G(x+y)^2 - G(x-y)^2 = |x+y|^2 - |x-y|^2,$$

und es gilt somit zu zeigen, daß dieser Ausdruck tatsächlich eine bilineare symmetrische und positiv definite Funktion ist, die in der behaupteten Beziehung zu $|x|$ steht.

Zunächst ergibt sich aus der obigen Definition für $y = x$ gemäß 1°, wonach $|0|^2 = 0$ und $|2x|^2 = 4|x|^2$, daß der Ausdruck

$$G x^2 = |x|^2$$

und somit nach 2° eine positiv definite Funktion von x ist, die in der richtigen Beziehung zu $|x|$ steht.

Da ferner $|y - x| = |x - y|$, so ist $G x y$ symmetrisch, und es erübrigt somit die Linearität z. B. in bezug auf x nachzuweisen, was in der Hauptsache eine Folge der Parallelogrammidentität 4° sein wird.

Es sollen also die Gleichungen

$$G(x+y)z = G x z + G y z, \qquad G(\lambda x) y = \lambda G x y$$

verifiziert werden.

Die erste Identität ist gemäß der Definition von G mit

$$|x+y+z|^2 - |x+y-z|^2 = |x+z|^2 - |x-z|^2 + |y+z|^2 - |y-z|^2$$

äquivalent. Nun ist nach 4°

$$2|x+z|^2 + 2|y+z|^2 = |x+y+z+z|^2 + |x-y|^2,$$

ferner

$$|x+y+z+z|^2 + |x+y|^2 = 2|x+y+z|^2 + 2|z|^2,$$

somit

$$2|x+z|^2 + 2|y+z|^2 = 2|x+y+z|^2 + 2|z|^2 - |x+y|^2 + |x-y|^2.$$

Mit $-z$ statt z wird hieraus wegen $|-z| = |z|$

$$2|x-z|^2 + 2|y-z|^2 = 2|x+y-z|^2 + 2|z|^2 - |x+y|^2 + |x-y|^2,$$

und die Subtraktion dieser Gleichungen ergibt die erwünschte erste Identität für G.

Um die zweite Gleichung, $G(\lambda x)\, y = \lambda G\, x\, y$, für jedes reelle λ zu beweisen, bemerke man, daß

$$4G(\lambda x)y = |\lambda x + y|^2 - |\lambda x - y|^2$$

infolge der Dreiecksungleichung 3° und 1° eine stetige Funktion von λ ist. Man hat nämlich

$$|\lambda' x + y| = |(\lambda' - \lambda'')x + \lambda'' x + y| \leqq |(\lambda' - \lambda'')x| + |\lambda'' x + y|$$
$$= |\lambda' - \lambda''|\,|x| + |\lambda'' x + y|,$$

folglich, da λ' und λ'' vertauscht werden können,

$$\big|\,|\lambda' x + y| - |\lambda'' x + y|\,\big| \leqq |\lambda' - \lambda''|\,|x|.$$

Man kann sich somit auf rationale und sogar auf positive rationale Werte des Multiplikators λ beschränken. Dann folgt aber die behauptete Homogenität in λ unmittelbar aus der oben bewiesenen Additivität. In der Tat ist zunächst für ein positives ganzzahliges $\lambda = p$ wegen $p\, x = \underbrace{x + \cdots + x}_{p}$

$$G(p\, x)y = p\, G\, x\, y$$

somit, wenn $p\, x$ durch x ersetzt wird,

$$G\left(\frac{1}{p}\, x\right) y = \frac{1}{p}\, G\, x\, y,$$

folglich für ein positives und rationales $\lambda = p/q$

$$G\left(\frac{p}{q}\, x\right) y = \frac{p}{q}\, G\, x\, y,$$

womit alles bewiesen ist.

6.6. Herleitung der vier Postulate aus G. Es sei umgekehrt $G\, x\, y$ eine beliebige bilineare symmetrische und positiv definite Funktion in dem vorliegenden affinen Raum endlicher oder unendlicher Dimension. Wir bringen kurz die bekannten Beweise dafür, daß

$$|x| = +\sqrt{G\, x^2}$$

den Postulaten 1°—4° genügt.

Die Eigenschaften 1° und 2° sind ohne weiteres klar. Ferner ist

$$|x + y|^2 = G(x + y)^2 = G\, x^2 + 2G\, x\, y + G\, y^2 = |x|^2 + 2G\, x\, y + |y|^2,$$

woraus sich mit $-y$ statt y und durch Addition der Gleichungen die Parallelogrammidentität 4° ergibt.

Um schließlich die Dreiecksungleichung

$$|x + y|^2 \leqq |x|^2 + 2|x|\,|y| + |y|^2$$

zu beweisen muß, wie ein Vergleich mit der vorangehenden Identität zeigt, die Ungleichung $G\,x\,y \leqq |x|\,|y|$, also die *Schwarzsche Ungleichung*

$$(G\,x\,y)^2 \leqq G\,x^2\,G\,y^2,$$

bestehen. Diese folgt bekanntlich z. B. daraus, daß

$$G\,x^2\,G(y-\lambda\,x)^2 = (\lambda\,G\,x^2 - G\,x\,y)^2 + G\,x^2\,G\,y^2 - (G\,x\,y)^2 \geqq 0.$$

Gleichheit besteht genau dann, wenn x und y linear abhängig sind.

Hiermit ist auch die Dreiecksungleichung und zugleich, in einer euklidischen Metrik, die notwendige und hinreichende Bedingung für das Bestehen der Gleichheit gefunden. Es muß dann nach obigem

$$G\,x\,y = |x|\,|y| = \sqrt{G\,x^2\,G\,y^2}$$

sein, also erstens x und y linear abhängig, dazu aber, wenn z. B. $y = \lambda\,x$ ist, λ positiv, die Vektoren x und y somit gleichgerichtet sein.

Zusammenfassend kann also, wie es gewöhnlich geschieht, ein euklidischer Raum als ein affiner Raum definiert werden mit einer beliebigen bilinearen symmetrischen und positiv definiten *metrischen Fundamentalform*

$$G\,x\,y = (x, y),$$

genannt *inneres Produkt* oder *Skalarprodukt* der Vektoren x und y, wobei $|x|^2 = (x, x)$; oder als ein affiner Raum, in dem eine Längenmetrik eingeführt ist, die den vier oft genannten Postulaten genügt.

6.7. Winkelmessung und Orthogonalität im euklidischen Raum. Gemäß der Schwarzschen Ungleichung kann man den von den Vektoren x und y gebildeten Winkel ϑ vermittels der Gleichung

$$G\,x\,y = (x, y) = |x|\,|y| \cos\vartheta$$

definieren. Hiernach sind diese Vektoren orthogonal (in bezug auf G) wenn $G\,x\,y = 0$, was in Übereinstimmung mit der allgemeinen schon in 4.2 benutzten Terminologie steht.

Alles bisher über euklidische Räume Gesagte ist von der Dimension unabhängig. Ist nun diese Dimension endlich und $= m$, so folgt aus dem allgemeinen Trägheitssatz in 4.2, daß Koordinatensysteme $e_1, \ldots, e_m$ existieren, die in bezug auf das innere Produkt orthonormiert sind, somit $G\,e_i\,e_j = \delta_i^j$. Ist dann

$$x = \sum_{i=1}^{m} \xi^i e_i, \qquad y = \sum_{j=1}^{m} \eta^j e_j,$$

so wird in einem solchen orthonormierten System $\xi^i = G\,x\,e_i$, $\eta^j = G\,y\,e_j$, also

$$G\,x\,y = (x, y) = \sum_{i=1}^{m} \xi^i \eta^i \quad \text{und} \quad G\,x^2 = |x|^2 = \sum_{i=1}^{m} (\xi^i)^2.$$

Orthonormierte Koordinatensysteme können aus beliebigen Basen vermittels des Schmidtschen Orthogonalisierungsverfahrens konstruiert werden. Hat man ein solches System gefunden, so erhält man alle übrigen orthonormierten Systeme vermittels der Gruppe der in bezug auf die metrische Fundamentalform orthogonalen Lineartransformationen T, bei denen also das innere Produkt invariant bleibt:

$$(T x, T y) = (x, y).$$

6.8. Das Hauptachsenproblem. Es sei in dem euklidischen mit der Fundamentalform $G\,x\,y = (x, y)$ metrisierten Raum R^m eine beliebige reelle und *symmetrische* Bilinearfunktion $B\,x\,y$ gegeben.

Das Hauptachsenproblem besteht dann bekanntlich in der Auffindung eines in bezug auf G orthonormierten Koordinatensystems $e_1, \ldots, e_m$ (die Hauptachsen von B), so daß

$$B\,x\,y = \sum_{i=1}^{m} \lambda_i\, \xi^i \eta^i,$$

also $B\,e_i\,e_j = \lambda_i\,\delta_i^j$ wird.

Da die Behandlung dieses klassischen Problems der linearen Algebra hier als bekannt vorausgesetzt werden darf, so soll nur der Gedankengang einer der vielen Lösungen dieses Problems kurz angedeutet werden. Die Einzelheiten stellen wir als Aufgaben in 6.11.

Gemäß dem Satz von Fréchet-Riesz existiert eine eindeutige lineare Transformation $T x$ von R^m derart, daß

$$B\,x\,y = (x, T y) = G\,x\,T y.$$

Wegen der Symmetrie von G und B ist

$$(x, T y) = (T x, y)$$

und T somit in bezug auf G selbstadjungiert. Umgekehrt definiert jede solche Transformation vermittels der obigen Gleichung eine bilineare und symmetrische Funktion B.

Gesetzt, man habe das Hauptachsenproblem für ein gegebenes B gelöst, so folgt aus der obigen Darstellung von B, daß

$$(T e_i, e_j) = B\,e_i\,e_j = \lambda_i\,\delta_i^j = (\lambda_i e_i, e_j),$$

also, da G nicht ausgeartet ist,

$$T e_i = \lambda_i e_i \quad (i = 1, \ldots, m).$$

Die selbstadjungierte Lineartransformation T hat somit m Eigenwerte λ_i mit den zugehörigen Eigenvektoren e_i (vgl. 3.10 Aufgaben 9—10).

Umgekehrt ist das Hauptachsenproblem offenbar gelöst, wenn sich zeigen läßt, daß jede in bezug auf G selbstadjungierte lineare Transformation von R^m genau m Eigenwerte λ_i hat, mit zugehörigen Eigenvektoren e_i, die ein orthonormiertes Koordinatensystem bilden. Das wird koordinatenfrei in den Aufgaben 7—12 von 6.11 bewiesen.

6.9. Inhalt eines Simplexes. Es sei $1 \leqq p \leqq m$ und $s^p(x_0, \ldots, x_p)$ ein p-dimensionales abgeschlossenes Simplex des affinen Raumes R^m. Die p linear unabhängigen Kanten $x_i - x_0$ spannen in R^m einen mit der Ebene des Simplexes parallelen Unterraum U^p auf, und wir beschränken uns vorläufig auf p-dimensionale Simplexe, die mit einem *bestimmten* Unterraum U^p und somit untereinander parallel sind.

Soll für diese p-dimensionalen Simplexe ein Inhalt in ungezwungener Weise definiert werden, so scheint es natürlich, an den drei ersten Postulaten A—C von 6.2, in sinnvoll verallgemeinerter Form, festzuhalten. Wir postulieren demnach:

A. *Der Inhalt der mit U^p parallelen Simplexe soll bei Umorientierung und Parallelverschiebung invariant bleiben.*

Dieses Postulat erlaubt uns, die Eckpunkte $x_0, \ldots, x_p$ in beliebiger Reihenfolge zu nehmen und den Nullpunkt des Raumes in eine der Ecken, z. B. in x_0 zu verlegen. Es sind dann $x_1, \ldots, x_p$ die linear unabhängigen Kanten des Simplexes, und wir bezeichnen, in Übereinstimmung mit der Bezeichnung im Falle $p = 1$, den zu definierenden Inhalt des Simplexes $s^p(0, x_1, \ldots, x_p)$ mit

$$|x_1, \ldots, x_p|.$$

B. *Bei Zerlegung des Simplexes im Sinne von 5.4 soll der Inhalt eine additive Punktmengenfunktion sein.*

Man bemerke, daß bei einer Zerlegung des Simplexes s^p die Teilsimplexe in demselben von s^p bestimmten Unterraum U^p liegen und in diesem Sinne parallel sind; für $p = 1$ hat man genau das Postulat B von 6.2.

C. *Der Inhalt soll eine positiv definite Funktion der Kanten x_i sein, also*

$$|x_1, \ldots, x_p| \geqq 0$$

und $= 0$ genau dann, wenn die Kanten linear abhängig sind und das Simplex somit in ein Simplex niedrigerer Dimension ausartet.

Diese Bedingung enthält für $p = 1$ genau das Postulat C von 6.2.

Diese Postulate werden nun bei Beachtung des Satzes in 5.4 in einfachster Weise erfüllt, wenn man für die p-dimensionalen Simplexe „in der Richtung U^p", die also mit dem festen Unterraum U^p parallel sind,

$$|x_1, \ldots, x_p| = |D\, x_1 \ldots x_p|$$

definiert, wobei D die in U^p bis auf einen normierbaren Faktor eindeutig bestimmte, nicht identisch verschwindende, reelle, p-fach lineare und alternierende Funktion der Kanten x_i ist.

6.10. Zusammenhang mit der metrischen Fundamentalform. Endgültige Definition von $|x_1, \ldots, x_p|$. Es sei nun, was bisher nicht relevant war, R^m ein euklidischer Raum mit dem inneren Produkt $G\,x\,y = (x, y)$. Um den Zusammenhang der obigen Definition mit der durch G bestimmten eindimensionalen Streckenmetrik zu finden, empfiehlt es sich den Unterraum U^p in bezug auf G zu orthogonalisieren.

Es sei also $e_1, \ldots, e_p$ ein beliebiges orthonormiertes Koordinatensystem in U^p und

$$x_i = \sum_{j=1}^{p} \xi_i^j e_j \quad (i = 1, \ldots, p).$$

Nach 5.2 wird

$$D\,x_1 \ldots x_p = \det(\xi_i^j)\,D\,e_1 \ldots e_p,$$

somit gemäß dem dort hergeleiteten Multiplikationsgesetz der Determinanten, wonach $(\det(\xi_i^j))^2 = \det\left(\sum_{j=1}^{p} \xi_h^j \xi_k^j\right) = \det(G\,x_h\,x_k)$,

$$(D\,x_1 \ldots x_p)^2 = \det(G\,x_h\,x_k)\,(D\,e_1 \ldots e_p)^2.$$

Diese Formel zeigt nun zunächst, daß

$$\det(G\,x_h\,x_k) \geqq 0$$

und $= 0$ genau dann, wenn $x_1, \ldots, x_p$ linear abhängig sind. Das ist eine Verallgemeinerung der Schwarzschen Ungleichung, welche hierin für $p = 2$ enthalten ist.

Die Formel zeigt ferner, daß $|D\,x_1 \ldots x_p|$ bei orthogonalen Transformationen des Unterraumes U^p invariant und $|D\,e_1 \ldots e_p|$ von der Wahl des orthonormierten Systems e_i unabhängig ist. Wir können somit diese positive Größe für jeden p-dimensionalen Unterraum U^p beliebig festlegen.

Soll nun der zu definierende Inhalt des Simplexes s^p „isotrop", also unabhängig von der Richtung U^p des Simplexes, sein, wie es ja für $p = 1$ der Fall ist, so muß dem Faktor

$$|D\,e_1 \ldots e_p| = |D(U^p)|$$

für *jeden* p-dimensionalen Unterraum derselbe positive Wert beigelegt werden, und es handelt sich nur noch darum, dies in zweckmäßiger Weise zu tun. Es scheint hierzu natürlich, diese Festsetzung so einzurichten, daß ein Einheitskubus den Inhalt 1 erhält. Gemäß der Aufgabe 8 in 5.7 muß dann für jedes p

$$p!\,|D\,e_1 \ldots e_p| = 1$$

sein, und wir haben so in

$$|x_1, \ldots, x_p| = \frac{1}{p!}\sqrt{\det(G\,x_h\,x_k)}$$

eine den gestellten Postulaten genügende Definition für den euklidischen Inhalt oder das Volumen eines p-dimensionalen Simplexes. Diese Definition ist auch insofern befriedigend, als der Inhalt bei orthogonalen Transformationen des euklidischen Raumes invariant bleibt.

6.11. Aufgaben. 1. Man zeige, daß die Postulate A, B, C und 1°, 2° in 6.2 äquivalent sind.

Anleitung. Man zeigt zunächst leicht, daß aus B

$$\left|\frac{p}{q}x\right| = \frac{p}{q}|x|$$

für jedes positive und rationale p/q folgt (vgl. mit 6.5). Ist dann λ eine positive Irrationalzahl, so sei (α) die Klasse der positiven rationalen Zahlen $< \lambda$ und (β) die Klasse der rationalen Zahlen $> \lambda$. Dann folgt aus obigem und B einerseits

$$\alpha|x| < |\lambda x| < \beta|x|,$$

während andererseits

$$\alpha|x| < \lambda|x| < \beta|x|.$$

Somit ist für jedes Paar α, β

$$||\lambda x| - \lambda|x|| < (\beta - \alpha)|x|,$$

woraus $|\lambda x| = \lambda|x|$ folgt. Wegen A ist hiernach $|\lambda x| = |\lambda|\,|x|$ für jedes reelle λ.

Umgekehrt sind A und B eine unmittelbare Folge von 1°.

2. Man zeige, daß die Einheitskugel $|x| \leqq 1$ in einer Minkowski-Banach-Metrik eine konvexe Punktmenge ist, und umgekehrt, daß die Dreiecksungleichung eine Folge dieser Konvexität nebst 1° ist.

3. Es sei $x_1, x_2, \ldots$ eine unendliche Punktfolge des Raumes R^m. Man beweise das *Cauchysche Konvergenzkriterium*:

Notwendig und hinreichend damit im Sinne der natürlichen Topologie des Raumes ein Grenzpunkt

$$\bar{x} = \lim_{n \to \infty} x_n$$

existiere ist, daß in einer beliebigen Minkowskischen Metrik

$$|x_q - x_p| \to 0$$

für $p, q \to \infty$.

4. Es sei $s^m(x_0, \ldots, x_m)$ ein beliebiges Simplex des m-dimensionalen linearen Raumes R^m. Man zeige, daß dieser Raum auf genau eine Art euklidisch metrisiert werden kann, so daß sämtliche Kantenlängen $|x_j - x_i|$ in dieser Metrik gleich der Längeneinheit werden.

Man bestimme ferner den Winkel zweier zusammenstoßender Kanten und die Höhenlänge eines solchen regulären m-dimensionalen Simplexes.

5. Man beweise die Schwarzsche Ungleichung als Folge des *Lehrsatzes von Pythagoras*, wonach in einem euklidischen Raum

$$|y|^2 = |p|^2 + |n|^2 .$$

Hier bezeichnet p die Projektion des beliebigen Vektors y auf einen Vektor $x \neq 0$ und $n = y - p$ die projizierende Normale.

6. Es sei $e_1, \ldots, e_m$ ein in bezug auf das innere Produkt

$$G\,x\,y = (x, y)$$

orthonormiertes Koordinatensystem eines euklidischen Raumes R^m. Man beweise für einen beliebigen Vektor x des Raumes die *Orthogonalentwicklung* in bezug auf G:

$$x = \sum_{i=1}^{m} e_i\,G\,x\,e_i = \sum_{i=1}^{m} (x, e_i)\,e_i .$$

Man entwickle in entsprechender Weise den Vektor x in eine Orthogonalreihe in bezug auf eine nichtausgeartete symmetrische Bilinearfunktion $B\,x\,y$.

7. In dem euklidischen Raum mit dem inneren Produkt $G\,x\,y = (x, y)$ sei

$$p = P\,x$$

die orthogonale Projektion von x auf einen Unterraum U und

$$q = x - P\,x = Q\,x$$

die projizierende Normale.

Man beweise, daß P und Q in bezug auf G selbstadjungierte lineare Transformationen sind, die durch diese Eigenschaft und durch die für jede Projektion geltende rein affine Eigenschaft $P^2 = P$, $Q^2 = Q$ (vgl. 3.10 Aufgabe 7) als Orthogonalprojektionen charakterisiert sind.

8. Es sei T eine selbstadjungierte lineare Transformation des euklidischen Raumes R^m und die Normen

$$\sup_{|x|=|y|=1} |(T\,x, y)| = |B| ,$$

$$\sup_{|x|=1} |(T\,x, x)| = |Q| ,$$

$$\sup_{|x|=1} |T\,x| = |T| .$$

Man beweise, daß

$$|B| = |Q| = |T| .$$

Anleitung. Es ist für beliebige x und y

$$|(T\,x, y)| \leqq |B|\,|x|\,|y| , \qquad |(T\,x, x)| \leqq |Q|\,|x|^2 , \qquad |T\,x| \leqq |T|\,|x| .$$

Aus $|Tx|^2 = (Tx, Tx)$ folgt somit $|Tx| \leqq |B|\,|x|$, also $|T| \leqq |B|$. Ferner folgt aus der Polarisationsformel und der Parallelogrammidentität

$$4|(Tx, y)| \leqq |Q|\,(|x+y|^2 + |x-y|^2) = 2|Q|\,(|x|^2 + |y|^2),$$

also $|B| \leqq |Q|$, somit

$$|T| \leqq |B| \leqq |Q|.$$

Andererseits ist selbstverständlich $|Q| \leqq |B|$ und infolge der Schwarzschen Ungleichung $|(Tx, y)| \leqq |Tx|\,|y|$, somit $|B| \leqq |T|$, also umgekehrt

$$|Q| \leqq |B| \leqq |T|.$$

9. Wegen der endlichen Dimension von R^m ist die Sphäre $|x| = 1$ kompakt und die obere Grenze $|Q|$ wird somit für wenigstens einen Einheitsvektor e_1 erreicht.

Man beweise, daß

$$T e_1 = \lambda_1 e_1$$

und daß eventuelle weitere Eigenwerte von T absolut $\leqq |\lambda_1|$ sind.

Anleitung. Gemäß der Schwarzschen Ungleichung ist

$$|Q| = |(Te_1, e_1)| \leqq |Te_1|\,|e_1| \leqq |T|$$

und somit, da $|Q| = |T|$,

$$|(Te_1, e_1)| = |Te_1|\,|e_1|$$

also Te_1 und e_1 linear abhängig.

10. Es sei $U_1^{d_1}$ der dem oben gefundenen Eigenwert λ_1 entsprechende Eigenraum der Dimension d_1 und $P_1 x$ die orthogonale Projektion von x auf $U_1^{d_1}$. Setzt man

$$x = P_1 x + (x - P_1 x) = P_1 x + Q_1 x,$$

so wird also

$$Tx = \lambda_1 P_1 x + T Q_1 x.$$

Man zeige, daß

$$T_1 = T Q_1 = Q_1 T Q_1 = Q_1 T,$$

folglich T_1 selbstadjungiert, und ferner, daß sie $U_1^{d_1}$ auf $x = 0$ und das $(m - d_1)$-dimensionale Orthogonalkomplement $R_1^{m-d_1}$ von $U_1^{d_1}$ in sich abbildet und daß daselbst $T_1 x \equiv Tx$ ist.

11. Man behandle $T_1 = T$ in $R_1^{m-d_1}$ genau wie oben T in R^m und zeige, indem man das eingeschlagene Verfahren fortsetzt, daß T Eigenwerte $\lambda_1, \ldots, \lambda_k$ $(k \leqq m)$ hat mit der Multiplizitätssumme $\sum_{i=1}^{k} d_i = m$, wobei $|\lambda_1| \geqq \cdots \geqq |\lambda_k|$, ferner, daß die k entsprechenden Eigenräume $U_i^{d_i}$ infolge des Verfahrens paarweise orthogonal sein

müssen und als direkte Summe R^m ergeben, schließlich, daß

$$T\,x = \sum_{i=1}^{k} \lambda_i P_i x,$$

wo $P_i x$ die Projektion von x auf den Eigenraum $U_i^{d_i}$ bezeichnet.

12. Man orthogonalisiere die Eigenräume $U_i^{d_i}$ und zeige, daß so ein Hauptachsensystem $e_1, \ldots, e_m$ der symmetrischen Bilinearfunktion

$$B\,x\,y = (T\,x, y) = (x, T\,y)$$

entsteht.

Bemerkung. Die Resultate der obigen Aufgaben 7—12 enthalten eine vollständige Lösung des Hauptachsenproblems im euklidischen Raum R^m.

13. Es sei $A\,x$ eine schiefsymmetrische lineare Transformation des euklidischen Raumes R_x^n, d.h. $A^* = -A$. Dann existiert ein $m\,(\leqq n/2)$ und ein orthonormiertes Koordinatensystem $e_1, \ldots, e_n$, so daß

$$A\,e_{2i-1} = \varrho_i e_{2i}, \qquad A\,e_{2i} = -\varrho_i e_{2i-1}$$

für $i = 1, \ldots, m$, während $A\,e_i = 0$ für $i > 2m$.

Anleitung. Die Transformation A^2 ist selbstadjungiert und hat negative Eigenwerte $-\varrho_1^2, \ldots, -\varrho_m^2$, die je zweifach sind, und den $(n-2m)$-fachen Eigenwert Null. Die orthonormierten Vektoren

$$e_{2i-1}, \qquad e_{2i} = \frac{A\,e_{2i-1}}{|A\,e_{2i-1}|} = \frac{A\,e_{2i-1}}{\varrho_i}$$

sind die dem Eigenwert $-\varrho_i^2$ entsprechenden Eigenvektoren.

14. Es seien R_x^m und R_y^n euklidische Räume mit den inneren Produkten $(x_1, x_2)_x$ bzw. $(y_1, y_2)_y$, ferner A und A^* adjungierte lineare Abbildungen (vgl. 4.9 Aufgabe 7), so daß

$$(A\,x, y)_y = (x, A^*\,y)_x.$$

Man zeige:

a. $A^* A = T_x$ und $A\,A^* = T_y$ sind selbstadjungierte lineare Transformationen der Räume R_x^m bzw. R_y^n.

b. Sind $K_x^p(A)$ und $K_y^q(A^*)$ die Kerne der Abbildungen A bzw. A^* der Dimensionen p und q, so ist die Null ein p-facher Eigenwert der Transformation T_x mit dem Eigenraum $K_x^p(A)$ und ein q-facher Eigenwert für T_y mit dem Eigenraum $K_y^q(A^*)$.

c. Die $r = m - p = n - q$ von Null verschiedenen Eigenwerte der Transformationen T_x und T_y sind genau dieselben und bzw. derselben Multiplizität.

15. Es sei $G\,x\,y$ eine bilineare symmetrische und positiv definite Funktion in einem affinen Raum beliebiger Dimension.

Man beweise die verallgemeinerte Schwarzsche Ungleichung

$$\det(G\,x_h\,x_k) \geqq 0$$

auf Grund der Tatsache, daß mit beliebigen reellen Koeffizienten λ_i

$$G(\lambda_1 x_1 + \cdots + \lambda_m x_m)^2 = \sum_{i,j=1}^{m} \lambda_i \lambda_j G x_i x_j$$

eine positiv semidefinite quadratische Form von den λ_i ist, die nur für

$$\lambda_1 x_1 + \cdots + \lambda_m x_m = 0$$

verschwindet.

16. Wir schließen diesen Abschnitt mit folgender Betrachtung des in 4.4 dargestellten Orthogonalisierungsverfahrens von E. Schmidt, wobei die Ausführung der Einzelheiten dem Leser überlassen wird.

Es sei U^m ein Unterraum eines euklidischen Raumes mit dem inneren Produkt $G x y = (x, y)$. Die bis auf einen reellen Faktor eindeutige m-lineare alternierende Grundform dieses Unterraumes sei D und $a_1, \ldots, a_m$ ein beliebiges orthonormiertes Koordinatensystem in U^m.

Sind dann $x_1, \ldots, x_m$ und $y_1, \ldots, y_m$ zwei beliebige Vektorensysteme in U^m, so hat man

$$x_h = \sum_{i=1}^{m} \xi_h^i a_i, \qquad y_k = \sum_{j=1}^{m} \eta_k^j a_j$$

und

$$D x_1 \ldots x_m = \det(\xi_h^i) D a_1 \ldots a_m,$$

$$D y_1 \ldots y_m = \det(\eta_k^j) D a_1 \ldots a_m.$$

Da das Koordinatensystem a_i in bezug auf $G x y = (x, y)$ orthonormiert ist, so ist

$$\sum_{i=1}^{m} \xi_h^i \eta_k^i = (x_h, y_k)$$

und das Multiplikationsgesetz für Determinanten ergibt somit

$$D x_1 \ldots x_m D y_1 \ldots y_m = \det\big((x_h, y_k)\big) (D a_1 \ldots a_m)^2.$$

Für $y_i = x_i$ folgt hieraus die bereits erwähnte Formel

$$(D x_1 \ldots x_m)^2 = \det\big((x_h, x_k)\big) (D a_1 \ldots a_m)^2.$$

Dies vorausgeschickt, sei $z_1, \ldots, z_m$ ein linear unabhängiges Vektorensystem in U^m. Wird dieses System vermittels des Schmidtschen Verfahrens orthogonalisiert, so erhält man m Gleichungen der Form

$$z_i = \lambda_{i1} e_1 + \cdots + \lambda_{ii} e_i \quad (i = 1, \ldots, m),$$

wo $e_1, \ldots, e_m$ ein orthonormiertes System des Raumes U^m ist. Dieses System und die Koeffizienten $\lambda_{hk} (1 \leqq k \leqq h \leqq m)$ sind durch die Vektoren z_i, in der gegebenen Reihenfolge, eindeutig bestimmt, falls man bei jedem Schritt der Prozedur das Vorzeichen von λ_{ii} festlegt. Wir wollen z. B. $\lambda_{ii} > 0$ für alle Indizes i nehmen, was wegen

$$D e_1 \ldots e_{i-1} z_i \ldots z_m = \lambda_{ii} \ldots \lambda_{mm} D e_1 \ldots e_m$$

bedeutet, daß die Simplexe $s^m(0, e_1, \ldots, e_{i-1}, z_i, \ldots, z_m)$ alle wie das Simplex $s^m(0, z_1, \ldots, z_m)$ orientiert sind. Es handelt sich um die Aufstellung expliziter Ausdrücke der Koeffizienten λ_{hk} in den gegebenen Vektoren z_i.

Hierzu nehmen wir in der obigen Formel für $1 \leqq k \leqq h \leqq m$

$$x_1 = z_1, \ldots, x_{k-1} = z_{k-1}, x_k = z_k, x_{k+1} = e_{k+1}, \ldots, x_m = e_m,$$

$$y_1 = z_1, \ldots, y_{k-1} = z_{k-1}, y_k = z_h, y_{k+1} = e_{k+1}, \ldots, y_m = e_m,$$

und erhalten so

$$D\, z_1 \ldots z_{k-1} z_k e_{k+1} \ldots e_m D\, z_1 \ldots z_{k-1} z_h e_{k+1} \ldots e_m = \Delta_{hk} (D\, a_1 \ldots a_m)^2,$$

wo

$$\Delta_{hk} = \begin{vmatrix} (z_1, z_1) & \ldots & (z_1, z_{k-1}) & (z_1, z_h) \\ \vdots & & \vdots & \vdots \\ (z_k, z_1) & \ldots & (z_k, z_{k-1}) & (z_k, z_h) \end{vmatrix}.$$

Andererseits ist aber gemäß dem Schema von Schmidt

$$D\, z_1 \ldots z_{k-1} z_k e_{k+1} \ldots e_m = \lambda_{11} \ldots \lambda_{(k-1)(k-1)} \lambda_{kk} D\, e_1 \ldots e_m,$$

$$D\, z_1 \ldots z_{k-1} z_h e_{k+1} \ldots e_m = \lambda_{11} \ldots \lambda_{(k-1)(k-1)} \lambda_{hk} D\, e_1 \ldots e_m,$$

somit

$$\begin{aligned} D\, z_1 \ldots z_{k-1} z_k e_{k+1} \ldots e_m & D\, z_1 \ldots z_{k-1} z_h e_{k+1} \ldots e_m \\ &= \lambda_{11}^2 \ldots \lambda_{(k-1)(k-1)}^2 \lambda_{kk} \lambda_{hk} (D\, e_1 \ldots e_m)^2 \\ &= \lambda_{11}^2 \ldots \lambda_{(k-1)(k-1)}^2 \lambda_{kk} \lambda_{hk} (D\, a_1 \ldots a_m)^2. \end{aligned}$$

Da $(D\, a_1 \ldots a_m)^2 \neq 0$, so ergibt der Vergleich beider Ausdrücke

$$\lambda_{11}^2 \ldots \lambda_{(k-1)(k-1)}^2 \lambda_{kk} \lambda_{hk} = \Delta_{hk}$$

für $1 \leqq k \leqq h \leqq m$. Insbesondere ist hiernach bei Beachtung der Zeichenwahl $\lambda_{ii} > 0$

$$\lambda_{11}^2 \ldots \lambda_{(k-1)(k-1)}^2 \lambda_{kk} = +\sqrt{\Delta_{(k-1)(k-1)} \Delta_{kk}},$$

und wir erhalten so die gesuchte Darstellung

$$\lambda_{hk} = \frac{\Delta_{hk}}{\sqrt{\Delta_{(k-1)(k-1)} \Delta_{kk}}},$$

wo $\Delta_{00} = 1$ gesetzt werden soll.

II. Differentialrechnung

§ 1. Ableitungen und Differentiale

1.1. Vektorfunktionen. Es seien R_x^m und R_y^n zwei lineare Räume und G_x^m ein Gebiet in R_x^m, d. h. eine in bezug auf die natürliche oder eine Minkowskische Topologie offene und zusammenhängende Punktmenge.

In G_x^m sei eine eindeutige *Vektorfunktion*

$$y = y(x)$$

gegeben, die somit eine Abbildung von G_x^m in R_y^n vermittelt. Die einfachsten Beispiele solcher Vektorfunktionen sind die linearen Abbildungen $y = A x$ des Raumes R_x^m in den Raum R_y^n. Im folgenden wird es sich um allgemeinere Abbildungen bzw. Vektorfunktionen handeln.

Führt man in R_x^m und R_y^n beliebige Koordinatensysteme a_i bzw. b_j ein, in denen

$$x = \sum_{i=1}^{m} \xi^i a_i, \quad y = \sum_{j=1}^{n} \eta^j b_j,$$

so entspricht der Relation $y = y(x)$ ein System von n reellen Funktionen

$$\eta^j = \eta^j(\xi^1, \ldots, \xi^m) \quad (j = 1, \ldots, n)$$

der reellen Variablen $\xi^1, \ldots, \xi^m$. Umgekehrt definiert ein solches in G_x^m gegebenes System vermittels der Koordinatensysteme a_i und b_j eine Vektorfunktion $y = y(x)$.

Für $n = 1$ reduziert sich die Vektorfunktion auf eine einzige Komponente, also auf eine reelle Funktion

$$\eta = \eta(\xi^1, \ldots, \xi^m)$$

der m reellen Variablen ξ^i. Ist überdies noch $m = 1$, so hat man den elementaren Fall einer reellen Funktion einer reellen Variable.

Die Vektorfunktion $y(x)$ und die entsprechende Abbildung $x \to y$ ist im Punkte x des Definitionsgebietes G_x^m *stetig*, falls sie in bezug auf die in den Räumen R_x^m und R_y^n bestehenden natürlichen Topologien in x stetig ist. Nach dem in I.6.2 Gesagten gilt dasselbe dann auch in bezug auf beliebige Minkowskische Metriken, insbesondere auch euklidische Metriken, und umgekehrt. Für ein $\varepsilon > 0$ existiert somit ein $\varrho_\varepsilon > 0$ derart, daß in R_y^n

$$|y(x + h) - y(x)| < \varepsilon$$

sobald $|h| < \varrho_\varepsilon$ in R_x^m. Es sind dann auch die reellen Komponenten $\eta^j(\xi^1, \ldots, \xi^m)$ stetig, und umgekehrt folgt aus der Stetigkeit dieser Funktionen die Stetigkeit von $y(x)$.

1.2. Die Ableitung. In dem einfachsten Fall $m = n = 1$, wo $y = y(x)$ als reelle Funktion der reellen Variable x aufgefaßt werden kann, wird in den Elementen der Differentialrechnung die Ableitung im Punkte x als der Grenzwert

$$\lim_{|h| \to 0} \frac{y(x + h) - y(x)}{h} = \alpha(x)$$

definiert, falls dieser Grenzwert existiert und endlich ist.

Für eine allgemeinere Vektorfunktion ist diese Definition offenbar sinnlos. Die obige Definition kann aber auch

$$y(x+h) - y(x) = \alpha(x)\,h + |h|(h;x)$$

geschrieben werden, wo $|(h;x)| \to 0$ für $|h| \to 0$, und in dieser äquivalenten Form ist sie in natürlicher Weise verallgemeinerungsfähig.

Beachtet man nämlich die evidente Tatsache, daß $y = \alpha(x)\,h$ als lineare Abbildung der reellen h-Achse in die reelle y-Achse aufgefaßt werden kann und daß umgekehrt jede solche Abbildung diese Form hat, so ergibt sich folgende Definition der Differenzierbarkeit und Ableitung einer allgemeinen Vektorfunktion $y = y(x)$:

Die im Gebiet G_x^m erklärte Abbildung

$$y = y(x)$$

heißt im Punkte x differenzierbar, falls eine solche lineare Abbildung $A(x)\,h$ von $R_h^m = R_x^m$ in R_y^n existiert, daß

$$y(x+h) - y(x) = A(x)\,h + |h|(h;x),$$

wo die in R_y^n gemessene Länge $|(h;x)| \to 0$ wenn die in R_x^m gemessene Länge $|h| \to 0$. Der lineare Operator $A(x)$ heißt die Ableitung der Vektorfunktion $y(x)$ im Punkte x.

Die Ableitung $A(x)$ ist hiernach im allgemeinen Fall an jedem Ort $x \in G_x^m$, wo sie existiert, ein *linearer Operator*, der nur in dem einfachsten Fall $m = n = 1$ durch eine einzige reelle Zahl $\alpha(x)$ charakterisiert werden kann. Indessen wollen wir auch für diese verallgemeinerte Ableitung die übliche Lagrangesche Bezeichnung $A(x) = y'(x)$ beibehalten. Die definierende Gleichung

$$y(x+h) - y(x) = y'(x)\,h + |h|(h;x)$$

bringt somit zum Ausdruck, daß die Abbildung $y(x+h) - y(x)$ der Umgebung des Punktes x in erster Approximation durch die lineare Abbildung $y'(x)\,h$ ersetzt werden kann.

Die obige Definition setzt die Einführung irgendwelcher Minkowskischer Metriken in den Räumen R_x^m und R_y^n voraus. Aus dem in I.6.2 Gesagten folgt jedoch unmittelbar, daß die Differenzierbarkeit von der Wahl dieser Metriken unabhängig und die Existenz der Ableitung somit eine affine Eigenschaft der Funktion $y(x)$ ist, solange die Dimensionen m und n *endlich* sind.

Ferner bemerke man, daß der Operator $y'(x)$, falls die Funktion $y(x)$ überhaupt differenzierbar ist, eindeutig bestimmt ist. Denn hat man in irgendeiner Metrik

$$y(x+h) - y(x) = A(x)\,h + |h|(h;x)_1 = B(x)\,h + |h|(h;x)_2,$$

so wird zunächst für jedes so kleine h, daß $x+h$ in G_x^m liegt,

$$A(x)\,h - B(x)\,h = (A(x) - B(x))\,h = |h|((h;x)_2 - (h;x)_1) = |h|(h;x).$$

Ersetzt man hier h mit λh, wo h ein beliebiger Vektor des Raumes R_x^m und λ ein genügend kleiner reeller Multiplikator ist, so wird

$$(A(x) - B(x))\,h = |h|(\lambda h; x) \to 0$$

für $\lambda \to 0$, folglich $(A(x) - B(x))\,h = 0$ und somit für jedes h aus R_x^m

$$A(x)\,h = B(x)\,h = y'(x)\,h.$$

1.3. Das Differential. Nach dem Vorbild der elementaren Differentialrechnung bezeichnen wir den Vektor

$$d\,y = y'(x)\,h$$

als das dem Argumentdifferential h entsprechende *Differential* der differenzierbaren Vektorfunktion $y(x)$ am Orte x.

Ist $y = A\,x$ insbesondere eine lineare Abbildung, so hat man

$$A(x+h) - A\,x = A\,h,$$

und es ist somit die Ableitung A' mit dem linearen Operator A identisch. Für $y = x$ wird $d\,y = h = d\,x$, und wir können hiernach allgemein

$$d\,y = y'(x)\,d\,x$$

schreiben, wobei das Argumentdifferential $d\,x$ ein beliebiger Vektor des Raumes R_x^m ist.

Diese Gleichung legt es nahe, die Leibnizsche Bezeichnung

$$y'(x) = \frac{dy}{dx}$$

einzuführen, wo selbstverständlich rechts kein Quotient, sondern ein Symbol des linearen Operators $y'(x)$ steht. Wir werden im folgenden oft, statt mit den Ableitungen, mit den in vielen Hinsichten bequemeren Differentialen

$$d\,y = y'(x)\,d\,x = \frac{dy}{dx}\,d\,x$$

operieren.

1.4. Koordinatendarstellung der Ableitung. Führt man in den linearen Räumen R_x^m und R_y^n beliebige Koordinatensysteme a_i bzw. b_j ein, worin

$$x = \sum_{i=1}^{m} \xi^i a_i, \qquad y = \sum_{j=1}^{n} \eta^j b_j,$$

so wird, wie schon erwähnt, die Vektorfunktion $y(x)$ durch das reelle Funktionensystem

$$\eta^j = \eta^j(\xi^1, \ldots, \xi^m) \quad (j = 1, \ldots, n)$$

dargestellt.

Wenn diese Vektorfunktion im Punkte x differenzierbar ist, so hat man für jedes

$$\Delta x = d x = \sum_{i=1}^{m} d \xi^i a_i,$$

falls $x + d x$ in G_x^m liegt,

$$\Delta y = \sum_{j=1}^{n} \Delta \eta^j b_j = y(x + \Delta x) - y(x) = y'(x) d x + |d x| (d x; x),$$

wo $|(d x; x)| \to 0$ für $|d x| \to 0$. Der linearen Abbildung $y'(x)$ entspricht (in bezug auf die fixierten Koordinatensysteme) eine Matrix

$$y'(x) \to (\alpha_i^j(x)),$$

und man hat nach obigem für $j = 1, \ldots, n$

$$\Delta \eta^j = \sum_{i=1}^{m} \alpha_i^j(x) d \xi^i + |d x| (d x; x)^j,$$

wo $|(d x; x)^j| \to 0$ für $|d x| \to 0$.

Dies bedeutet, daß sämtliche Komponenten η^j im Sinne der gewöhnlichen Differentialrechnung differenzierbar sind. Die partiellen Ableitungen

$$\frac{\partial \eta^j}{\partial \xi^i} = \alpha_i^j(x)$$

existieren, und man hat nach obigem für $j = 1, \ldots, n$

$$\Delta \eta^j = \sum_{i=1}^{m} \frac{\partial \eta^j}{\partial \xi^i} d \xi^i + |d x| (d x; x)^j = d \eta^j + |d x| (d x; x)^j.$$

Umgekehrt folgt aus diesen Relationen, daß die Vektorfunktion $y(x)$ in unserem Sinne differenzierbar ist mit dem linearen Ableitungsoperator $y'(x)$, der in bezug auf die fixierten Koordinatensysteme durch die Funktionalmatrix

$$\left(\frac{\partial \eta^j}{\partial \xi^i}\right)$$

eindeutig bestimmt ist.

1.5. Die Differentialregeln. Die oben gegebene Definition des Differentials dy einer Vektorfunktion $y(x)$,

$$d y = y'(x) d x, \quad \Delta y = y(x + d x) - y(x) = d y + |d x| (d x; x),$$

ist formal dieselbe wie im elementaren Fall einer reellen Funktion $y = y(x)$ einer reellen Variable x. Da es bei der Herleitung der elementaren Differentialregeln einer solchen Funktion offenbar darauf nicht ankommt, daß das Differential $d y = y'(x) d x$ ein Produkt ist, sondern lediglich darauf, daß $d y$ von $d x$ *linear* abhängt, so ist es von vornherein klar, daß die aus der elementaren Analysis bekannten Differentialregeln auch für allgemeine Vektorfunktionen gelten müssen.

Sind also $y_1(x)$ und $y_2(x)$ zwei in G_x^m definierte differenzierbare Abbildungen in R_y^n, so hat man mit beliebigen reellen Multiplikatoren λ_1 und λ_2

$$d(\lambda_1 y_1 + \lambda_2 y_2) = \lambda_1 d y_1 + \lambda_2 d y_2.$$

Ist ferner $\lambda(x)$ eine *reelle* in G_x^m differenzierbare Funktion, folglich

$$d\lambda = \lambda'(x)\, dx = \sum_{i=1}^{m} \frac{\partial \lambda}{\partial \xi^i} d\xi^i,$$

und $y(x)$ eine differenzierbare Abbildung von G_x^m in R_y^n, so hat man

$$d(\lambda y) = \lambda dy + d\lambda\, y,$$

desgleichen, falls $\lambda \neq 0$,

$$d\left(\frac{y}{\lambda}\right) = \frac{\lambda\, dy - d\lambda\, y}{\lambda^2}.$$

Schließlich gilt die Kettenregel für Differentiale zusammengesetzter differenzierbarer Abbildungen. Ist R_z^p ein dritter linearer Raum, den wir mit einer beliebigen Minkowskischen Hilfsmetrik versehen, und setzen wir voraus, daß die im Punkte x des Gebietes G_x^m differenzierbare Vektorfunktion $y = y(x)$ dieses Gebiet auf ein Gebiet G_y^n in R_y^n abbildet, wo eine im Punkte $y = y(x)$ differenzierbare Abbildung $z = z(y)$ von G_y^n in R_z^p gegeben ist, so ist

$$z = z(y(x)) = \bar{z}(x)$$

eine Abbildung von G_x^m in R_z^p. Die Kettenregel besagt, daß diese Abbildung im Punkte x differenzierbar ist mit dem Differential

$$dz = z'(y)\, dy = z'(y)\, y'(x)\, dx.$$

Wir wollen, als Beispiel, diese Regel beweisen.

Es sei also $\Delta x = dx$ und $y(x + dx) = y + \Delta y$. Da $y(x)$ im Punkte x differenzierbar ist, hat man

$$\Delta y = y(x + dx) - y(x) = y'(x)\, dx + |dx|(dx; x) = dy + |dx|(dx; x)$$

und, da auch $z(y)$ im Punkte $y = y(x)$ differenzierbar ist,

$$\Delta z = z(y + \Delta y) - z(y) = z'(y)\, \Delta y + |\Delta y|(\Delta y; y).$$

Also wird

$$\Delta z = z'(y)\,(dy + |dx|\,(dx; x)) + |\Delta y|\,(\Delta y; y(x))$$
$$= z'(y)\, dy + |dx|\, z'(y)\,(dx; x) + |\Delta y|\,(\Delta y; y(x)).$$

Wenn $|z'(y)|$ die Norm des linearen Operators $z'(y)$ bezeichnet, so hat man

$$|dx|\; |z'(y)\,(dx; x)| \leqq |z'(y)|\; |dx|\; |(dx; x)|,$$

und es ist hiernach $|dx|\, z'(y)\,(dx;x)$ ein Vektor (aus R_z^p), der mit $|dx|\,(dx;x)$ bezeichnet werden kann. Ferner ist

$$|\Delta y| \leqq |dy| + |dx|\,|(dx;x)| \leqq |dx|\,(|y'(x)| + |(dx;x)|),$$

wo $|y'(x)|$ die Norm von $y'(x)$ bezeichnet. Es ist somit auch $|\Delta y|\,(\Delta y; y(x))$ von der Form $|dx|\,(dx;x)$, und alles zusammengenommen wird

$$\Delta z = z'(y)\,dy + |dx|\,(dx;x) = z'(y)\,y'(x)\,dx + |dx|\,(dx;x),$$

womit die Kettenregel bewiesen ist.

1.6. Der Mittelwertsatz. Wir wollen ein Analogon des elementaren Mittelwertsatzes für die in G_x^m gegebene Vektorfunktion $y(x)$ herleiten.

Es seien x_1 und x_2 zwei Punkte des Gebietes G_x^m, so daß die Verbindungsstrecke

$$x = x(\tau) = x_1 + \tau(x_2 - x_1) \qquad (0 \leqq \tau \leqq 1)$$

in G_x^m liegt. Wir machen folgende Annahmen:

1°. $y(x)$ ist auf der abgeschlossenen Strecke $0 \leqq \tau \leqq 1$ stetig.

2°. $y(x)$ ist in jedem inneren Punkt $0 < \tau < 1$ differenzierbar.

Sei nun Ly eine beliebige reelle lineare Funktion im Raume R_y^n, also L ein Element des zu R_y^n dualen Raumes. Bildet man mit dieser Hilfsfunktion die zusammengesetzte Funktion

$$f(\tau) = L\,y(x(\tau)) = L\,y(x_1 + \tau(x_2 - x_1)),$$

so ist dies eine auf dem Intervall $0 \leqq \tau \leqq 1$ stetige reelle Funktion, die gemäß der Kettenregel in jedem inneren Punkt dieses Intervalls differenzierbar ist mit der Ableitung

$$f'(\tau) = L\,y'(x(\tau))\,(x_2 - x_1);$$

denn es ist $dL = L\,dy$, $dy = y'(x)\,dx$ und $dx = (x_2 - x_1)\,d\tau$.

Die reelle Funktion $f(\tau)$ genügt somit auf dem Intervall $0 \leqq \tau \leqq 1$ den Voraussetzungen des elementaren Mittelwertsatzes, wonach

$$f(1) - f(0) = f'(\vartheta),$$

mit $0 < \vartheta < 1$. Da andererseits $f(1) - f(0) = L(y(x_2) - y(x_1))$, so wird

$$L(y(x_2) - y(x_1)) = L\,y'(x(\vartheta))\,(x_2 - x_1),$$

wo $x(\vartheta) = x_1 + \vartheta(x_2 - x_1)$ und ϑ einen (von der Wahl von L abhängigen) Wert des Intervalls $0 < \vartheta < 1$ bezeichnet. Das ist die allgemeine Fassung des Mittelwertsatzes für eine Vektorfunktion $y(x)$, die den Bedingungen 1° und 2° genügt.

Führt man in R_y^n eine euklidische Metrik mit dem inneren Produkt (y_1, y_2) ein, so empfiehlt es sich insbesondere

$$L y = (y, e) = (e, y)$$

mit einem beliebigen Vektor e aus R_y^n zu nehmen. Setzt man dann

$$y(x_1) = y_1, \quad y(x_2) = y_2, \quad x_2 - x_1 = \Delta x, \quad y_2 - y_1 = \Delta y,$$

so ergibt der obige Mittelwertsatz

$$(\Delta y, e) = (y'(x_e)\, \Delta x, e),$$

mit $x_e = x_1 + \vartheta_e \Delta x$ und $0 < \vartheta_e < 1$.

In dieser Form spielt der Mittelwertsatz in der vektoriellen Analysis dieselbe fundamentale Rolle wie der gewöhnliche Mittelwertsatz in der elementaren Differentialrechnung. Wir wollen ihn deshalb vollständig formulieren:

Mittelwertsatz. *Es seien R_x^m und R_y^n lineare Räume und G_x^m ein Gebiet des Raumes R_x^m, so daß eine Abbildung*

$$y = y(x)$$

von G_x^m in R_y^n gegeben ist. Diese Vektorfunktion genüge ferner auf der in G_x^m enthaltenen Strecke $x = x_1 + \tau(x_2 - x_1)$ $(0 \leqq \tau \leqq 1)$ folgenden Bedingungen:

1°. *$y(x)$ ist auf der abgeschlossenen Strecke $x_1 x_2$ stetig.*

2°. *$y(x)$ ist in jedem inneren Punkt der Strecke differenzierbar.*

Wird dann R_y^n euklidisch metrisiert, so existiert für jeden Vektor e aus R_y^n wenigstens ein Mittelwert $x_e = x_1 + \vartheta_e(x_2 - x_1)$ $(0 < \vartheta_e < 1)$, so daß

$$(\Delta y, e) = (y'(x_e)\, \Delta x, e),$$

wo $\Delta x = x_2 - x_1$, $\Delta y = y(x_2) - y(x_1)$.

Schreibt man diese Gleichung

$$(\Delta y - y'(x_e)\, \Delta x, e) = 0,$$

so besagt sie, geometrisch interpretiert, daß es für jeden Vektor e aus R_y^n einen inneren Punkt x_e der Strecke $x_1 x_2$ gibt, so daß die Differenz $\Delta y - y'(x_e)\, \Delta x$ auf e senkrecht steht.

Ist insbesondere $n = 1$ und also $y(x) = \eta(x)\, e = \eta(\xi^1, \ldots, \xi^m)\, e$, so erhält man selbstverständlich den Mittelwertsatz

$$\Delta \eta = \eta'(x)\, \Delta x = \sum_{i=1}^{m} \frac{\partial}{\partial \xi^i} \eta(x_1 + \vartheta(x_2 - x_1))\, \Delta \xi^i \quad (0 < \vartheta < 1)$$

der herkömmlichen Differentialrechnung und für $m = 1$ den elementaren Mittelwertsatz, auf dem sich ja umgekehrt die obige Verallgemeinerung gründete.

1.7. Hauptsatz der Integralrechnung. Als erste Anwendung des Mittelwertsatzes wollen wir den sogenannten Hauptsatz der Integralrechnung beweisen.

Der Beweis ergibt sich aus folgender einfachen Ungleichung. Wenn in dem Mittelwertsatz e insbesondere so festgesetzt wird, daß $|e| = 1$ und $\Delta y = |\Delta y|\, e$, so ergibt sich

$$|\Delta y| = (y'(x_e)\, \Delta x\, ,\, e),$$

und infolge der Schwarzschen Ungleichung

$$|\Delta y| \leqq |y'(x_e)\, \Delta x|,$$

eine an sich wichtige Abschätzung, die wir auch später brauchen werden.

Ist nun im Gebiet G_x^m der Ableitungsoperator $y'(x) = 0$, so folgt hieraus $|\Delta y| = |y(x) - y(x_0)| = 0$, also $y(x) = y(x_0)$, zunächst in der größten in G_x^m enthaltenen Kugel $|x - x_0| \leqq \varrho$, woraus man dann in bekannter Weise schließt, daß $y(x)$ im ganzen Gebiet G_x^m konstant ist.

Da umgekehrt eine konstante Vektorfunktion offenbar den Nulloperator als Ableitung hat, so ist hiermit der *Hauptsatz der Integralrechnung* für Vektorfunktionen bewiesen:

Notwendig und hinreichend damit eine in G_x^m definierte und differenzierbare Funktion konstant sei ist, daß ihre Ableitung der Nulloperator ist.

1.8. Wir wollen diesen Satz noch nach einer klassischen Methode beweisen, deren Idee von Goursat zum Beweis des Cauchyschen Integralsatzes der komplexen Funktionentheorie angewandt worden ist. Wie wir später sehen werden, kann dieses Prinzip weitgehend verallgemeinert werden (vgl. III. 2. 7—8 und IV. 2. 16).

Es enthalte, wie oben, G_x^m die ganze Strecke

$$x = x_1 + \tau(x_2 - x_1) \quad (0 \leqq \tau \leqq 1)$$

der Länge $|x_2 - x_1| = l$. Halbiert man diese Strecke und bezeichnet man mit x_1^1, x_2^1 die Endpunkte derjenigen Hälfte, für welche die Differenz $|y(x_2^1) - y(x_1^1)| = \Delta_1$ am größten ausfällt, so folgt aus der Dreiecksungleichung, daß

$$\Delta_0 = |y(x_2) - y(x_1)| \leqq 2\,\Delta_1.$$

Indem man die Strecke

$$x = x_1^1 + \tau(x_2^1 - x_1^1) \quad (0 \leqq \tau \leqq 1)$$

in derselben Weise behandelt, wird

$$\Delta_1 \leqq 2\,\Delta_2 = 2\,|y(x_2^2) - y(x_1^2)|,$$

und nach n Schritten hat man

$$\Delta_0 \leqq 2^n \Delta_n = 2^n |y(x_2^n) - y(x_1^n)|.$$

Die Strecken $x_1 x_2, x_1^1 x_2^1, \ldots, x_1^n x_2^n, \ldots$ sind ineinandergeschachtelt, und die Länge der Strecke $x_1^n x_2^n$ ist gleich

$$|x_2^n - x_1^n| = 2^{-n} |x_2 - x_1| = \frac{l}{2^n}.$$

Folglich liegt auf der abgeschlossenen Strecke $x_1 x_2$ ein eindeutig bestimmter Punkt $\bar{x}$, der allen Strecken gemeinsam ist.

In diesem Punkt hat $y(x)$ voraussetzungsgemäß den Ableitungsoperator Null, und es ist somit

$$y(x) - y(\bar{x}) = |x - \bar{x}| (x - \bar{x}; \bar{x}),$$

wo $|(x - \bar{x}; \bar{x})| \to 0$ für $|x - \bar{x}| \to 0$. Also wird

$$\Delta_n = |y(x_2^n) - y(x_1^n)| \leqq |y(x_2^n) - y(\bar{x})| + |y(x_1^n) - y(\bar{x})| \leqq 2^{1-n} l \left(\frac{1}{n}\right)$$

mit $(1/n) \to 0$ für $n \to \infty$, folglich auch

$$\Delta_0 = |y(x_2) - y(x_1)| \leqq 2^n \Delta_n \leqq 2 l \left(\frac{1}{n}\right),$$

also $\Delta_0 = 0$ und

$$y(x_2) = y(x_1),$$

w. z. b. w.

1.9. Lineare Operatorfunktionen. Die Ableitung $y'(x)$ einer in G_x^m differenzierbaren Vektorfunktion ist eine in G_x^m erklärte lineare Operatorfunktion.

Wir betrachten im folgenden allgemein eine im Gebiet G_x^m des linearen Raumes R_x^m definierte *lineare Operatorfunktion* $A(x)$, die also für jedes feste x aus G_x^m den Raum R_x^m in einen Raum R_y^n linear abbildet. Für ein festes x ist somit

$$y = A(x) k$$

eine lineare Abbildung des Raumes R_k^m in R_y^n.

Falls, nach Einführung beliebiger Minkowskischer Metriken, die Norm

$$|A(x + h) - A(x)| = \sup_{|k|=1} |A(x + h) k - A(x) k| \to 0$$

für $|h| \to 0$, so heißt der Operator $A(x)$ im Punkte x *stetig*. Wegen

$$|A(x + h) k - A(x) k| \leqq |A(x + h) - A(x)| \, |k|$$

folgt hieraus, daß die für ein festes k durch $y = A(x) k$ in G_x^m erklärte, im allgemeinen nicht lineare Abbildung dieses Gebietes in R_y^n für jedes k stetig ist.

Der Operator $A(x)$ heißt im Punkte x *differenzierbar*, wenn die Vektorfunktion $A(x) k$ für jedes feste k differenzierbar ist, wenn also

$$A(x + h) k - A(x) k = B(x, k) h + |h| (h, k; x),$$

wo $B(x, k)$ ein linearer Operator ist und $|(h, k; x)| \to 0$ für $|h| \to 0$.

Um die Abhängigkeit des Operators $B(x, k)$ vom Parameter k zu untersuchen, ersetzen wir k der Reihe nach mit k_1, k_2 und mit einer beliebigen linearen Kombination $\lambda_1 k_1 + \lambda_2 k_2$ jener Vektoren. Addiert man die zwei ersten mit λ_1 bzw. λ_2 multiplizierten Gleichungen, so ergibt die Subtraktion von der dritten, wegen der Linearität der linken Seite in k,

$$B(x, \lambda_1 k_1 + \lambda_2 k_2) h - \lambda_1 B(x, k_1) h - \lambda_2 B(x, k_2) h$$
$$= -|h| \{(h, \lambda_1 k_1 + \lambda_2 k_2; x) - \lambda_1 (h, k_1; x) - \lambda_2 (h, k_2; x)\},$$

wo also

$$|\{\ \}| \leqq |(h, \lambda_1 k_1 + \lambda_2 k_2; x)| + |\lambda_1| \, |(h, k_1; x)| + |\lambda_2| \, |(h, k_2; x)| \to 0$$

für $|h| \to 0$. Ersetzt man hier h mit λh, so fällt zunächst beiderseits ein Faktor λ heraus, und läßt man hierauf λ, bei beliebig fixiertem h, gegen Null konvergieren, ergibt sich

$$B(x, \lambda_1 k_1 + \lambda_2 k_2) h - \lambda_1 B(x, k_1) h - \lambda_2 B(x, k_2) h = 0.$$

Es ist also $B(x, k) h$ nicht nur in h, sondern auch in k linear. Wir können somit

$$B(x, k) h = A'(x) h k$$

schreiben, wo $A'(x)$ für $x \in G_x^m$ ein *bilinearer* Operator des Raumes R^m ist, mit einem Wertevorrat in R^n. Dann ist aber auch

$$(h, k; x) = (h; x) k$$

in k linear, und wir haben alles zusammengenommen

$$A(x + h) k - A(x) k = A'(x) h k + |h| (h; x) k,$$

wo die Norm $|(h; x)|$ des linearen Operators $(h; x)$ für $|h| \to 0$ gegen Null konvergiert.

Der bilineare Operator $A'(x)$ heißt die *Ableitung* des Operators $A(x)$ im Punkte x.

Aus der Ungleichung

$$|A(x + h) k - A(x) k| \leqq (|A'(x)| + |(h; x)|) |h| \, |k|$$

ist zu sehen, daß aus der Differenzierbarkeit des Operators $A(x)$ im Punkte x

$$|A(x + h) - A(x)| \to 0$$

für $|h| \to 0$, also die Stetigkeit des Operators, folgt.

Die obigen Betrachtungen können ohne Abänderung für multilineare Operatoren durchgeführt werden. Es sei $A(x)$ eine in G_x^m erklärte *p-lineare Operatorfunktion*, also

$$y = A(x) h_1 \ldots h_p$$

für jedes x aus G_x^m eine multilineare Funktion der R^m-Vektoren $h_1, \ldots, h_p$ mit einem Wertevorrat in R_y^n. Der Operator $A(x)$ heißt im Punkte x *stetig*, falls die Norm

$$|A(x+h) - A(x)| = \sup_{|h_1| = \ldots = |h_p| = 1} |A(x+h) h_1 \ldots h_p - A(x) h_1 \ldots h_p|$$

mit $|h|$ gegen Null konvergiert. Er ist im Punkte x *differenzierbar*, falls die Vektorfunktion $A(x) h_1 \ldots h_p$ für jedes feste System $h_1, \ldots, h_p$ differenzierbar ist. Man hat dann

$$A(x+h) h_1 \ldots h_p - A(x) h_1 \ldots h_p$$
$$= A'(x) h h_1 \ldots h_p + |h| (h; x) h_1 \ldots h_p,$$

wo $A'(x)$, die *Ableitung* des Operators $A(x)$, ein $(p+1)$-fach linearer Operator ist und die Norm $|(h; x)|$ des p-fach multilinearen Operators $(h; x)$ mit $|h|$ gegen Null konvergiert.

1.10. Die zweite Ableitung. Sei jetzt $y(x)$ eine im ganzen Gebiet G_x^m differenzierbare Vektorfunktion, $y'(x)$ somit ein in diesem Gebiet erklärter linearer Operator. Falls dieser im Sinne der vorangehenden Nummer im Punkte x differenzierbar ist, so ist die Ableitung ein bilinearer Operator, den wir mit $y''(x)$ bezeichnen, und man hat für ein genügend kleines h und ein beliebiges k des Raumes R_x^m

$$y'(x+h) k - y'(x) k = y''(x) h k + |h| (h; x) k,$$

wo die Norm $|(h; x)| \to 0$ für $|h| \to 0$. Der bilineare Operator $y''(x)$ heißt die *zweite Ableitung* der gegebenen Vektorfunktion im Punkte x.

Führt man in R_x^m und R_y^n Koordinatensysteme ein, in denen

$$x = \sum_{i=1}^{m} \xi^i a_i, \qquad y = \sum_{j=1}^{n} \eta^j b_j$$

wird, so folgt aus der Existenz des bilinearen Operators $y''(x)$ zunächst die Existenz der n Matrizen

$$\left(\frac{\partial^2 \eta^j}{\partial \xi^s \partial \xi^t}\right) \quad (j = 1, \ldots, n).$$

Ferner hat man, wenn

$$d\eta^j = \sum_{t=1}^{m} \frac{\partial \eta^j}{\partial \xi^t} d\xi_k^t$$

das dem Vektordifferential

$$k = \sum_{t=1}^{m} d\xi_k^t a_t$$

entsprechende Differential der Komponente η^j ist, für den dem Vektordifferential

$$h = \sum_{s=1}^{m} d\xi_h^s a_s$$

entsprechenden Zuwachs von $d\eta^j$

$$\Delta d\eta^j = \sum_{s,t=1}^{m} \frac{\partial^2 \eta^j}{\partial \xi^s \partial \xi^t} d\xi_h^s d\xi_k^t + |h|((h;\, x)\, k)^j,$$

was, wegen

$$|((h;\, x)\, k)^j| \leqq |(h;\, x)\, k| \leqq |(h;\, x)|\, |k|,$$

auch

$$\Delta d\eta^j = \sum_{s,t=1}^{m} \frac{\partial^2 \eta^j}{\partial \xi^s \partial \xi^t} d\xi_h^s d\xi_k^t + (h;\, x)^j |h|\, |k|$$

geschrieben werden kann, mit $|(h;\, x)^j| \to 0$ für $|h| \to 0$.

Umgekehrt folgt aus n solchen Komponentengleichungen offenbar, daß $y(x)$ zweimal differenzierbar ist mit dem zweiten Differential

$$d^2 y = y''(x)\, h\, k = \sum_{j=1}^{n} \left(\sum_{s,t=1}^{m} \frac{\partial^2 \eta^j}{\partial \xi^s \partial \xi^t} d\xi_h^s d\xi_k^t \right) b_j.$$

1.11. Symmetrie des zweiten Ableitungsoperators. Aus der obigen Koordinatendarstellung des zweiten Differentials folgt unter den bekannten hinreichenden Bedingungen für die Vertauschbarkeit der partiellen Differentiation die *fundamentale Symmetrie*

$$y''(x)\, h\, k = y''(x)\, k\, h$$

des zweiten Ableitungsoperators einer Vektorfunktion.

Wir wollen indessen den umgekehrten Weg gehen und einen direkten, koordinatenfreien Beweis dieser Symmetrie geben.

Wir gehen von folgenden, reichlich hinreichenden Voraussetzungen aus, die, wie sich später ergeben wird, in verschiedenen Richtungen eingeschränkt werden können:

Der zweite Ableitungsoperator y'' existiert in einer Umgebung des Punktes x und ist in diesem Punkte stetig, so daß die Norm

$$|y''(x + \Delta x) - y''(x)| \to 0$$

für $|\Delta x| \to 0$.

Zum Beweis nehme man h und k zunächst so klein, daß das Parallelogramm mit den Ecken x, $x + h$, $x + k$, $x + h + k$ in der genannten Umgebung des Punktes x liegt, und bilde die in h und k symmetrische zweite Differenz

$$\Delta^2 y = y(x + h + k) - y(x + h) - y(x + k) + y(x).$$

Bezeichnet man der Kürze wegen die ersten Differenzen

$$y(x + h) - y(x) = \varphi(x), \quad y(x + k) - y(x) = \psi(x),$$

so ist also

$$\Delta^2 y = \varphi(x + k) - \varphi(x) = \psi(x + h) - \psi(x).$$

Es sei nun L ein beliebiger Operator aus dem zu R_y^n dualen Raum, Ly also eine reelle lineare Funktion von y. Aus der Existenz der Ableitungen y' und y'' in der Umgebung des Punktes x folgt auf Grund des Mittelwertsatzes in 1.6 einerseits

$$\begin{aligned} L\,\Delta^2 y &= L\bigl(\varphi(x+k)-\varphi(x)\bigr) = L\,\varphi'(x+\vartheta_2 k)\,k \\ &= L\bigl(y'(x+h+\vartheta_2 k)-y'(x+\vartheta_2 k)\bigr)\,k \\ &= L\,y''(x+\vartheta_1 h+\vartheta_2 k)\,h\,k, \end{aligned}$$

wo $0<\vartheta_1,\vartheta_2<1$. In derselben Weise erhält man andererseits

$$\begin{aligned} L\,\Delta^2 y &= L\bigl(\psi(x+h)-\psi(x)\bigr) = L\,\psi'(x+\vartheta_3 h)\,h \\ &= L\bigl(y'(x+\vartheta_3 h+k)-y'(x+\vartheta_3 h)\bigr)\,h \\ &= L\,y''(x+\vartheta_3 h+\vartheta_4 k)\,k\,h, \end{aligned}$$

mit $0<\vartheta_3,\vartheta_4<1$, folglich

$$L\bigl(y''(x+\vartheta_1 h+\vartheta_2 k)\,h\,k - y''(x+\vartheta_3 h+\vartheta_4 k)\,k\,h\bigr)=0.$$

Ersetzt man hier, mit beliebig fixierten Vektoren h und k und genügend kleinem reellem λ, die ursprünglichen Vektoren h und k durch λh und λk, so fällt λ^2 links heraus, und wegen der Stetigkeit der zweiten Ableitung im Punkte x wird für $\lambda \to 0$ und für jedes Paar h, k aus R^m

$$L\bigl(y''(x)\,h\,k - y''(x)\,k\,h\bigr)=0.$$

Da dies für jeden Operator L aus dem zu R_y^n dualen Raum gilt, so muß (vgl. I.3.10 Aufgabe 4)

$$y''(x)\,h\,k = y''(x)\,k\,h$$

sein, womit die behauptete Symmetrie des bilinearen Operators $y''(x)$ bewiesen ist.

1.12. Höhere Ableitungen. Falls der bilineare symmetrische Operator $y''(x)$ wiederum im Sinne von 1.9 differenzierbar ist, so definiert man

$$\bigl(y''(x)\bigr)' = y'''(x)$$

als die dritte Ableitung der Vektorfunktion $y(x)$. In dieser Weise hat man allgemein für die $(p+1)$-te Ableitung die Definition

$$\frac{d^{p+1}y}{dx^{p+1}} = y^{(p+1)}(x) = \bigl(y^{(p)}(x)\bigr)'.$$

Falls die Ableitungsoperatoren bis zur Ordnung $p+1$ existieren, so bedeutet dies also, daß für $q=0,1,\ldots,p$

$$\begin{aligned} &y^{(q)}(x+h)\,h_1\ldots h_q - y^{(q)}(x)\,h_1\ldots h_q \\ &\qquad = y^{(q+1)}(x)\,h\,h_1\ldots h_q + |h|(h;x)\,h_1\ldots h_q, \end{aligned}$$

wo die Norm $|(h;x)|$ mit $|h|$ gegen Null konvergiert und $y^{(0)}(x)=y(x)$.

Aus dieser Definition folgt allgemeiner, daß für nichtnegative ganzzahlige Indizes i und j

$$\frac{d^i}{dx^i}\left(\frac{d^j y}{dx^j}\right) = \frac{d^j}{dx^j}\left(\frac{d^i y}{dx^i}\right) = \frac{d^{i+j} y}{dx^{i+j}},$$

falls die hier auftretenden Ableitungsoperatoren existieren. Ferner ergibt sich hieraus vermittels vollständiger Induktion bei Beachtung der in 1.11 bewiesenen Symmetrie der zweiten Ableitung, daß unter gewissen hinreichenden Bedingungen das p-te Differential

$$d^p y = y^{(p)}(x)\, h_1 \ldots h_p = y^{(p)}(x)\, d_1 x \ldots d_p x$$

eine multilineare und *symmetrische* Funktion der beliebigen R^m-Vektoren $h_i = d_i x$ ist.

1.13. Aufgaben. 1. Es sei R_x ein euklidischer Raum und

$$x = |x|\, e(x).$$

Man zeige, daß

$$d|x| = (e, dx), \qquad |x|\, de = dx - (e, dx)\, e$$

und

$$|x|^2 e''(x)\, h k = 3(e, h)(e, k)\, e - (e, h)\, k - (e, k)\, h - (h, k)\, e.$$

2. Der Mittelwertsatz in 1.6 kann aus dem elementaren Mittelwertsatz durch Projektion P des Vektors $y = y(x)$ auf einen beliebigen Vektor $y = e$ gewonnen werden:

$$P\Delta y = P\, dy(x_e) = P\, y'(x_e)\, \Delta x,$$

wo $\Delta x = x_2 - x_1$, $\Delta y = y(x_2) - y(x_1)$, $x_e = x_1 + \vartheta_e \Delta x$ $(0 < \vartheta_e < 1)$.

Für orthogonale Projektion und für $e = \Delta y$ ergibt sich hieraus:

$$P\Delta y = \Delta y = P\, y'(x_e)\, \Delta x, \qquad |\Delta y| \leqq |y'(x_e)\, \Delta x| \leqq |y'(x_e)|\, |\Delta x|.$$

3. Die Abbildung $y = y(x)$ des euklidischen Raumes R_x^m in sich ist im Punkte x *konform*, falls die Ableitung $y'(x) = \lambda(x)\, T(x)$, wo $\lambda(x)$ reell und $T(x)$ eine orthogonale Transformation des Raumes R_x^m ist. Man beweise, daß die Abbildung durch reziproke Radien:

$$y = \frac{x}{|x|^2}$$

konform ist.

4. Es seien $y = y(x)$, $x = x(y)$ inverse zweimal differenzierbare Vektorfunktionen. Dann gilt für zwei Paare zugeordneter Differentiale $d_1 x$, $d_1 y$ und $d_2 x$, $d_2 y$

$$\frac{d^2 x}{dy^2}\, d_2 y\, d_1 y + \frac{dx}{dy}\, \frac{d^2 y}{dx^2}\, d_2 x\, d_1 x = 0.$$

5. Wenn bei der differenzierbaren Funktion $u = u(x)$ die umkehrbar eindeutigen, zweimal differenzierbaren Variabeltransformationen $x \longleftrightarrow y \longleftrightarrow z$ ausgeführt werden, so gilt

$$\frac{du}{dx}\, \frac{d^2 x}{dz^2}\, d_2 z\, d_1 z + \frac{du}{dy}\, \frac{d^2 y}{dx^2}\, d_2 x\, d_1 x + \frac{du}{dz}\, \frac{d^2 z}{dy^2}\, d_2 y\, d_1 y = 0.$$

6. Es sei $\mu > 0$ und $\varphi(\varrho)$ eine für $\varrho > 0$ erklärte monoton wachsende Funktion mit $\lim_{\varrho \to 0} \varphi(\varrho) = 0$, so daß die obere Grenze ϱ_x derjenigen Werte ϱ, für denen $\varphi(\varrho) < \mu$, positiv (endlich oder unendlich) ist.

Es sei ferner R_x^m ein euklidischer Raum, $x = |x|\, e(x)$ und

$$y(x) = \mu x - \int_0^{|x|} (\mu - \varphi(\varrho))\, d\varrho\, e(x).$$

Man zeige:

a. Die Funktion $y(x)$ ist in der Kugel $|x| < \varrho_x$ differenzierbar.
b. Die Norm $|y'(0)| = \mu$.
c. Die obere Grenze der Norm $|y'(x) - y'(0)|$ für $|x| \leqq \varrho < \varrho_x$ ist genau $= \varphi(\varrho)$.
d. Setzt man

$$\mu \varrho_x - \int_0^{\varrho_x - 0} \varphi(\varrho)\, d\varrho = \int_0^{\varrho_x - 0} (\mu - \varphi(\varrho))\, d\varrho = \varrho_y,$$

so definiert $y = y(x)$ eine umkehrbar eindeutige Abbildung der Kugeln $|x| < \varrho_x$, $|y| < \varrho_y$ und es sind ϱ_x und ϱ_y die größten Radien, für denen dies der Fall ist.

7. Es sei $y = y(x)$ eine im Gebiet G_x^m des Raumes R_x^m differenzierbare Funktion mit einem Wertevorrat in R_y^n; für jedes x aus G_x^m ist somit

$$y(x + h) - y(x) = y'(x)\, h + |h|\, (h; x)$$

mit $|(h; x)| \to 0$ für $|h| \to 0$. Man beweise:

Notwendig und hinreichend, damit die Ableitung $y'(x)$ in G_x^m stetig sei, ist, daß die Gleichung

$$\lim_{|h| \to 0} |(h; x)| = 0$$

auf jedem abgeschlossenen Teilbereich von G_x^m *gleichmäßig* besteht.

Beweis. Da das Verhältnis zweier Minkowskischer Längen $|x|'$ und $|x|''$ gemäß dem in I.6.2 Gesagten zwischen zwei positiven von x unabhängigen Grenzen liegt, so sind die Voraussetzungen und Behauptungen des Satzes von der Wahl der Metriken unabhängig. Wir können somit die Räume R_x^m und R_y^n euklidisch metrisieren.

Setzt man dann $(h; x) = |(h; x)|\, e$, so ergibt der Mittelwertsatz bei Beachtung der Schwarzschen Ungleichung

$$|(h; x)| \leqq |y'(x + \vartheta h) - y'(x)| \qquad (0 < \vartheta < 1).$$

Ist nun $y'(x)$ in G_x^m stetig, so ist sie auf jedem abgeschlossenen Teilbereich von G_x^m sogar gleichmäßig stetig, woraus die Notwendigkeit der Bedingung des Satzes folgt.

Die Bedingung ist auch hinreichend. Denn ist x ein beliebiger Punkt in G_x^m, so nehme man $\varrho_0 > 0$ zunächst so klein, daß $x + k$ für $|k| \leqq \varrho_0$ in G_x^m liegt. Setzt man ferner $h = |h|\, e = \lambda\, e$ mit einem beliebigen Einheitsvektor e, so wird

$$|y'(x+k)\, e - y'(x)\, e|$$
$$\leqq \frac{1}{\lambda}\left(|y(x+\lambda e+k) - y(x+\lambda e)| + |y(x+k) - y(x)|\right)$$
$$+ |(\lambda e; x+k)| + |(\lambda e; x)|.$$

Infolge der gleichmäßigen Konvergenz $|(h; x)| \to 0$ für $|h| \to 0$ kann man bei vorgegebenem $\eta > 0$ zunächst $\lambda > 0$ so klein fixieren, daß die letzten Glieder für $|k| \leqq \varrho_0$ kleiner als $\eta/3$ sind, und dann $\varrho_\eta \leqq \varrho_0$, so daß auch das erste Glied rechts für $|k| < \varrho_\eta$ kleiner als $\eta/3$ ist. Da dies für jeden Einheitsvektor e des Raumes R_x^m gilt, so ist die Norm

$$|y'(x+k) - y'(x)| < \eta$$

für $|k| < \varrho_\eta$, w. z. b. w.

Allgemein gilt folgendes: Falls der p-fach lineare Operator $A(x)$ in G_x^m differenzierbar ist, folglich

$$A(x+h)\, h_1 \ldots h_p - A(x)\, h_1 \ldots h_p$$
$$= A'(x)\, h\, h_1 \ldots h_p + |h|\, (h; x)\, h_1 \ldots h_p,$$

so ist $A'(x)$ in G_x^m stetig genau dann, wenn auf jedem abgeschlossenen Teilbereich von G_x^m gleichmäßig

$$\lim_{|h| \to 0} |(h; x)| = 0.$$

8. Es seien $y_p(x)$ ($p = 1, 2, \ldots$) im Gebiet G_x^m des Raumes R_x^m differenzierbare Funktionen mit Wertevorräten in R_y^n. Man beweise:

Falls die Grenzfunktion bzw. der Grenzoperator

$$y_p(x) \to y(x), \qquad y'_p(x) \to A(x)$$

für $p \to \infty$ in G_x^m existieren und die zweite Konvergenz auf jedem abgeschlossenen Teilbereich von G_x^m gleichmäßig ist, so ist $y(x)$ differenzierbar und

$$y'(x) = A(x)$$

in jedem Punkt x, wo $A(x)$ stetig ist.

Anleitung. Setzt man für jedes p

$$y_p(x+h) - y_p(x) = y'_p(x)\, h + |h|\, (h; x)_p$$

mit $|(h; x)_p| \to 0$ für $|h| \to 0$, so folgt hieraus zunächst für $p \to \infty$ die Konvergenz $(h; x)_p \to (h; x)$, somit

$$y(x+h) - y(x) = A(x)\, h + |h|\, (h; x).$$

Es gilt zu zeigen, daß $|(h; x)| \to 0$ für $|h| \to 0$.

Aus dem Mittelwertsatz folgt für jedes p

$$
\begin{aligned}
|(h;x)_p| &\leqq |y'_p(x+\vartheta_p h) - y'_p(x)| \\
&\leqq |y'_p(x+\vartheta_p h) - A(x+\vartheta_p h)| + |A(x+\vartheta_p h) - A(x)| \\
&\qquad + |A(x) - y'_p(x)|
\end{aligned}
$$

mit $0 < \vartheta_p < 1$, woraus sich die Behauptung auf Grund der Gleichmäßigkeit der Konvergenz $y'_p \to A$ und der vorausgesetzten Stetigkeit von A im Punkte x ergibt.

Falls die Ableitungen y'_p, bei gleichmäßiger Konvergenz $y'_p \to A$, im Gebiet G_x^m stetig sind, so ist auch $A(x)$ stetig und die Gleichung $y'(x) = A(x)$ besteht für jedes x in G_x^m.

9. Es sei $A\,x\,y$ ein bilinearer Operator, der den Produktraum $R_x^m \times R_y^n$ in R_y^n abbildet und symmetrisch ist, so daß

$$A\,h\,A\,k\,y = A\,k\,A\,h\,y.$$

Man setze

$$\underbrace{A\,x \ldots A\,x}_{p}\,y = (A\,x)^p\,y$$

und beweise:

Für jedes y_0 aus R_y^n ist die Vektorfunktion

$$y(x) = \left(\sum_{p=0}^{\infty} \frac{(A\,x)^p}{p!}\right) y_0 = \sum_{p=0}^{\infty} \frac{(A\,x)^p\,y_0}{p!}$$

im ganzen Raum R_x^m sinnvoll und genügt der linearen Differentialgleichung

$$d\,y = A\,d\,x\,y.$$

10. Wenn $y = y(x)$ eine differenzierbare, homogene Vektorfunktion des Grades p vom Vektor x ist, d. h. $y(\lambda\,x) = \lambda^p\,y(x)$, so gilt die Eulersche Gleichung $y(x) = p\,y'(x)\,x$.

§ 2. Die Taylorsche Formel

2.1. Potenzen und Polynome. Als Vorbereitung für das nachfolgende wollen wir vektorielle Potenzen und Polynome behandeln.

Es sei R_x^m ein linearer Raum und A ein konstanter multilinearer und *symmetrischer* Operator dieses Raumes in den linearen Raum R_y^n, also

$$y = A\,x_1 \ldots x_p$$

eine p-lineare symmetrische Funktion der R_x^m-Vektoren $x_1, \ldots, x_p$. Eine solche Vektorfunktion der Differentiale $h_i = x_i$ ist z. B. für ein festes x das p-te Differential einer genügend differenzierbaren Vektorfunktion $y(x)$.

Setzt man insbesondere $x_1 = \ldots = x_p = x$, so geht diese Funktion in eine homogene Vektorfunktion p-ten Grades über, die wir kurz mit

$$y = A\,x^p$$

bezeichnen und eine p-te „Potenz" von x nennen. Für $p = 1$ ist das eine lineare, für $p = 2$ eine quadratische Vektorfunktion.

Bezüglich der Koordinatensysteme a_i bzw. b_j, in denen

$$x = \sum_{i=1}^{m} \xi^i a_i, \qquad y = \sum_{j=1}^{n} \eta^j b_j,$$

wird

$$\eta^j = \eta^j(\xi^1, \ldots, \xi^m) = \sum_{i_1, \ldots, i_p = 1}^{m} \alpha^j_{i_1 \ldots i_p} \xi^{i_1} \ldots \xi^{i_p},$$

wobei

$$\alpha^j_{i_1 \ldots i_p} = A^j a_{i_1} \ldots a_{i_p}$$

symmetrisch in den Indizes $i_1, \ldots, i_p$ ist.

Wir wollen die Differentiale der Potenz $A\,x^p$ berechnen.

Infolge der Linearität und *Symmetrie* der Funktion $A\,x_1 \ldots x_p$ ist

$$A\,(x + h)^p = \sum_{i=0}^{p} \binom{p}{i} A\,x^{p-i} h^i,$$

folglich

$$A\,(x + h)^p - A\,x^p = p\,A\,x^{p-1} h + |h|\,(h; x),$$

wo die Norm

$$|(h; x)| \leqq |A|\,|h| \sum_{i=2}^{p} \binom{p}{i} |x|^{p-i} |h|^{i-2}$$

und somit für $|h| \to 0$ gegen Null konvergiert; $|A|$ ist die Norm des Operators A. Hiernach wird

$$d\,A\,x^p = p\,A\,x^{p-1} h = p\,A\,x^{p-1} d_1 x,$$

wo das Differential h mit $d_1 x$ bezeichnet worden ist.

In derselben Weise findet man, formal genau wie bei der elementaren Potenz $\alpha\,x^p$ einer reellen Variable x,

$$\begin{aligned} p\,A\,(x + h)^{p-1} d_1 x &- p\,A\,x^{p-1} d_1 x \\ &= p\,(p-1)\,A\,x^{p-2} h\,d_1 x + |h|\,(h; x)\,d_1 x, \end{aligned}$$

wo die Norm $|(h; x)|$ mit $|h|$ verschwindet. Folglich ist das den Differentialen $d_1 x$ und $h = d_2 x$ entsprechende zweite Differential

$$d^2 A\,x^p = p\,(p-1)\,A\,x^{p-2} d_2 x\,d_1 x = p\,(p-1)\,A\,x^{p-2} d_1 x\,d_2 x.$$

Allgemein erhält man für jedes positive ganzzahlige $i \leqq p$

$$d^i A\,x^p = p\,(p-1) \ldots (p - i + 1)\,A\,x^{p-i} d_1 x\,d_2 x \ldots d_i x.$$

Für $i = p$ ist

$$d^p A\, x^p = p!\, A\, d_1 x \ldots d_p x$$

eine von x unabhängige multilineare und symmetrische Vektorfunktion der Differentiale $d_i x$, somit für $i > p$

$$d^i A\, x^p = 0.$$

Eine Potenzsumme

$$P(x) = \sum_{q=0}^{p} A_{p-q}\, x^q$$

nennen wir ein vektorielles Polynom vom Grade p des in R_x^m variierenden Vektors x. Nach obigem hat man für $i \leqq p$

$$d^i P(x) = \sum_{q=i}^{p} q(q-1)\ldots(q-i+1)\, A_{p-q}\, x^{q-i}\, d_1 x\, d_2 x \ldots d_i x$$

und für $i > p$

$$d^i P(x) = 0.$$

2.2. Das Taylorsche Polynom. In Analogie mit der elementaren Differentialrechnung können wir jetzt das *Taylorsche Polynom* p-ten Grades $T_p(x, x_0)$ einer im Entwicklungszentrum x_0 p-mal differenzierbaren Vektorfunktion $y(x)$ bilden. Man nehme $x_0 = 0$; es handelt sich also um das *Maclaurinsche Polynom*

$$T_p(x, 0) = \sum_{q=0}^{p} A_{p-q}\, x^q,$$

das für $x = 0$ bis zu der Ordnung p dieselben Ableitungsoperatoren wie die gegebene Funktion $y(x)$ hat.

Nach 2.1 ist für $i \leqq p$ und $x = 0$

$$d^i T_p(0, 0) = i!\, A_{p-i}\, d_1 x \ldots d_i x,$$

und es muß somit

$$i!\, A_{p-i} = T_p^{(i)}(0, 0) = y^{(i)}(0)$$

sein, woraus

$$T_p(x, 0) = \sum_{q=0}^{p} \frac{1}{q!}\, y^{(q)}(0)\, x^q$$

folgt.

Hiermit haben wir die Maclaurinsche Formel

$$y(x) = T_p(x, 0) + R_{p+1}(x, 0).$$

Es bleibt noch, wie in der elementaren Differentialrechnung, das Restglied R_{p+1} für $p \to \infty$ zu untersuchen.

2.3. Das asymptotische Verhalten von R_{p+1}. Nimmt man wie oben an, daß $y(x)$ im Nullpunkt p-mal differenzierbar ist, so gilt dies auch für $R_{p+1}(x, 0) \equiv R_{p+1}(x)$ und man hat

$$R_{p+1}(0) = R'_{p+1}(0) = \ldots = R_{p+1}^{(p)}(0) = 0.$$

Man setze (in einer beliebigen Minkowskischen Metrik) $x = |x| e$ und bilde mit festem x und einem beliebigen Operator L aus dem zu R_y^n dualen Raum die reelle Funktion

$$f(\tau) = L R_{p+1}(\tau e) \qquad (0 \leqq \tau \leqq |x|).$$

Es ist dann

$$f^{(q)}(0) = L R_{p+1}^{(q)}(0) e^q = 0$$

für $q = 0, 1, \ldots, p$, und für ein genügend kleines $|x|$ existieren für $q = 0, 1, \ldots, p-1$ die Ableitungen

$$f^{(q)}(\tau) = L R_{p+1}^{(q)}(\tau e) e^q$$

auch auf dem Intervall $0 \leqq \tau \leqq |x|$. Sie sind sogar stetig, wenn wir zusätzlich annehmen, daß $y^{(p-1)}(x)$ in einer gewissen Umgebung des Nullpunktes stetig ist. Wegen $f^{(p)}(0) = 0$ ist dann für $0 \leqq \tau \leqq |x|$

$$f^{(p-1)}(\tau) = (\tau)_1 \tau$$

mit $|(\tau)_1| \to 0$ für $\tau \to 0$, woraus durch Integration

$$f^{(p-2)}(\tau) = (\tau)_2 \tau^2,$$

und schließlich

$$f(\tau) = (\tau)_p \tau^p$$

folgt, mit $|(\tau)_p| \to 0$ für $\tau \to 0$. Für $\tau = |x|$ wird hiernach

$$L R_{p+1}(x) = f(|x|) = (x) |x|^p,$$

wo $|(x)| \to 0$ für $|x| \to 0$.

Dies gilt für jeden Operator L aus dem zu R_y^n dualen Raum, also insbesondere auch für das innere Produkt

$$L y = (a, y)$$

einer in R_y^n eingeführten euklidischen Metrik, wo $R_{p+1}(x) = |R_{p+1}(x)| a$. Es wird dann

$$L R_{p+1}(x) = |R_{p+1}(x)| = (x) |x|^p,$$

mit $|(x)| \to 0$ für $|x| \to 0$, und zwar für beliebige Minkowskische Metriken der Räume R_x^m und R_y^n.

Unter den gemachten Voraussetzungen:

1°. $y^{(p-1)}(x)$ *existiert und ist stetig in einer gewissen Umgebung von* $x = 0$;

2°. $x^{(p)}(0)$ *existiert*;

gibt hiernach das Maclaurinsche Polynom vom Grade p bei Annäherung an das Entwicklungszentrum $x = 0$ eine asymptotische Darstellung der Vektorfunktion $y(x)$, indem in beliebigen Minkowskischen Metriken

$$|x|^{-p} \left| y(x) - \sum_{q=0}^{p} \frac{1}{q!} y^{(q)}(0) x^q \right| \to 0$$

für $|x| \to 0$.

2.4. Die Restformeln des Taylorschen Satzes. Setzt man voraus, daß die Funktion $y(x)$ in der Umgebung des Nullpunktes sogar p-mal *stetig* differenzierbar ist und daß überdies der $(p+1)$-te Ableitungsoperator $y^{(p+1)}(x)$ dort existiert, so hat die reelle Hilfsfunktion

$$f(\tau) = L\, R_{p+1}(\tau\, e)$$

auf dem Intervall $0 \leqq \tau \leqq |x|$ für ein genügend kleines $|x|$ die entsprechenden Eigenschaften: sie ist p-mal stetig differenzierbar und die Ableitung

$$f^{(p+1)}(\tau) = L\, R_{p+1}^{(p+1)}(\tau\, e)\, e^{p+1} = L\, y^{(p+1)}(\tau\, e)\, e^{p+1}$$

existiert. Da $f(0) = f'(0) = \ldots = f^{(p)}(0) = 0$, so ergibt die elementare Maclaurinsche Formel mit dem Lagrangeschen Restglied

$$f(\tau) = \frac{1}{(p+1)!} f^{(p+1)}(\vartheta\, \tau)\, \tau^{p+1} \qquad (0 < \vartheta < 1),$$

also für $\tau = |x|$

$$L\, R_{p+1}(x) = \frac{1}{(p+1)!} L\, y^{(p+1)}(\vartheta\, x)\, x^{p+1},$$

und zwar wiederum für jedes L des zu R_y^n dualen Raumes, wobei die Zahl ϑ selbstverständlich sowohl von x wie von L abhängt. Entsprechende Formeln erhält man, wenn für $f(\tau)$ andere bekannte Restformeln wie diejenige von Cauchy oder von Schlömilch-Roche verwendet werden.

Hieraus erhält man, wie oben, Abschätzungen des Restgliedes $R_{p+1}(x)$, woraus $R_{p+1}(x) \to 0$ für ein festes x und $p \to \infty$, somit das Bestehen der Maclaurinschen Entwicklung

$$y(x) = \sum_{q=0}^{\infty} \frac{1}{q!} y^{(q)}(0)\, x^q$$

geschlossen werden kann.

Es verdient vielleicht betont zu werden, daß die Punktmenge des linearen Raumes R_x^m, für welche $R_{p+1}(x)$ mit $p \to \infty$ eventuell gegen Null konvergiert, von der Metrik unabhängig, somit absolut bestimmt ist. Es verhält sich also mit der Konvergenz der Taylorschen Reihe genau so wie mit den übrigen in diesem Abschnitt eingeführten und behandelten Begriffen, wie Stetigkeit einer Vektorfunktion, Existenz gewisser Ableitungsoperatoren usw. Es sind Tatbestände „affinen Charakters", die von den eventuell aus Formulierungs- oder beweistechnischen Gründen eingeführten Hilfsmetriken unabhängig sind, insofern die linearen Räume R_x und R_y von *endlicher* Dimension sind und somit eine natürliche Topologie, diejenige des reellen Multiplikatorenbereiches, besitzen.

Geht man dagegen zu Banachschen oder Hilbertschen Räumen unendlich hoher Dimension über, so bleiben die besprochenen Begriffe der absoluten Analysis zwar sinnvoll, aber meistens nur in bezug auf die eingeführte Metrik. So kann z. B. hier dieselbe Vektorfunktion in bezug auf eine Metrik im Sinne der in 1.2 gegebenen Definition differenzierbar sein, in bezug auf eine andere nicht[1].

2.5. Aufgaben. 1. Man zeige mit Hilfe des Hauptsatzes der Integralrechnung: Falls $y = y(x)$ eine Vektorfunktion ist, deren $(p+1)$-tes Differential in einem Gebiet des linearen Raumes R_x^m identisch verschwindet, $d^{(p+1)}y(x) \equiv 0$, so ist $y(x)$ ein vektorielles Polynom vom Grade p. Die Gesamtheit solcher Polynome ist die allgemeine Lösung der obigen Differentialgleichung.

2. Sei die Folge von Potenzen $A_j x^j \in R_y^n$ $(j = 0, 1, \ldots)$ so gegeben, daß die Potenzreihe $\sum_{j=0}^{\infty} |A_j| \varrho^j$ konvergiert ($|A_j|$ = die Norm von A_j, relativ zu einer Minkowskischen Metrik des Raumes R_y^n). Dann ist die Reihe $\sum_{j=0}^{\infty} A_j x^j$ für $|x| \leqq r < \varrho$ absolut und gleichmäßig konvergent.

3. Wenn die Potenzreihe $y(x) = \sum_{j=0}^{\infty} A_j x^j$ für $|x| < r$ konvergiert, so erhält man die Ableitung $y'(x)$ in derselben Kugel durch gliedweise Differentiation.

4. Wenn die Potenzreihe $y(x) = \sum_{j=0}^{\infty} A_j x^j$ $(x \in R_x^m)$ für $|x| < r$ konvergiert und für eine unendliche Punktfolge $x = x_i$ $(i = 1, 2, \ldots)$, so daß $x_i \neq 0$ und die Punkte $x_i/|x_i|$ auf der Einheitssphäre $|x| = 1$ dicht sind, verschwindet, so ist $y(x) \equiv 0$ für $|x| < r$.

§ 3. Partielle Differentiation

3.1. Partielle Ableitungen und Differentiale. In den in 1.2 und 1.3 gegebenen Definitionen der Ableitung bzw. des Differentials einer Vektorfunktion $y(x)$ wurde vorausgesetzt, daß das Argumentdifferential $dx = h$ frei im Raume R_x^m variiert. Man kann deshalb das in dieser Weise definierte Differential

$$dy = y'(x)\, dx$$

genauer als *totales* Differential der Funktion $y(x)$ im Punkte x bezeichnen.

Wird in diesen Definitionen h auf einen gewissen Unterraum U des Raumes R_x^m eingeschränkt, so kommt man zum Begriff der *partiellen Ableitung* bzw. des *partiellen Differentials* der Vektorfunktion in der Richtung des Unterraumes U. Daß die Funktion $y(x)$ im Punkte x

[1] Von dem linearen Ableitungsoperator $A(x) = y'(x)$ muß dann Beschränktheit in bezug auf die Metriken verlangt werden.

in der Richtung des Unterraumes U differenzierbar ist, bedeutet hiernach, daß ein linearer Ableitungsoperator

$$y_U(x) = \frac{\partial y(x)}{\partial u}$$

des Unterraumes U in den Raum R^n_y existiert, so daß

$$y(x+h) - y(x) = y_U(x)\,h + |h|\,(h;x),$$

wo $|(h;x)| \to 0$ falls h *in dem Unterraum* U gegen Null strebt. Der Operator $y_U(x)$ heißt dann die partielle Ableitung und der für jedes h aus U sinnvolle Vektor

$$d_U y = y_U(x)\,h$$

das partielle Differential der Funktion $y(x)$, in der Richtung des Unterraumes U. Genau wie in 1.2 zeigt man, daß diese partielle Ableitung, falls sie existiert, eindeutig bestimmt ist.

Wenn die Funktion in der Richtung des Unterraumes U differenzierbar ist, so ist sie selbstverständlich in der Richtung jedes Unterraumes von U mit demselben Ableitungsoperator differenzierbar. Insbesondere ist sie in *jeder* Richtung partiell differenzierbar, falls sie total differenzierbar ist. Ferner folgt aus der Eindeutigkeit der partiellen Ableitungen, daß die Funktion in der Richtung eines nichtleeren Durchschnittes

$$W = [U, V]$$

differenzierbar ist, falls die partiellen Ableitungen $y_U(x)$ und $y_V(x)$ in den Richtungen der Unterräume U und V existieren, wobei für $h \in W$

$$y_W(x)\,h = y_U(x)\,h = y_V(x)\,h.$$

Dagegen folgt hieraus im allgemeinen nicht die Existenz der partiellen Ableitung in der Richtung des von U und V erzeugten Raumes (U, V).

3.2. Funktionen mehrerer Variablen. Der Fall, wo die vektorielle Funktion y als Funktion mehrerer vektorieller Variablen $x_1, \ldots, x_p$ gegeben ist, die je in gewissen Gebieten $G^{m_i}_{x_i}$ der linearen Räume $R^{m_i}_{x_i}$ variieren, kann auf den Fall einer einzigen Variable x zurückgeführt werden. Man bildet hierzu den Produktraum (vgl. I.1.6 Aufgaben 6 und 7)

$$R^m_x = R^{m_1}_{x_1} \times \cdots \times R^{m_p}_{x_p}$$

der Dimension $m = m_1 + \cdots + m_p$, wo die Räume $R^{m_i}_{x_i}$ als linear unabhängige Unterräume auftreten, die den Produktraum R^m_x erzeugen. Den Vektoren $x_1, \ldots, x_p$ entspricht der Vektor

$$x = x_1 + \cdots + x_p$$

des Produktraumes, und umgekehrt kann jedes x des Raumes R_x^m in eindeutiger Weise als eine solche Summe dargestellt werden. In dem Produktgebiet

$$G_x^m = G_{x_1}^{m_1} \times \cdots \times G_{x_p}^{m_p}$$

ist somit die ursprüngliche Funktion

$$y(x_1, \ldots, x_p) = y(x)$$

eine eindeutige Funktion von x.

Wir sagen, die ursprüngliche Funktion $y(x_1, \ldots, x_p)$ sei für $(x_1, \ldots, x_p)$ differenzierbar, falls $y(x)$ in dem Punkte $x = x_1 + \cdots + x_p$ des Produktraumes total differenzierbar ist. Hierzu ist notwendig und hinreichend, daß für beliebige Differentiale h_i aus $R_{x_i}^{m_i}$

$$y(x_1 + h_1, \ldots, x_p + h_p) - y(x_1, \ldots, x_p)$$
$$= \sum_{i=1}^{p} A_i(x_1, \ldots, x_p)\, h_i + |h|\,(h; x_1, \ldots, x_p),$$

wo $A_i\,(x_1, \ldots, x_p)$ lineare Abbildungen der Räume $R_{x_i}^{m_i}$ in den Wertraum R_y^n bezeichnen und $|(h; x_1, \ldots, x_p)| \to 0$ für

$$|h|^2 = \sum_{i=1}^{p} |h_i|^2 \to 0.$$

Die Operatoren

$$A_i(x_1, \ldots, x_p) = y_{x_i}(x_1, \ldots, x_p) = \frac{\partial y}{\partial x_i}$$

sind die partiellen Ableitungen der Funktion $y(x_1, \ldots, x_p)$ in bezug auf x_i. Als Ableitung der Funktion $y(x)$ aufgefaßt ist A_i die partielle Ableitung in der Richtung des Raumes $R_{x_i}^{m_i}$ als Unterraum des Produktraumes R_x^m. Die einfachen Beweise dieser Behauptungen überlassen wir dem Leser.

3.3. Partielle Ableitungen höherer Ordnung. Falls die Vektorfunktion $y(x)$ in jedem Punkt x eines Gebietes G_x^m in der Richtung eines Unterraumes V von R_x^m partiell differenzierbar ist, so definiert das partielle Differential

$$d_V y = y_V(x)\, k$$

für jedes feste k aus V eine Vektorfunktion, die im Punkte x in der Richtung des Unterraumes U partiell differenzierbar sein kann. Genau wie in 1.9 und 1.10 zeigt man dann, daß ein für jedes h aus U und jedes k aus V definierter bilinearer Operator

$$y_{UV}\,(x) = \frac{\partial^2 y}{\partial u\, \partial v}$$

vorhanden ist, so daß

$$y_V(x+h)\,k - y_V(x)\,k = y_{UV}(x)\,h\,k + |h|\,(h;x)\,k,$$

wo die im Unterraum V berechnete Norm

$$|(h;x)|_V = \sup_{|k|=1} |(h;x)\,k| \to 0,$$

wenn $|h|$ in U gegen Null strebt. Der bilineare Operator $y_{UV}(x)$ ist die zweite partielle Ableitung der Funktion $y(x)$, genommen zuerst in der Richtung V und dann in der Richtung U.

In entsprechender Weise werden die partiellen Ableitungen und Differentiale höherer Ordnung erklärt.

3.4. Satz von H. A. Schwarz. Bezüglich der Reihenfolge der Differentiationen besteht folgende Verallgemeinerung des klassischen Satzes von H. A. Schwarz:

Es sei $y(x)$ eine Vektorfunktion, mit den folgenden Eigenschaften:

1°. *Die Funktion $y(x)$ und die partiellen Ableitungen $y_U(x)$, $y_V(x)$ in den Richtungen der Unterräume U, V des Raumes R_x^m sind in einer Umgebung des Punktes x stetig.*

2°. *Die partielle Ableitung $y_{UV}(x)$ existiert in dieser Umgebung und ist im Punkte x stetig.*

Dann existiert auch die partielle Ableitung $y_{VU}(x)$ im Punkte x und es ist für jedes h aus U und jedes k aus V

$$y_{VU}(x)\,k\,h = y_{UV}(x)\,h\,k.$$

Für $U = V = R_x^m$ enthält dieser Satz als Spezialfall die in 1.11 bewiesene Symmetrie des zweiten totalen Differentials $y''(x)\,h\,k$.

Der nachfolgende Beweis ist eine leichte Modifikation des bekannten Beweises von Schwarz.

Genau wie in 1.11 und mit den dort bereits eingeführten Bezeichnungen folgt aus der Existenz und Stetigkeit der Ableitungen y_U und y_V in der Umgebung des Punktes x nebst der Existenz der Ableitung y_{UV} in dieser Umgebung, daß

$$\begin{aligned} L\,\Delta^2 y &= L\big(y_U(x+\vartheta_3 h + k) - y_U(x+\vartheta_3 h)\big)\,h \\ &= L\big(y_V(x+h+\vartheta_2 k) - y_V(x+\vartheta_2 k)\big)\,k \\ &= L\,y_{UV}(x+\vartheta_1 h + \vartheta_2 k)\,h\,k, \end{aligned}$$

also[1]

$$L\big(y_U(x+\vartheta_3 h + k) - y_U(x+\vartheta_3 h)\big)\,h = L\,y_{UV}(x+\vartheta_1 h+\vartheta_2 k)\,h\,k.$$

[1] Bei der Formulierung des Mittelwertsatzes in 1.6, woraus die obige Gleichung gefolgert wurde, wird zwar die Existenz der *totalen* Ableitung $y'(x)$ in den inneren Punkten der Strecke $x = x_1 + \tau\,(x_2 - x_1)$ $(0 < \tau < 1)$ vorausgesetzt. Aus dem Beweis des Mittelwertsatzes geht jedoch unmittelbar hervor, daß schon die Existenz der *partiellen* Ableitung in der Richtung des von dem Vektor $x_2 - x_1$ aufgespannten eindimensionalen Unterraumes genügt.

Wegen der vorausgesetzten Stetigkeit der Ableitung y_{UV} im Punkte x ist hier

$$y_{UV}(x + \vartheta_1 h + \vartheta_2 k)\, h\, k = y_{UV}(x)\, h\, k + |h|\,|k|\, \varepsilon(h, k),$$

mit $|\varepsilon(h, k)| \to 0$ für $|h|^2 + |k|^2 \to 0$. Die obige Gleichung kann somit

$$L\big(y_U(x + \vartheta h + k)\, h - y_U(x + \vartheta h)\, h - y_{UV}(x)\, h\, k\big) = |h|\,|k|\, L\, \varepsilon(h, k)$$

geschrieben werden, wo die Zahl $\vartheta = \vartheta_3$ von der Wahl der reellen Linearform L aus dem zu R_y^n dualen Raum abhängt, aber stets der Bedingung $0 < \vartheta < 1$ genügt.

Nimmt man hier für L insbesondere das innere Produkt

$$L\, y = (e, y)$$

einer euklidischen Metrik des Wertraumes R_y^n, wobei e einen vorläufig beliebigen Einheitsvektor bezeichnet, so ergibt die Schwarzsche Ungleichung

$$|(e\,, (y_U(x + \vartheta h + k)\, h - y_U(x + \vartheta h)\, h - y_{UV}(x)\, h\, k))| \leqq |h|\,|k|\,|\varepsilon(h, k)|,$$

wo also zu einem beliebig kleinen $\varepsilon > 0$ ein $\varrho_\varepsilon > 0$ existiert, so daß

$$|\varepsilon(h, k)| < \varepsilon \quad \text{für} \quad |h|^2 + |k|^2 < \varrho_\varepsilon.$$

Ersetzt man in dieser Ungleichung h mit λh, so fällt beiderseits ein Faktor λ heraus, und für $\lambda \to 0$ ergibt sich wegen der Stetigkeit der Ableitungen y_U und y_V

$$|(e\,, \{y_U(x + k)\, h - y_U(x)\, h - y_{UV}(x)\, h\, k\})| < \varepsilon\, |h|\,|k|$$

für $|k| < \varrho_\varepsilon$.

Nimmt man schließlich in dieser für jeden Einheitsvektor $e \in R_y^n$ bestehenden Ungleichung e in der Richtung des Vektors $\{\,\}$, so wird

$$|y_U(x + k)\, h - y_U(x)\, h - y_{UV}(x)\, h\, k| < \varepsilon\, |h|\,|k|$$

für $|k| < \varrho_\varepsilon$, so daß

$$y_U(x + k)\, h - y_U(x)\, h = y_{UV}(x)\, h\, k + |k|\, (k; x)\, h$$

geschrieben werden kann, wo die in U berechnete Norm

$$|(k; x)|_U = \sup_{|h| = 1} |(k; x)\, h| < \varepsilon$$

für $|k| < \varrho_\varepsilon$. Es existiert hiernach die partielle Ableitung $y_{VU}(x)$, und für jedes h aus U und jedes k aus V ist

$$y_{VU}(x)\, k\, h = y_{UV}(x)\, h\, k,$$

w. z. b. w.

§ 4. Implizite Funktionen

4.1. Problemstellung. Wir betrachten im folgenden eine Funktion

$$z = z(x, y)$$

zweier vektoriellen Variablen x und y, die in gewissen Umgebungen der Punkte x_0 und y_0 der linearen Räume R_x^m und R_y^n mit einem Wertevorrat aus einem dritten linearen Raum R_z^p erklärt sei.

Falls dann

$$z(x_0, y_0) = 0,$$

so handelt es sich um die Auflösung der Gleichung

$$z(x, y) = 0$$

in der Umgebung von x_0 und y_0 nach x oder y. Führt man in den drei linearen Räumen Koordinatensysteme ein, in denen

$$x = \sum_{i=1}^{m} \xi^i a_i, \qquad y = \sum_{j=1}^{n} \eta^j b_j, \qquad z = \sum_{k=1}^{p} \zeta^k c_k,$$

so bestehen die Gleichungen

$$\zeta^k(\xi^1, \ldots, \xi^m; \eta^1, \ldots, \eta^n) = 0 \qquad (k = 1, \ldots, p)$$

für $\xi^i = \xi_0^i$, $\eta^j = \eta_0^j$, und es handelt sich in dieser Formulierung um die Auflösung dieses reellen Gleichungssystems nach den Variablen ξ^i oder den Variablen η^j in der Umgebung der Punkte ξ_0^i und η_0^j.

Im vorliegenden Fall endlicher Dimensionen m, n, p werden die erlangten Resultate inhaltlich nichts prinzipiell Neues enthalten. Allein die benutzte koordinatenfreie Behandlungsweise des Problems weicht von der herkömmlichen ab und gestaltet sich durchsichtiger und kürzer. Es verdient aber bemerkt zu werden, daß die benutzte Methode mit gewissen Modifikationen auch im Fall allgemeiner Hilbertscher Räume zum Ziel führt, worauf im folgenden jedoch nicht eingegangen wird[1].

Falls die Funktion $z(x, y)$ insbesondere die Form

$$z(x, y) \equiv y(x) - y$$

hat, wobei also $R_z^p = R_y^n$, so handelt es sich um die Umkehrung einer Abbildung

$$y = y(x)$$

des Raumes R_x^m in den Raum R_y^n in der Umgebung der Punkte x_0 und $y_0 = y(x_0)$. Wir werden diesen Spezialfall der allgemeinen Auflösungsaufgabe ausführlich behandeln. Die Untersuchung des allgemeinen Problems erfordert nur einige leichte Modifikationen, die zum Teil dem Leser als Aufgaben überlassen werden sollen.

---

[1] R. Nevanlinna [*1*], [*3*], F. Nevanlinna [*1*], [*2*].

4.2. Umkehrung differenzierbarer Abbildungen. Es sei

$$y = y(x)$$

eine Abbildung aus dem m-dimensionalen linearen Raum R_x^m in den n-dimensionalen linearen Raum R_y^n, die den folgenden Bedingungen genügt:

A. In einer Umgebung des Punktes x_0 ist $y(x)$ stetig und differenzierbar.

B. Der Operator $y'(x)$ ist für $x = x_0$ regulär.

C. Der Operator $y'(x)$ ist im Punkte x_0 stetig.

Aus B folgt, daß $m \leqq n$ sein muß. Wir betrachten zunächst den Fall $m = n$.

Unter diesen Voraussetzungen werden wir beweisen, daß in einer gewissen Umgebung des Punktes $y(x_0) = y_0$ die inverse Abbildung $x = x(y)$ existiert und differenzierbar ist mit der Ableitung

$$x'(y) = (y'(x))^{-1} \qquad (x = x(y)).$$

In dieser Formulierung hat der Satz einen rein affinen Sinn. Um aber die Methoden der koordinatenfreien Analysis benutzen zu können, ist es auch hier zweckmäßig, die Räume R_x^m und R_y^n mit euklidischen Metriken beliebig auszustatten. In bezug auf diese Metriken können die gemachten Voraussetzungen in folgender äquivalenter Weise ausgesprochen werden, wobei wir $x_0 = y_0 = 0$ setzen:

A. *Die Funktion $y(x)$ ist in einer Kugelumgebung $|x| < \varrho_x$ des Nullpunktes differenzierbar.*

B. *Es ist die untere Grenze*

$$\inf_{|h|=1} |y'(0)\,h| = \mu > 0.$$

Die Voraussetzung C ist damit äquivalent, daß die Norm

$$|y'(x) - y'(0)| \to 0$$

für $|x| \to 0$. Diese Bedingung kann etwas abgeschwächt werden.

Wir betrachten hierzu für $0 \leqq \varrho < \varrho_x$ die nichtnegative, mit ϱ monoton wachsende Funktion

$$\varphi(\varrho) \equiv \sup_{|x| \leqq \varrho} |y'(x) - y'(0)|.$$

Die obige Voraussetzung C besagt, daß der Grenzwert

$$\lim_{\varrho \to 0} \varphi(\varrho) = \varphi(0+) = 0.$$

Wir ersetzen diese Bedingung mit der schwächeren

C'. *Es ist* $\varphi(0+) < \mu$.

Aus B und der Definition von $\varphi(\varrho)$ folgt für $|x| \leqq \varrho \,(< \varrho_x)$

$$|y'(x)\,h| \geqq |y'(0)\,h| - |y'(x)\,h - y'(0)\,h| \geqq (\mu - \varphi(\varrho))\,|h|,$$

somit

$$\inf_{|h|=1} |y'(x)\,h| \geqq \mu - \varphi(\varrho). \tag{4.1}$$

Infolge der Voraussetzung C′ ist die obere Grenze derjenigen Radien ϱ, für die $\mu - \varphi(\varrho) > 0$, positiv, und man kann somit die in A eingeführte positive Zahl ϱ_x von vornherein so klein annehmen, daß die Ungleichung $\mu - \varphi(\varrho) > 0$ für $\varrho < \varrho_x$ besteht. Es ist dann $y'(x)$ für $|x| < \varrho_x$ regulär. Da ferner die Dimensionen m und n der Räume R_x^m und R_y^n gleich angenommen wurden, so folgt hieraus, daß der lineare Operator $y'(x)$ *für* $|x| < \varrho_x$ *den Raum* R_x^m *umkehrbar eindeutig auf den ganzen Raum* R_y^m *abbildet.*

Die Umkehrbarkeit der Abbildung $y = y(x)$ werden wir in folgender genauer Formulierung beweisen:

Umkehrsatz. *Unter den Voraussetzungen* A, B, C′ *existiert die zu*

$$y = y(x) \qquad (y(0) = 0)$$

inverse Abbildung

$$x = x(y) \qquad (x(0) = 0)$$

in der Umgebung

$$|y| < \varrho_y = \int_0^{\varrho_x - 0} (\mu - \varphi(\varrho))\, d\varrho$$

des Punktes $y = 0$, *und sie ist hier differenzierbar mit der Ableitung*

$$x'(y) = (y'(x))^{-1} \qquad (x = x(y)).$$

Wie aus der Aufgabe 6 in 1.13 hervorgeht, ist dieser Satz im folgenden Sinn genau: Ohne zusätzliche Voraussetzungen können die Kugelumgebungen $|x| < \varrho_x$, $|y| < \varrho_y$ nicht allgemeingültig vergrößert werden.

4.3. Beweis des Umkehrsatzes. Wir gehen zum Beweis des Umkehrsatzes über und zeigen hierzu der Reihe nach folgendes:

1°. Die Bildpunktmenge G_y^m in R_y^m, auf welche die Kugel $|x| < \varrho_x$ durch die Funktion $y = y(x)$ abgebildet wird, ist schlicht: zwei verschiedene Punkte x_1 und x_2 der Kugel werden auf verschiedene Punkte $y_1 = y(x_1)$ und $y_2 = y(x_2)$ abgebildet. Die inverse Abbildung $x = x(y)$ $(x(0) = 0)$ existiert somit in G_y^m.

2°. Innere Punkte der Kugel $|x| < \varrho_x$ werden auf innere Punkte von G_y^m abgebildet. Die Bildmenge G_y^m ist somit ein schlichtes und offenes Gebiet.

3°. Das Gebiet G_y^m enthält die Kugelumgebung $|y| < \varrho_y$ des Nullpunktes.

4°. Die in G_y^m eindeutig erklärte inverse Abbildung $x = x(y)$ ist differenzierbar mit der Ableitung $x'(y) = (y'(x))^{-1}$ $(x = x(y))$.

4.4. G_y^m ist schlicht. Es seien $x_1 \neq x_2$ zwei Punkte der Kugel $|x| < \varrho_x$, $x_2 - x_1 = \Delta x$, $y(x_2) - y(x_1) = \Delta y$. Wir behaupten, daß $\Delta y \neq 0$.

Mit einem vorläufig beliebigen Einheitsvektor e des Raumes R_y^m ist auf Grund des Mittelwertsatzes

$$(\Delta y, e) = (y'(x_e)\,\Delta x, e),$$

wo $x_e = x_1 + \vartheta_e \Delta x$ $(0 < \vartheta_e < 1)$, folglich

$$|(\Delta y, e)| \geqq |(y'(0)\,\Delta x, e)| - |(y'(x_e)\,\Delta x - y'(0)\,\Delta x, e)|.$$

Aus der Schwarzschen Ungleichung folgt einerseits

$$|(\Delta y, e)| \leqq |\Delta y|,$$

andererseits

$$|(y'(x_e)\,\Delta x - y'(0)\,\Delta x, e)| \leqq |(y'(x_e) - y'(0))\,\Delta x|$$
$$\leqq |y'(x_e) - y'(0)|\,|\Delta x| \leqq \varphi(|x_e|)\,|\Delta x| \leqq \varphi(\varrho)\,|\Delta x|,$$

wo $\varrho\,(< \varrho_x)$ die größere der Längen $|x_1|$ und $|x_2|$ bezeichnet. Also wird

$$|\Delta y| \geqq |(y'(0)\,\Delta x, e)| - \varphi(\varrho)\,|\Delta x|.$$

Man nehme den Einheitsvektor e jetzt so, daß das erste Glied rechts möglichst groß wird, was gemäß der Schwarzschen Ungleichung für $e = y'(0)\,\Delta x / |y'(0)\,\Delta x|$ der Fall ist. Dann folgt aus der Voraussetzung B

$$|(y'(0)\,\Delta x, e)| = |y'(0)\,\Delta x| \geqq \mu\,|\Delta x|,$$

und wir erhalten die für den ganzen Beweis wichtige Ungleichung

$$|\Delta y| \geqq (\mu - \varphi(\varrho))\,|\Delta x|, \tag{4.2}$$

woraus insbesondere wegen $\mu - \varphi(\varrho) > 0$ für $\varrho < \varrho_x$ zu sehen ist, daß $\Delta y \neq 0$ falls $\Delta x \neq 0$, w. z. b. w.

4.5. G_y^m ist offen. Falls die schlichte Bildpunktmenge G_y^m den ganzen Raum R_y^m umfaßt, so ist nichts zu beweisen. Es sei also b ein Punkt dieses Raumes, der G_y^m nicht angehört, so daß $y(x) \neq b$ für $|x| < \varrho_x$. Ist dann $y(x_0) = y_0$ ein beliebiger Punkt der Bildmenge G_y^m, so wollen wir zeigen, daß $|b - y_0|$ oberhalb einer von b unabhängigen positiven Grenze liegt: dem inneren Punkt x_0 der Kugel $|x| < \varrho_x$ entspricht dann ein innerer Punkt y_0 der Bildmenge.

Es sei hierzu $|x_0| < \varrho < \varrho_x$ und δ die untere Grenze von $|y(x) - b|$ in der Kugel $|x| \leqq \varrho$. Weil R_x^m von endlicher Dimension ist, so wird diese untere Grenze in wenigstens einem Punkt $x = a$ dieser abgeschlossenen Kugel erreicht:

$$|y(a) - b| = \delta > 0.$$

Wir zeigen zunächst, daß a notwendig ein Randpunkt der Kugel $|x| \leqq \varrho$ und folglich $|a| = \varrho$ sein muß.

In der Tat kann man, weil der Operator $y'(x)$ für $|x| < \varrho_x$ den Raum R_x^m auf den *ganzen* Raum R_y^m umkehrbar eindeutig abbildet, den Vektor $h (\in R_x^m)$ so bestimmen, daß

$$y'(a)\, h = b - y(a).$$

Wäre nun $|a| < \varrho$, so könnte man $\lambda > 0$ so klein nehmen, daß

$$|x| = |a + \lambda h| \leqq |a| + \lambda |h| \leqq \varrho,$$

und man hätte

$$y(x) - b = y(a) - b + \lambda\, y'(a)\, h + \lambda(\lambda) = (1 - \lambda)\big(y(a) - b\big) + \lambda(\lambda),$$

mit $|(\lambda)| \to 0$ für $\lambda \to 0$, folglich für ein genügend kleines λ

$$|y(x) - b| \leqq (1 - \lambda)\,|y(a) - b| + \lambda\,|(\lambda)| = \delta - \lambda(\delta - |(\lambda)|) < \delta,$$

was wegen $|x| \leqq \varrho$ der Definition von δ widerspricht. Also ist $|a| = \varrho$.

Nach dieser Vorbereitung wird (vgl. Abb. 1)

$$|b - y(x_0)| \geqq |y(a) - y(x_0)| - |y(a) - b| = |y(a) - y(x_0)| - \delta,$$

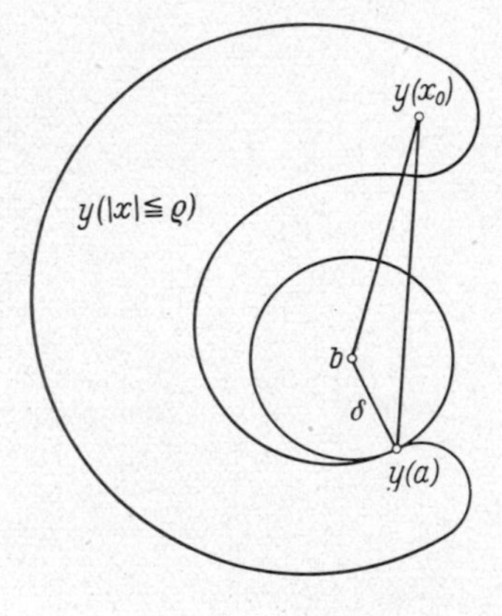

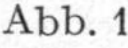
Abb. 1

wo auf Grund der Ungleichung (4.2)

$$|y(a) - y(x_0)| \geqq (\mu - \varphi(\varrho))\,|a - x_0|$$
$$\geqq (\mu - \varphi(\varrho))\,(\varrho - |x_0|)$$

und, infolge der Definition von δ,

$$\delta \leqq |b - y(x_0)|.$$

Also wird

$$|b - y(x_0)| \geqq \frac{1}{2}\,(\mu - \varphi(\varrho))\,(\varrho - |x_0|) > 0,$$

womit die Behauptung bewiesen ist: Falls y_0 der Bildpunktmenge G_y^m angehört, so liegt die Umgebung

$$|y - y_0| < \frac{1}{2}\,(\mu - \varphi(\varrho))\,(\varrho - |x_0|)$$

für jedes ϱ des Intervalls $|x_0| < \varrho < \varrho_x$ ganz in G_y^m.

4.6. Das Gebiet G_y^m enthält die Kugel $|y| < \varrho_y$. Es sei e ein Einheitsvektor des Raumes R_y^m. Weil das offene Gebiet G_y^m den Punkt $y(0) = 0$ enthält, so existiert für $y = \lambda\, e\, (\lambda \geqq 0)$ ein eindeutiges $\bar\lambda > 0$, so daß die Strecke $0 \leqq \lambda \leqq \lambda^*$ für $\lambda^* < \bar\lambda$ in G_y^m liegt, während dies, falls $\bar\lambda$ endlich ist, für $\lambda^* \geqq \bar\lambda$ nicht der Fall ist. Es gilt zu zeigen, daß für jedes e

$$\bar\lambda \geqq \int_0^{\varrho_x - 0} (\mu - \varphi(\varrho))\, d\varrho.$$

Wir nehmen hierzu $0 < \lambda^* < \bar{\lambda}$ und setzen $\lambda^* e = y^*$, $x(y^*) = x^*$, so daß die Strecke $y = \lambda e \, (0 \leqq \lambda \leqq \lambda^*)$ in G_y^m liegt und $|x^*| = \varrho^* \to \varrho_x$ für $\lambda^* \to \bar{\lambda}$. Es sei

$$0 = \lambda_0 < \lambda_1 < \cdots < \lambda_n = \lambda^*$$

eine Zerlegung des Intervalls $0 \leqq \lambda \leqq \lambda^*$, $\lambda_i e = y_i$ und $x(y_i) = x_i$. Gemäß (4.2) ist

$$|y_{i+1} - y_i| \geqq (\mu - \varphi(\bar{\varrho}_i)) \, |x_{i+1} - x_i| \geqq (\mu - \varphi(\bar{\varrho}_i)) \, |\varrho_{i+1} - \varrho_i| ,$$

wo $\varrho_i = |x_i|$ und $\bar{\varrho}_i = \max[\varrho_i, \varrho_{i+1}]$. Hieraus folgt

$$\lambda^* = \sum_{i=0}^{n-1} (\lambda_{i+1} - \lambda_i) = \sum_{i=0}^{n-1} |y_{i+1} - y_i| \geqq \sum_{i=0}^{n-1} (\mu - \varphi(\bar{\varrho}_i)) \, |\varrho_{i+1} - \varrho_i| .$$

Läßt man rechts die Glieder mit $\varrho_{i+1} < \varrho_i$ weg, so ergibt die unbeschränkte Verfeinerung der Zerlegung λ_i die Abschätzung

$$\lambda^* \geqq \int_0^{\varrho^*} (\mu - \varphi(\varrho)) \, d\varrho ,$$

woraus die erwünschte Ungleichung für $\bar{\lambda}$ durch den Grenzübergang $\lambda^* \to \bar{\lambda}$ folgt.

Aus

$$\int_0^{\varrho^*} (\mu - \varphi(\varrho)) \, d\varrho = \varrho^* (\mu - \varphi(\varrho^*)) + \int_{\varrho=0}^{\varrho^*} \varrho \, d\varphi(\varrho) \geqq \int_{\varrho=0}^{\varrho^*} \varrho \, d\varphi(\varrho)$$

folgt

$$\varrho_y = \int_0^{\varrho_x - 0} (\mu - \varphi(\varrho)) \, d\varrho \geqq \int_{\varrho=0}^{\varrho_x - 0} \varrho \, d\varphi(\varrho) ,$$

wobei rechts Gleichheit besteht, falls ϱ_x die obere Grenze derjenigen Radien ϱ bezeichnet, für die $\mu - \varphi(\varrho) > 0$.

4.7. Die Ableitung $x'(y) = (y'(x))^{-1}$ existiert in G_y^m. Es seien y und $y + \Delta y$ zwei Punkte des offenen Bildgebietes G_y^m, x und $x + \Delta x$ die eindeutig bestimmten Urbilder dieser Punkte in der Kugel $|x| < \varrho_x$, somit $y(x) = y$, $y(x + \Delta x) = y + \Delta y$. Wegen der Differenzierbarkeit der Funktion $y(x)$ ist dann

$$\Delta y = y'(x) \, \Delta x + |\Delta x| \, (\Delta x; x) ,$$

mit $|(\Delta x; x)| \to 0$ für $|\Delta x| \to 0$.

Da $y'(x)$ in der ganzen Kugel $|x| < \varrho_x$ regulär ist und den Raum R_x^m auf den ganzen Raum R_y^m umkehrbar eindeutig abbildet, so existiert der inverse Operator $(y'(x))^{-1}$ und gemäß der Ungleichung (4.1) ist die Norm

$$|(y'(x))^{-1}| \leqq (\mu - \varphi(\varrho))^{-1} ,$$

wo $\varrho\,|x| < \varrho < \varrho_x$. Die obige Gleichung kann somit auch

$$(y'(x))^{-1}\Delta y = \Delta x + |\Delta x|\,(y'(x))^{-1}(\Delta x;\, x)$$

geschrieben werden, wo

$$|(y'(x))^{-1}(\Delta x;\, x)| \leqq (\mu - \varphi(\varrho))^{-1}|(\Delta x;\, x)|.$$

Ferner ist nach (4.2)

$$|\Delta x| \leqq (\mu - \varphi(\varrho))^{-1}|\Delta y|,$$

somit

$$\Delta x = (y'(x))^{-1}\Delta y + |\Delta y|\,(\Delta y;\, y),$$

wo infolge der obigen Ungleichung $|(\Delta y; y)| \to 0$ für $|\Delta y| \to 0$. Die inverse Abbildung $x = x(y)$ ist somit im Punkte y differenzierbar mit der Ableitung $x'(y) = (y'(x))^{-1}\,(x = x(y))$.

Hiermit ist der Umkehrsatz in 4.2 vollständig bewiesen.

4.8. Der Fall $m < n$. Aus der Voraussetzung B des Umkehrsatzes folgt, wie bereits bemerkt wurde, daß die Dimensionen der Räume R_x^m und R_y^n der Ungleichung $m \leqq n$ genügen; oben wurde $m = n$ vorausgesetzt.

Falls $m < n$, so definiert die Gleichung

$$y = y(x)$$

im Raume R_y^n eine m-dimensionale Fläche, die in dem Punkt $y(0) = 0$ die m-dimensionale Tangentialebene

$$E_0 = y'(0)\, R_x^m$$

hat.

Es sei Py die orthogonale Projektion des Vektors y auf diese Tangentialebene und

$$\overline{y}(x) \equiv P\,y(x).$$

Genügt nun $y(x)$ den metrischen Voraussetzungen A, B, C′, so erfüllt wegen $\overline{y}'(x) = P\,y'(x)$ auch $\overline{y}(x)$ die Bedingung A und infolge $\overline{y}'(0)\,h = P\,y'(0)\,h = y'(0)\,h$ die Voraussetzung B. Da ferner $|P| = 1$ und somit

$$\overline{\varphi}(\varrho) = \sup_{|x| \leqq \varrho} |\overline{y}'(x) - \overline{y}'(0)| \leqq \sup_{|x| \leqq \varrho} |y'(x) - y'(0)| = \varphi(\varrho),$$

so genügt $\overline{y}(x)$ auch der Bedingung C′.

Aus dem Umkehrsatz folgt nun, daß die Funktion $\overline{y} = \overline{y}(x)$ die Kugel $|x| < \varrho_x$ auf ein offenes Gebiet $\overline{G}_y$ der Tangentialebene E_0 schlicht abbildet und daß die Umkehrfunktion $x = x(\overline{y}) = x(Py)$ jedenfalls in der Umgebung

$$|\overline{y}| < \varrho_y = \int_0^{\varrho_x - 0} (\mu - \varphi(\varrho))\, d\varrho$$

des Nullpunktes $\overline{y} = 0$ auf E_0 existiert. Hieraus ergibt sich für die Abbildung $y = y(x)$ der

Satz. *Es sei $y = y(x)$ eine für $|x| < \varrho_x$ erklärte Funktion, welche den Bedingungen* A, B, C' *von* 4.2 *genügt. Falls die Dimension n des Raumes R_y^n größer als die Dimension m von R_x^m ist, so bildet $y = y(x)$ die Kugel $|x| < \varrho_x$ auf eine Punktmenge $G_y \subset R_y^n$ schlicht ab, so daß folgendes gilt:*

Projiziert man $y = y(x)$ orthogonal auf die Tangentialebene $E_0 = y'(0) R_x^m$, so liegt auf der projizierenden Normale genau ein Punkt der Menge G_y und die Projektionen $\overline{y}(x)$ auf E_0 überdecken lückenlos die Kugel

$$|\overline{y}| < \varrho_y = \int_0^{\varrho_x - 0} (\mu - \varphi(\varrho))\, d\varrho .$$

4.9. Auflösung der Gleichung $z(x, y) = 0$. Nachdem wir in den vorangehenden Nummern ausführlich den Fall $z(x, y) \equiv y(x) - y = 0$ behandelt haben, können wir die allgemeine Gleichung

$$z(x, y) = 0 \qquad (z(0, 0) = 0)$$

kürzer erledigen.

Es seien R_x^m, R_y^n, R_z^p drei euklidisch metrisierte Räume und

$$z = z(x, y) \qquad (z(0, 0) = 0)$$

eine in den Kugeln

$$|x| < \varrho_x, \qquad |y| < \varrho_y$$

erklärte Abbildung in den Raum R_z^p. Wir nehmen an:

Die partielle Ableitung $z_x(x, y)$ existiert für $|x| < \varrho_x$, $|y| < \varrho_y$ und die untere Grenze

$$\inf_{\substack{|h|=1 \\ |y|<\varrho_y}} |z_x(0, y)\, h| = \mu > 0 .$$

Hieraus folgt, daß $m \leqq p$; wie beim Umkehrsatz beschränken wir uns auf den Fall $m = p$, so daß der Operator $z_x(0, y)$ für jedes y aus der Kugel $|y| < \varrho_y$ den Raum R_x^m auf den ganzen Raum R_z^m umkehrbar eindeutig abbildet.

Wie im Umkehrsatz in 4.2 benötigen wir eine obere Schranke für die Norm des Operators $z_x(x, y) - z_x(0, y)$. Wir nehmen an:

Es sei für $\varrho < \varrho_x$

$$\varphi(\varrho) \equiv \sup_{\substack{|x| \leqq \varrho \\ |y| < \varrho_y}} |z_x(x, y) - z_x(0, y)| < \mu .$$

Für ein festes y der Kugel $|y| < \varrho_y$ kann man dann den Umkehrsatz auf die Funktion $z(x, y) - z(0, y)$ von x anwenden. Es ergibt sich, daß x als eine eindeutige Funktion $x(z, y)$ von z und y in den Kugeln

$$|z - z(0, y)| < \varrho_z = \int_0^{\varrho_x - 0} (\mu - \varphi(\varrho))\, d\varrho \tag{4.3}$$

und $|y| < \varrho_y$ erklärt ist, so daß $x(z(0, y), y) \equiv 0$, $|x(z, y)| < \varrho_x$ und $z \equiv z(x(z, y), y)$.

Wir nehmen nun an, daß die obere Grenze

$$\sup_{|y| \leqq \varrho} |z(0, y)|$$

für $\varrho \to 0$ kleiner als das Integral rechts in (4.3) ausfällt. Bezeichnet man dann durch ϱ_0 die obere Grenze der Zahlen $0 < \varrho < \varrho_y$, wofür

$$\sup_{|y| \leqq \varrho} |z(0, y)| < \int_0^{\varrho_x - 0} (\mu - \varphi(\varrho))\, d\varrho,$$

so ist $0 < \varrho_0 \leqq \varrho_y$, und das obige Resultat läßt sich insbesondere für $z = 0$ anwenden. Unter dieser Bedingung ist also $x = x(0, y) \equiv x(y)$ eine für $|y| < \varrho_0$ erklärte eindeutige Funktion von y, und es gilt $z(x(y), y) \equiv 0$ für $|y| < \varrho_0 (\leqq \varrho_y)$.

Wir haben also den

Satz. *Es sei*

$$z = z(x, y) \qquad (z(0, 0) = 0)$$

eine für $|x| < \varrho_x$, $|y| < \varrho_y$ *erklärte Vektorfunktion* ($x \in R_x^m$, $y \in R_y^n$, $z \in R_z^m$), *mit den Eigenschaften*:

A. *Die partielle Ableitung* $z_x(x, y)$ *existiert für* $|x| < \varrho_x$, $|y| < \varrho_y$, *und es gilt*

$$\inf_{\substack{|h| = 1 \\ |y| < \varrho_y}} |z_x(0, y)\, h| = \mu > 0.$$

B. *Für* $\varrho < \varrho_x$ *ist die obere Grenze*

$$\varphi(\varrho) \equiv \sup_{\substack{|x| \leqq \varrho \\ |y| < \varrho_y}} |z_x(x, y) - z_x(0, y)| < \mu.$$

C. *Die obere Grenze*

$$\sup_{|y| < \varrho_y} |z(0, y)| < \int_0^{\varrho_x - 0} (\mu - \varphi(\varrho))\, d\varrho.$$

Unter diesen Bedingungen existiert für $|y| < \varrho_y$ *eine und nur eine Funktion*

$$x = x(y) \qquad (x(0) = 0),$$

so daß

$$z(x(y), y) \equiv 0.$$

Falls $z(x, y)$ total differenzierbar ist, so ist auch $x(y)$ differenzierbar, und es gilt für $|y| < \varrho_y$

$$x'(y) = -(z_x(x, y))^{-1} z_y(x, y) \qquad (x = x(y)).$$

4.10. Das wesentliche des obigen Satzes ist, in einer für die meisten Anwendungen genügenden Allgemeinheit, im folgenden Korollar enthalten:

Es sei die in einer Umgebung der Punkte $x = 0$, $y = 0$ erklärte Vektorfunktion $z = z(x, y)$ $(x \in R_x^m,\ y \in R_y^n,\ z \in R_z^m,\ z(0,0) = 0)$ nach x differenzierbar und ferner $z(0, y)$, $z_x(0, y)$ für $y = 0$ stetig.

Falls dann

$$\inf_{|h|=1} |z_x(0, 0)\, h| > 0$$

und

$$\lim_{\varrho \to 0} \sup_{|x| \leqq \varrho} |z_x(x, 0) - z_x(0, 0)| < \inf_{|h|=1} |z_x(0, 0)\, h|,$$

so kann die Gleichung

$$z(x, y) = 0$$

in einer Umgebung der Punkte $x = 0$, $y = 0$ nach x aufgelöst werden: Es existiert eine Zahl $\varrho_y > 0$ und eine wohlbestimmte für $|y| < \varrho_y$ erklärte Funktion $x = x(y)$, so daß $x(0) = 0$ und identisch

$$z(x(y), y) \equiv 0.$$

4.11. Aufgaben. 1. Es sei $y = y(x)$ eine Abbildung aus dem euklidischen Raum R_x^m in den euklidischen Raum R_y^n, die in einer Umgebung des Punktes x_0 stetig differenzierbar ist. Der Punkt x_0 soll eine reguläre Stelle der Funktion $y(x)$ heißen, falls der Kern des Operators $y'(x_0)$ von möglichst niedriger Dimension ist. In den bereits im Text behandelten Fällen $m = n$ und $m < n$ ist hiernach x_0 eine reguläre Stelle, falls der Operator $y'(x_0)$ regulär ist. Es sei jetzt $m > n$. Dann ist der Kern des Operators $y'(x_0)$ von der Dimension $p \geqq m - n$, und die Stelle x_0 ist regulär, falls diese Dimension p genau gleich $m - n$ ist. Man beweise:

Es sei $m > n$ und x_0 eine reguläre Stelle der Funktion $y(x)$. Betrachtet man dann die Menge derjenigen Punkte des Raumes R_x^m, die der Gleichung

$$y(x) = y(x_0) = y_0$$

genügen, so kann die in einer genügend kleinen Umgebung $|x - x_0| < r_x$ liegende Teilmenge dieser Punkte umkehrbar eindeutig und differenzierbar auf ein offenes Gebiet G_u^p eines p-dimensionalen Parameterraumes R_u^p abgebildet werden. Es existiert somit eine in G_u^p erklärte und differenzierbare Funktion

$$x = x(u) \qquad (x_0 = x(u_0)),$$

so daß einerseits $y(x(u)) \equiv y_0$ und $|x(u) - x_0| < r_x$ für $u \in G_u^p$ und andererseits umgekehrt jedem der Gleichung $y(x) = y_0$ genügenden x der Umgebung $|x - x_0| < r_x$ ein eindeutiges $u \in G_u^p$ entspricht, so daß $x(u) = x$; überdies ist der Operator $x'(u_0)$ regulär.

Anleitung. Man nehme als Parameterraum R_u^p den Kern des Operators $y'(x_0)$. Ein linear unabhängiges, z. B. orthogonales Komplement R_v^n von R_u^p in R_x^m ist dann von der Dimension $m - p = n$, so daß jedes $x \in R_x^m$ in eindeutiger Weise als Summe $x = u + v$ dargestellt werden kann. Es wird dann $y(x) = y(u + v) \equiv y(u, v)$, und hier ist die partielle Ableitung y_v in der Richtung des Unterraumes R_v^n für $x_0 = u_0 + v_0$ regulär, so daß

$$\inf_{|v|=1} |y'(x_0)\, v| = \mu > 0.$$

Auf Grund des Satzes von 4.9 kann somit die Gleichung $y(x) = y(u, v) = y_0$ in einer Umgebung des Punktes $x_0 = u_0 + v_0$ nach v aufgelöst werden, woraus sich die Behauptung mit $x = u + v(u) \equiv x(u)$ ergibt.

Bemerkung. In geometrischer Einkleidung besagt der obige Satz, daß die Gleichung $y(x) = y(x_0) = y_0$ in einer Umgebung des regulären Punktes x_0 ein „reguläres Flächenstück" der Dimension $m - n = p$ definiert, das in den Raum R_x^m eingebettet ist. Der durch

$$y'(x_0)\, u = 0$$

definierte Kern R_u^p ist der Tangentialraum und das orthogonale Komplement R_v^n der Normalenraum der Fläche im Punkte x_0.

Jede umkehrbar eindeutige und stetig differenzierbare Abbildung $u = u(\bar{u})$, $\bar{u} = \bar{u}(u)$ des Gebietes G_u^p in ein Gebiet $\bar{G}_{\bar{u}}^p$ desselben oder eines anderen p-dimensionalen Parameterraumes $\bar{R}_{\bar{u}}^p$ führt zu einer neuen Parameterdarstellung $x = x(u) = x(u(\bar{u})) \equiv \bar{x}(\bar{u})$ der verlangten Art.

2. Wir betrachten im folgenden, als Ergänzung der in dem Text und der vorangehenden Aufgabe behandelten Fall eines regulären Punktes x_0, eine „ausgeartete" Funktion $y(x)$, die in ihrem Definitionsgebiet überhaupt keine regulären Stellen hat. Für jedes x ist somit die Dimension des Kernes von $y'(x)$ positiv, falls $m \leqq n$, und $> m - n$, falls $m > n$.

Es sei dann x_0 ein Punkt, wo die Dimension des Kernes von $y'(x)$ ihr Minimum p erreicht; gemäß Voraussetzung ist auch x_0 eine irreguläre Stelle der Funktion $y(x)$, folglich $q = m - p < n$. Man beweise:

In einer genügend kleinen Umgebung $|x - x_0| < r_x$ kann eine Funktion

$$z = z(x),$$

deren Wertevorrat in einem Raum R_z^q der Dimension $q = m - p$ liegt, so erklärt werden, daß in dieser Umgebung y eine Funktion von z

$$y = y(x) \equiv \bar{y}(z(x))$$

wird, die im Bildgebiet $z(|x - x_0| < r_x)$ überall regulär ist.

Anleitung. Es sei, wie früher, R_u^p der p-dimensionale Kern von $y'(x_0)$ und R_v^q ein linear unabhängiges Komplement, so daß $x = u + v$ und $y(x) = y(u + v) \equiv y(u, v)$ wird. Für $x_0 = u_0 + v_0$ ist dann

$$\inf_{|v|=1} |y'(x_0)\, v| > 0,$$

und der Operator $y'(x_0)$ bildet somit R_v^q umkehrbar eindeutig auf einen q-dimensionalen echten Unterraum $R_z^q = y'(x_0)\, R_v^q$ von R_y^n ab. Die Projektion von y auf diesem Unterraum sei $P y$ und

$$P\, y(x) = z(x) \equiv z(u, v).$$

Es ist also $z'(x) = P y'(x)$, insbesondere $z'(x_0) = y'(x_0)$, folglich

$$0 < \inf_{|v|=1} |z'(x_0)\, v| = \inf_{|v|=1} |y'(x_0)\, v|.$$

Infolge der Stetigkeit von $y'(x)$ für $x = x_0$ kann hiernach r_x so klein angenommen werden, daß für $|x - x_0| < r_x$

$$0 < \inf_{|v|=1} |z'(x)\, v| \leqq \inf_{|v|=1} |y'(x)\, v|. \tag{a}$$

Dann ist offenbar die Dimension des Kernes von $y'(x)$, die voraussetzungsgemäß $\geqq p$ ist, für $|x - x_0| < r_x$ genau $= p$; denn aus (a) folgt, daß diese Dimension höchstens gleich p sein kann. Wird dieser Kern mit $R_{u_x}^p$ bezeichnet $(u_{x_0} = u)$, so sind also für jedes x der obigen Umgebung der mit x variable Kern $R_{u_x}^p$ und der feste Raum R_v^q linear unabhängige Komplemente, also

$$R_x^m = R_{u_x}^p + R_v^q. \tag{b}$$

Gemäß dem Umkehrsatz in 4.2 kann die Gleichung $z = z(u, v)$ in einer Umgebung der Punkte x_0, $z_0 = z(x_0)$ nach v aufgelöst werden, so daß $v = v(u, z)$,

$$y = y(u, v(u, z)) \equiv \bar{y}(u, z)$$

und identisch

$$z \equiv z(u, v(u, z)) \tag{c}$$

wird. Wir behaupten, daß $\bar{y}$ nur von z abhängt, so daß

$$\bar{y}_u(u, z)\, du = y'(x)\, du + y'(x)\, d_u v \tag{d}$$

für $|x - x_0| < r_x$ und für jedes du des Kernes R_u^p verschwindet.

Zum Beweis bemerke man, daß das Differential du gemäß (b) eindeutig als Summe

$$du = du_x + dv \tag{e}$$

für jedes x der Kugel $|x - x_0| < r_x$ dargestellt werden kann, wo du_x ein Vektor des Kernes von $y'(x)$ bezeichnet, während dv ein Vektor des festen Raumes R_v^q ist. Gemäß (c) ist

$$0 = z'(x)\,du + z'(x)\,d_u v,$$

woraus sich bei Beachtung von (e)

$$0 = z'(x)\,du_x + z'(x)\,dv + z'(x)\,d_u v = z'(x)\,(dv + d_u v)$$

ergibt; denn $z'(x)\,du_x = P y'(x)\,du_x = 0$, da du_x ein Vektor des Kernes von $y'(x)$ ist. Wegen (a) ist aber dann

$$dv + d_u v = 0, \tag{f}$$

und aus den Gleichungen (d), (e), (f) ergibt sich somit

$$\overline{y}_u(u, z)\,du = y'(x)\,du_x + y'(x)\,dv + y'(x)\,d_u v = y'(x)\,(dv + d_u v) = 0,$$

so daß in der Tat $\overline{y}$ nur von z abhängt.

Die Funktion $y = \overline{y}(z)$ hat lauter reguläre Stellen. Denn aus

$$\overline{y}'(z)\,dz = y'(x)\,d_z v = 0$$

folgt gemäß (a), daß $d_z v = 0$ sein muß, woraus sich weiter gemäß (c)

$$dz = z'(x)\,d_z v = 0$$

ergibt, w. z. b. w.

3. Es sei, mit den Bezeichnungen der Aufgabe 1, x_0 eine reguläre Stelle der differenzierbaren Funktion $y(x)$ und R_u^p der Kern $(p = m - n)$ von $y'(x_0)$. Ferner sei $z(x)$ eine zweite in einer Umgebung von x_0 differenzierbare Funktion mit einem Wertevorrat aus dem Raum R_z^l. Man beweise:

Notwendig und hinreichend, damit $z(x)$ in bezug auf $y(x)$ an der Stelle x_0 stationär sei, so daß aus $y'(x_0)\,du = 0$ stets $z'(x_0)\,du = 0$ folgt, und der Kern von $y'(x_0)$ also in dem Kern von $z'(x_0)$ enthalten sei, ist, daß eine lineare Abbildung

$$z = A\,y$$

des Raumes R_y^n in den Raum R_z^l existiert, so daß für jedes Differential dx aus R_x^m

$$\bigl(z'(x_0) - A\,y'(x_0)\bigr)\,dx = 0.$$

Anleitung. Es sei, wie früher, R_v^n ein linear unabhängiges Komplement des Kernes R_u^p. Die Gleichung $y = y(x) \equiv y(u, v)$ kann in einer Umgebung der Punkte x_0, $y_0 = y(x_0)$ nach v aufgelöst werden, $v = v(u, y)$, so daß identisch $y \equiv y(u, v(u, y))$. Wegen $y'(x_0)\,du = 0$ folgt hieraus $dy = y_v(x_0)\,dv$, somit $dv = \bigl(y_v(x_0)\bigr)^{-1}\,dy$. Falls nun auch $z'(x_0)\,du = 0$, so hat man für ein beliebiges $dx = du + dv$

$$z'(x_0)\,dx = z'(x_0)\,du + z'(x_0)\,dv = z'(x_0)\,dv = z'(x_0)\,\bigl(y_v(x_0)\bigr)^{-1}\,dy.$$

Bezeichnet man also die lineare Abbildung des Raumes R_y^n in R_z^l

$$z'(x_0)\,(y_v(x_0))^{-1} = A\,,$$

so ist $z'(x_0)\,dx = A\,dy = A\,y'(x_0)\,dx$ und $(z'(x_0) - A\,y'(x_0))\,dx = 0$.

Die Bedingung des Satzes ist also notwendig. Daß sie auch hinreichend ist, ergibt sich aus der obigen Identität für $dx = du$; denn es ist

$$z'(x_0)\,du = A\,y'(x_0)\,du = 0\,.$$

Bemerkung. Sucht man bei gegebenen Funktionen $y(x)$ und $z(x)$ diejenigen Stellen x_0, wo $z(x)$ in bezug auf $y(x)$ stationär ist, so hat man nach obigem mit den unbekannten x_0 und A die Identität

$$(z'(x_0) - A\,y'(x_0))\,dx \equiv 0$$

anzusetzen. Für die m reellen Unbekannten x_0 und $l\,n$ reellen Unbekannten A ergeben sich hieraus $l\,m$ reelle Gleichungen. Soll die Aufgabe also im allgemeinen lösbar sein, so muß $l\,m \leqq m + l\,n$, also

$$l\,p \leqq m$$

sein. Fordert man außerdem, daß z. B. $y(x_0) = 0$ sein soll, d. h.: sucht man die stationären Stellen der Funktion $z(x)$ auf der Fläche $y(x) = 0$, so hat man noch n neue reelle Gleichungen, und damit die Aufgabe allgemein lösbar sei, muß $l\,m + n \leqq m + l\,n$, also

$$l\,p \leqq p$$

sein, was nur für $l = 1$, d. h. für eine *reelle* Funktion $z(x)$ zutrifft. Es ist dann $A\,y$ eine reelle Linearform von y, und das obige Resultat enthält als Spezialfall die „Methode der Lagrangeschen Multiplikatoren" zur Bestimmung der stationären Stellen einer reellen Funktion $z(x)$ auf der Fläche $y(x) = 0$.

III. Integralrechnung

§ 1. Das affine Integral

1.1. Alternierende Operatoren und Differentiale. Es sei $A(x)$ ein im Gebiet G_x^m des linearen Raumes R_x^m erklärter p-fach linearer und *alternierender Operator:* für jedes feste x aus G_x^m ist

$$y = A(x)\,h_1 \ldots h_p = A(x)\,d_1 x \ldots d_p x \qquad (1.1)$$

eine p-fach multilineare und alternierende Funktion der Vektoren $h_i = d_i x \in R_x^m$ mit einem Wertevorrat in einem linearen Raum R_y^n. Eine solche Funktion heißt ein *alternierendes Differential* p-ter Stufe.

Auch für $p = 1$ wollen wir dieses Differential als „alternierend" auffassen. Es wird sich zeigen, daß die in diesem Abschnitt bezüglich alternierender Differentiale p-ter Stufe entwickelten Begriffe und Sätze auch für $p = 1$ sinnvoll und gültig bleiben. Dasselbe gilt für $p = 0$, wenn man unter einem Differential nullter Stufe eine gewöhnliche Vektorfunktion $A(x)$ versteht.

Für $p > m$ sind die Differentiale $d_i x$ linear abhängig und das alternierende Differential verschwindet identisch; es sei deshalb $p \leqq m$. Ist dann U^p ein p-dimensionaler Unterraum von R_x^m und bezeichnet $D d_1 x \ldots d_p x$ die bis auf einen reellen Faktor eindeutig bestimmte reelle und alternierende Grundform dieses Unterraumes, so hat man $(x \in G_x^m,\ d_i x \in U^p)$

$$A(x)\, d_1 x \ldots d_p x \equiv a(x)\, D d_1 x \ldots d_p x, \tag{1.2}$$

wo $a(x) \in G_y^n$ eine Vektorfunktion bezeichnet, die für ein festes U^p in G_x^m eindeutig erklärt ist[1]. Da diese Funktion somit von dem orientierten Unterraum U^p abhängt, so wäre $a(x; U^p)$ eine sachgemäßere Bezeichnung. Wir wollen indessen die obige kürzere Bezeichnung beibehalten, sofern keine Mißverständnisse zu befürchten sind.

Die Definitionen der Stetigkeit und Differenzierbarkeit eines multilinearen Operators wurden bereits in II.1.9 gegeben. Hiernach ist der alternierende Operator $A(x)$ im Punkte x differenzierbar, wenn

$$\begin{aligned} &A(x+h)\, h_1 \ldots h_p \\ &= A(x)\, h_1 \ldots h_p + A'(x)\, h\, h_1 \ldots h_p + |h|(h; x)\, h_1 \ldots h_p, \end{aligned}$$

wo der $(p+1)$-fach multilineare Ableitungsoperator $A'(x)$ in vorliegendem Fall in den p Vektoren $h_1, \ldots, h_p$ alternierend ist und die Norm $|(h; x)|$ des ebenfalls alternierenden Operators $(h; x)$ für $|h| \to 0$ verschwindet. Wir erinnern in diesem Zusammenhang an folgendes Sachverhältnis (vgl. II.1.13 Aufgabe 7): falls der Ableitungsoperator $A'(x)$ auf einem abgeschlossenen Teilbereich $\bar{G}_x^m$ von G_x^m *stetig* ist, so ist in $\bar{G}_x^m$ sogar *gleichmäßig* $|(h; x)| \to 0$ für $|h| \to 0$.

1.2. Das affine Integral eines alternierenden Differentials. Wir setzen jetzt voraus, daß das alternierende Differential (1.1) auf einem p-dimensionalen abgeschlossenen Simplex

$$s^p = s^p(x_0, \ldots, x_p)$$

des Gebietes G_x^m stetig ist.

---

[1] Für den Fall einer *reellen* Form $A(x)\, d_1 x \ldots d_p x$ folgt dies aus I.5.2; nur wird die Dichte a im vorliegenden Fall eine Funktion $a = a(x)$ vom Ort x sein. Man sieht unmittelbar ein, daß die Überlegungen von I.5.2 ohne wesentliche Modifikationen auch dann gültig sind, wenn der Wert der gegebenen alternierenden p-linearen Form in einem linearen Raum R_y^n variiert.

Die von der Ecke x_0 ausgehenden Kanten $h_i = x_i - x_0$ erzeugen in R_x^m einen p-dimensionalen Unterraum U^p, der mit der Ebene $x_0 + U^p$ des Simplexes parallel ist. Falls $p = m$, so ist $U^m = x_0 + U^m = R_x^m$. Das Simplex s^p und die übrigen Simplexe der Ebene $x_0 + U^p$ orientieren wir mit der reellen alternierenden Grundform

$$D h_1 \ldots h_p = \Delta(x_0, \ldots, x_p)$$

des Raumes U^p. Es handelt sich um die Definition und die Existenz des über das Simplex s^p erstreckten Integrals des alternierenden Differentials (1.2).

Nach dem Vorbild des Integralbegriffes von Cauchy-Riemann betrachten wir hierzu eine Zerlegung

$$s^p = \sum_j s_j^p(x_0^j, \ldots, x_p^j) \tag{1.3}$$

des Simplexes s^p in endlich viele Teilsimplexe s_j^p, fixieren in jedem Teilsimplex einen inneren oder Randpunkt x_j^* und bilden die Summe

$$\sum_j A(x_j^*)\, h_1^j \ldots h_p^j = \sum_j a(x_j^*)\, D h_1^j \ldots h_p^j, \tag{1.4}$$

wo $h_i^j = x_i^j - x_0^j$ und die Funktion $a(x)$, weil die Vektoren $h_1^j, \ldots, h_p^j$ für jedes j denselben Unterraum

$$(h_1^j, \ldots, h_p^j) = (h_1, \ldots, h_p) = U^p$$

aufspannen, eindeutig bestimmt ist. Es gilt dann folgender

Satz. *Falls, bei vorausgesetzter Stetigkeit des Operators $A(x)$ auf dem abgeschlossenen Simplex s^p, sämtliche Teilsimplexe in bezug auf D mit s^p gleich orientiert sind, so nähert sich die Summe* (1.4) *bei unbeschränkter Verfeinerung der Zerlegung einem eindeutig bestimmten Grenzvektor J des Raumes R_y^n.*

Hier kann die „unbeschränkte Verfeinerung" sowie die Existenz des Grenzvektors entweder im Sinne der natürlichen Topologien der linearen Räume R_x^m und R_y^n verstanden werden oder, was hiermit äquivalent ist, in bezug auf beliebige Minkowskische Metriken. Bezeichnet δ die größte Kantenlänge der Teilsimplexe, so behauptet der Satz die Existenz eines eindeutigen Vektors $J \in R_y^n$, so daß für jedes $\varepsilon > 0$

$$\left|\sum_j a(x_j^*)\, D h_1^j \ldots h_p^j - J\right| < \varepsilon\, |D h_1 \ldots h_p|,$$

sobald δ genügend klein ist.

Der Beweis kann entweder auf das in metrischen Räumen endlicher Dimension gültige Cauchysche Konvergenzkriterium oder auch, wenn man die n reellen Komponenten der Summe gesondert betrachtet, auf die Untersuchung der Unter- und Obersummen gegründet werden, und verläuft, bei Beachtung der Additivität von D in bekannter Weise[1].

Den gemäß diesem Satz existierenden Grenzvektor J nennen wir das über das Simplex s^p erstreckte *affine Integral* des alternierenden Differentials und bezeichnen ihn[2]

$$J = \int_{s^p} A(x)\, d_1 x \ldots d_p x = \int_{s^p} a(x)\, D d_1 x \ldots d_p x .$$

Für $p = 1$ handelt es sich um das Streckenintegral

$$\int_{s^1} A(x)\, dx = \int_{x_0 x_1} A(x)\, dx .$$

Für $p = 0$ artet das Differential in eine Vektorfunktion $A(x)$ aus. Unter dem „Integral über das nulldimensionale Simplex $s^0(x_0) = x_0$" ist es zweckmäßig, einfach den Vektor $A(x_0)$ zu verstehen.

Aus der Definition des affinen Integrals ergeben sich, genau wie bei dem Integralbegriff von Cauchy-Riemann, unmittelbar folgende Eigenschaften.

Zunächst ist klar, daß das Integral bei Umorientierung des Simplexes s^p das Vorzeichen ändert.

Ferner ist das affine Integral in folgendem Sinn additiv: Wenn (1.3) eine Zerlegung des Simplexes s^p in endlich viele gleich orientierte Teilsimplexe s_j^p ist, so hat man

$$\int_{s^p} A(x)\, d_1 x \ldots d_p x = \sum_j \int_{s_j^p} A(x)\, d_1 x \ldots d_p x .$$

Schließlich ist, falls auf s^p die Ungleichung $|a(x)| \leqq \alpha$ besteht, auf Grund der Additivität von D,

$$\left| \int_{s^p} A(x)\, d_1 x \ldots d_p x \right| = \left| \int_{s^p} a(x)\, D d_1 x \ldots d_p x \right| \leqq \alpha \left| D h_1 \ldots h_p \right| .$$

Aus dieser Ungleichung ergibt sich folgende Darstellung der Vektorfunktion $a(x)$.

Wenn x^* ein Punkt des Simplexes s^p ist und

$$a(x) = a(x^*) + \varepsilon(x)$$

---

[1] Wegen der hierzu nötigen Eigenschaften der Zerlegungen eines Simplexes verweisen wir an T. Nieminen [*1*]. Die vollständige Durchführung des Beweises wird dem Leser überlassen.

[2] Dieses Integral stimmt (bis auf die Bezeichnung) mit dem von É. Cartan in seinem *Calcul extérieur* eingeführten Integral überein.

gesetzt wird, so ist infolge der Stetigkeit von a die Länge $|\varepsilon(x)|$ kleiner als ein beliebig kleines $\varepsilon > 0$, sobald die Kanten des Simplexes genügend klein sind. In der Gleichung

$$\int_{s^p} A(x)\, d_1 x \ldots d_p x = a(x^*)\, D h_1 \ldots h_p + \int_{s^p} \varepsilon(x)\, D d_1 x \ldots d_p x$$

ist somit gemäß der obigen Ungleichung die Norm des Integrals rechts kleiner als $\varepsilon\,|D h_1 \ldots h_p|$, folglich

$$a(x^*) = \lim_{s^p \to x^*} \left(\frac{1}{D h_1 \ldots h_p} \int_{s^p} A(x)\, d_1 x \ldots d_p x \right), \tag{1.5}$$

wo $s^p \to x^*$ bezeichnet, daß s^p in der *festen* Ebene $x^* + U^p$ auf den Punkt x^* zusammenschrumpft. Man sieht, daß $a(x^*) = a(x^*; U^p)$ den Charakter einer Dichte des Operators $A(x)$ in der Richtung U^p hat.

1.3. Berechnung affiner Integrale. Falls der alternierende Operator $A(x)$ auf $s^p(x_0, \ldots, x_p)$ *von dem Ort x unabhängig* ist, $A(x) \equiv A =$ const., so folgt aus (1.4) wegen der Additivität der reellen Grundform D unmittelbar, daß auch A additiv ist, somit

$$\int_{s^p} A\, d_1 x \ldots d_p x = A\, h_1 \ldots h_p. \tag{1.6}$$

Wir betrachten zweitens den Fall, daß der Operator *linear von x abhängt*, $A(x) \equiv A\, x$. Dann ist die Dichte von A in U^p eine lineare Vektorfunktion $a\, x$ von x, also

$$A\, x\, d_1 x \ldots d_p x = a\, x\, D d_1 x \ldots d_p x.$$

Man zerlege s^p sukzessiv r-mal baryzentrisch in $N = ((p+1)!)_r$ Teilsimplexe $s^p_j(x^j_0, \ldots, x^j_p)$, die gemäß der Aufgabe 6 in I.5.7 den gleichen affinen Inhalt

$$|D h^j_1 \ldots h^j_p| = \frac{1}{N} |D h_1 \ldots h_p| \qquad (j = 1, \ldots, N)$$

haben. Werden diese Teilsimplexe wie s^p orientiert und nimmt man in der Summe

$$\sum_{j=1}^{N} a\, x^*_j\, D h^j_1 \ldots h^j_p = \frac{1}{N} D h_1 \ldots h_p \sum_{j=1}^{N} a\, x^*_j = D h_1 \ldots h_p\, a \left(\frac{1}{N} \sum_{j=1}^{N} x^*_j \right)$$

für x^*_j speziell den Schwerpunkt $x^*_j = \bar{x}_j = (1/(p+1)) \sum_{i=0}^{p} x^j_i$ des Teilsimplexes s^p_j, so ist (vgl. I.5.7 Aufgabe 6)

$$\frac{1}{N} \sum_{j=1}^{N} \bar{x}_j = \frac{1}{p+1} \sum_{i=0}^{p} x_i = \bar{x},$$

wo $\bar{x}$ den Schwerpunkt von $s^p(x_0, \ldots, x_p)$ bezeichnet, und somit die obige Summe für jedes positive ganze r gleich

$$\frac{1}{p+1} D h_1 \ldots h_p \sum_{i=0}^{p} a x_i = \frac{1}{p+1} \sum_{i=0}^{p} A x_i h_1 \ldots h_p .$$

Folglich gilt:

$$\int_{s^p} A x d_1 x \ldots d_p x = \frac{1}{p+1} \sum_{i=0}^{p} A x_i h_1 \ldots h_p = A \bar{x} h_1 \ldots h_p . \quad (1.7)$$

Schließlich wollen wir einige allgemeine Formeln zur Berechnung affiner Integrale angeben, die uns später nützlich sein werden. Der Kürze wegen begnügen wir uns mit einer differentialgeometrischen Betrachtung (Abb. 2).

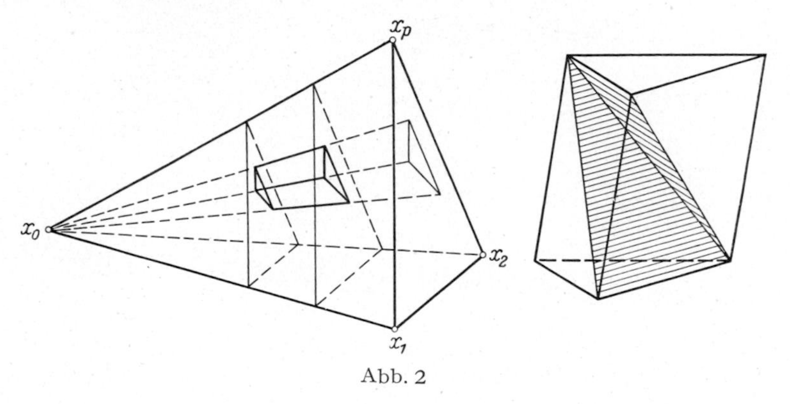

Abb. 2

Wir denken uns das gegenüber x_0 liegende Seitensimplex

$$s_0^{p-1}(x_1, \ldots, x_p)$$

von s^p irgendwie in infinitesimale Teilsimplexe zerlegt. Das den Punkt x dieses Seitensimplexes enthaltende Teilsimplex habe die Kanten $d_1 x, \ldots, d_{p-1} x$, wobei wir die Teilsimplexe so orientieren, daß $D h_1 d_1 x \ldots d_{p-1} x$ das Vorzeichen von $D h_1 (h_2 - h_1) \ldots (h_p - h_1) = D h_1 h_2 \ldots h_p$ hat. Die Eckpunkte dieser Teilsimplexe von s_0^{p-1} verbinden wir mit x_0 und schneiden die so entstandenen Pyramiden mit Ebenen, die zu s_0^{p-1} parallel sind, in unendlich dünne Pyramidenstumpfe, die sich an der Grenze wie Prismen verhalten. Diese Prismen zerlegen wir nach dem klassischen Verfahren von Euklid in je p infinitesimale p-dimensionale Simplexe gleichen affinen Inhaltes (vgl. I.5.7 Aufgabe 7).

Betrachten wir dann die Prismen zwischen den durch die Punkte

$$x_0 + \tau(x - x_0) \quad \text{und} \quad x_0 + (\tau + d\tau)(x - x_0) \qquad (0 \leqq \tau < 1, d\tau > 0)$$

gelegten Ebenen, so geben diese zum affinen Integral je einen Beitrag

$$\begin{aligned} & p\, u(x_0 + \tau(x - x_0))\, D\, d\tau (x - x_0)\, \tau\, d_1 x \ldots \tau\, d_{p-1} x \\ & = p\, \tau^{p-1}\, d\tau\, a(x_0 + \tau(x - x_0))\, D(x - x_0)\, d_1 x \ldots d_{p-1} x \\ & = d(\tau^p)\, A(x_0 + \tau(x - x_0))\, (x - x_0)\, d_1 x \ldots d_{p-1} x. \end{aligned}$$

Für das über s^p erstreckte affine Integral erhalten wir somit die Formel

$$\begin{aligned} & \int_{s^p} A(x)\, d_1 x \ldots d_p x \\ & = \int_0^1 d(\tau^p) \int_{s_0^{p-1}} A(x_0 + \tau(x - x_0))\, (x - x_0)\, d_1 x \ldots d_{p-1} x \\ & = \int_{s_0^{p-1}} \left(\int_0^1 d(\tau^p)\, A(x_0 + \tau(x - x_0))\, (x - x_0) \right) d_1 x \ldots d_{p-1} x \\ & = \int_{s_0^{p-1}} \varphi A(x)\, d_1 x \ldots d_{p-1} x, \end{aligned} \tag{1.8}$$

wo der Operator φA durch den Operator A der Stufe p gemäß der Gleichung

$$\varphi A(x) = \int_0^1 d(\tau^p)\, A(x_0 + \tau(x - x_0))\, (x - x_0)$$

als ein alternierender Operator der Stufe $p - 1$ definiert ist. Es ist also φ ein lineares Funktional, das dem alternierenden Operator der Stufe p einen alternierenden Operator der Stufe $p - 1$ zuordnet.

Durch wiederholte Anwendung dieser Reduktionsformel ergibt sich für das affine Integral über das Simplex s^p eine Darstellung als p-faches gewöhnliches Cauchysches Integral über den Einheitskubus des p-dimensionalen Zahlenraumes, woraus dann vermittels geeigneter Variabeltransformationen weitere Darstellungen hergeleitet werden können. Da wir jedoch diese nicht brauchen, werden sie dem Leser als Aufgaben überlassen.

1.4. Aufgaben. 1. Wenn $A_p(x)$ ein p-fach linearer alternierender, auf dem Simplex $s^p = s^p(x_0, \ldots, x_p)$ stetiger Operator ist, so ist für $q < p$

$$\int_{s^p} A_p(x)\, d_1 x \ldots d_p x = \int_{s^{p-q}} A_{p-q}(x)\, d_1 x \ldots d_{p-q} x,$$

wo $A_{p-q}(x)$ für $j = p, \ldots, p - q + 1$ durch

$$A_{j-1}(x) = \varphi A_j(x) = \int_0^1 d(\tau^j)\, A_j(x_{p-j} + \tau(x - x_{p-j}))\, (x - x_{p-j})$$

als ein $(p-q)$-fach linearer alternierender Operator auf dem Simplex $s^{p-q} = s^{p-q}(x_q, \ldots, x_p)$ bestimmt ist, der mit der von der Orientierung von s^p induzierten Orientierung zu versehen ist. Für $q = p$ wird

$$\int_{s^p} A_p(x)\, d_1 x \ldots d_p x = A_0$$

$$= \int_0^1 d\tau\, A_1\big(x_{p-1} + \tau(x_p - x_{p-1})\big)\,(x_p - x_{p-1})$$

$$= \int_{x_{p-1} x_p} A_1(x)\, dx.$$

2. Es sei der p-fach lineare alternierende Operator $A(x)$ auf dem Simplex $s^p = s^p(x_0, \ldots, x_p)$ stetig. Sei ferner $\bar{x} = \bar{x}(x)$, $x = x(\bar{x})$ eine affine Abbildung, welche s^p in $\bar{s}^p = \bar{s}^p(\bar{x}_0, \ldots, \bar{x}_p)$ transformiert, so daß $\bar{x}_i = \bar{x}(x_i)$ $(i = 0, \ldots, p)$. Dann gilt

$$\int_{s^p} A(x)\, d_1 x \ldots d_p x = \int_{\bar{s}^p} \bar{A}(\bar{x})\, d_1 \bar{x} \ldots d_p \bar{x},$$

wo der p-fach lineare alternierende Operator $\bar{A}(\bar{x})$ durch die Substitution $x = x(\bar{x})$ erhalten wird:

$$\bar{A}\, d_1 \bar{x} \ldots d_p \bar{x} = A \frac{dx}{d\bar{x}} d_1 \bar{x} \ldots \frac{dx}{d\bar{x}} d_p \bar{x}.$$

§ 2. Der Satz von Stokes

2.1. Fragestellung. Es sei

$$s^{p+1}(x_0, \ldots, x_{p+1}) \qquad (x_i - x_0 = h_i)$$

ein abgeschlossenes $(p+1)$-dimensionales Simplex im Raume R_x^m $(p \leqq m-1)$. Die Orientierung des Simplexes s^{p+1} bestimmen wir durch das Vorzeichen der reellen $(p+1)$-fach linearen alternierenden Grundform

$$D h_1 \ldots h_{p+1} = \Delta(x_0, \ldots, x_{p+1})$$

des von den Kanten $h_1, \ldots, h_{p+1}$ des Simplexes s^{p+1} aufgespannten Unterraumes U^{p+1}; diese Orientierung möge positiv sein, d. h. bei obiger Anordnung der Ecken ist $D h_1 \ldots h_{p+1} > 0$.

Auf s^{p+1} betrachten wir eine p-fach lineare alternierende Form

$$A(x)\, k_1 \ldots k_p \in R_y^n \qquad (x \in s^{p+1},\ k_i \in U^{p+1}).$$

Wenn der Operator $A(x)$ auf s^{p+1} stetig ist, so können wir das Integral der Differentialform $A(x)\, d_1 x \ldots d_p x$ über den Rand ∂s^{p+1} von s^{p+1} bilden, als Summe der Integrale über die $p+2$ Randsimplexe

$s_i^p(x_0, \ldots, \hat{x}_i, \ldots, x_{p+1})$ $(i = 0, \ldots, p+1)$. Die induzierte Orientierung des Randsimplexes s_i^p hat das Vorzeichen $(-1)^i$, so daß

$$\int_{\partial s^{p+1}} A(x)\, d_1 x \ldots d_p x = \sum_{i=0}^{p+1} (-1)^i \int_{s_i^p} A(x)\, d_1 x \ldots d_p x. \tag{2.1}$$

Der Satz von Stokes transformiert dieses Randintegral in ein über s^{p+1} erstrecktes $(p+1)$-faches Integral. Zur Herleitung dieses Satzes soll das Randintegral (2.1) näher analysiert werden.

2.2. Spezialfälle. Wir betrachten zunächst zwei einfache Arten von Operatoren $A(x)$.

Es sei erstens $A(x) \equiv A$ *von* x *unabhängig*. Nach (1.6) wird dann für $i = 0$

$$\begin{aligned}\int_{s_0^p} A\, d_1 x \ldots d_p x &= A(x_2 - x_1) \ldots (x_{p+1} - x_1)\\ &= A(h_2 - h_1) \ldots (h_{p+1} - h_1)\\ &= \sum_{i=1}^{p+1} (-1)^{i-1} A\, h_1 \ldots \hat{h}_i \ldots h_{p+1}\end{aligned}$$

und für $i = 1, \ldots, p+1$

$$(-1)^i \int_{s_i^p} A\, d_1 x \ldots d_p x = (-1)^i A\, h_1 \ldots \hat{h}_i \ldots h_{p+1}.$$

Gemäß (2.1) findet man also

$$\int_{\partial s^{p+1}} A\, d_1 x \ldots d_p x = 0. \tag{2.2}$$

Sei zweitens $A(x) \equiv A\, x$ *linear in* x. Nach (1.7) hat man für $i = 0$

$$\begin{aligned}\int_{s_0^p} A\, x\, d_1 x \ldots d_p x &= A\, \bar{x}_0 (h_2 - h_1) \ldots (h_{p+1} - h_1)\\ &= \sum_{i=1}^{p+1} (-1)^{i-1} A\, \bar{x}_0 h_1 \ldots \hat{h}_i \ldots h_{p+1}\end{aligned}$$

und für $i = 1, \ldots, p+1$

$$(-1)^i \int_{s_i^p} A\, x\, d_1 x \ldots d_p x = (-1)^i A\, \bar{x}_i h_1 \ldots \hat{h}_i \ldots h_{p+1},$$

wobei $\bar{x}_i = \big(1/(p+1)\big)\,(x_0 + \cdots + \hat{x}_i + \cdots + x_{p+1})$ $(i = 0, \ldots, p+1)$ den Schwerpunkt von s_i^p bezeichnet. Gemäß (2.1) erhält man hieraus

$$\int_{\partial s^{p+1}} A\, x\, d_1 x \ldots d_p x = \frac{1}{p+1} \sum_{i=1}^{p+1} (-1)^{i-1} A\, h_i h_1 \ldots \hat{h}_i \ldots h_{p+1}. \tag{2.3}$$

Der Ausdruck rechts ist eine alternierende Form der $p+1$ Vektoren $h_1, \ldots, h_{p+1}$.

2.3. Die Differentialformel von Stokes. Wir gehen jetzt zu dem allgemeinen Fall über, wo $A(x)$ ein p-fach linearer alternierender Operator mit folgenden Eigenschaften ist:

1°. *$A(x)$ ist auf dem Simplex s^{p+1} stetig.*

2°. *$A(x)$ ist in einem beliebigen inneren oder Randpunkt x^* des Simplexes s^{p+1} differenzierbar.*

Mit beliebigen Vektoren $d_1 x, \ldots, d_p x$ des Raumes R_x^m ist somit, nach Einführung einer Minkowskischen Metrik,

$$\begin{aligned} A(x)\, d_1 x \ldots d_p x & \\ = A(x^*)\, d_1 x \ldots d_p x &+ A'(x^*)(x - x^*)\, d_1 x \ldots d_p x \\ &+ |x - x^*|\,(x - x^*; x^*)\, d_1 x \ldots d_p x, \end{aligned} \tag{2.4}$$

wo die Norm $|(x - x^*; x^*)|$ des alternierenden Operators $(x - x^*; x^*)$ für $|x - x^*| \to 0$ gegen Null konvergiert.

Zur Berechnung des Randintegrals (2.1) setze man den Ausdruck (2.4) ein. Es ergibt sich für $i = 0, \ldots, p+1$

$$\begin{aligned} &\int_{s_i^p} A(x)\, d_1 x \ldots d_p x \\ &= \int_{s_i^p} A(x^*)\, d_1 x \ldots d_p x + \int_{s_i^p} A'(x^*)(x - x^*)\, d_1 x \ldots d_p x + r_i, \end{aligned}$$

wo

$$r_i = \int_{s_i^p} |x - x^*|\,(x - x^*; x^*)\, d_1 x \ldots d_p x.$$

Wir bezeichnen die Länge des größten Diameters von s^{p+1} mit δ. Dann gilt $|x - x^*| \leqq \delta$ für jedes $x \in s^{p+1}$. Ferner sei

$$\varepsilon(s^{p+1}) = \sup_{x \in s^{p+1}} |(x - x^*; x^*)|. \tag{2.5}$$

Zur Abschätzung des Restgliedes r_0 setzt man auf s_0^p unter Benutzung der orientierenden Grundform $D k_1 \ldots k_{p+1}$ des Raumes U^{p+1}

$$(x - x^*; x^*)\, d_1 x \ldots d_p x \equiv \varepsilon_0(x)\, D h_1\, d_1 x \ldots d_p x.$$

Dann ist $\varepsilon_0(x) \in R_y^n$ auf diesem Seitensimplex eindeutig bestimmt, und es gilt für $d_i x = h_{i+1} - h_1$ $(h_i = x_i - x_0)$

$$\begin{aligned} (x - x^*; x^*)(h_2 - h_1) \ldots (h_{p+1} - h_1) &= \varepsilon_0(x)\, D h_1 (h_2 - h_1) \ldots (h_{p+1} - h_1) \\ &= \varepsilon_0(x)\, D h_1 \ldots h_{p+1}. \end{aligned}$$

Folglich ergibt sich nach den Definitionen von δ und $\varepsilon(s^{p+1})$, daß

$$\begin{aligned} |\varepsilon_0(x)|\, D h_1 \ldots h_{p+1} &\leqq |(x - x^*; x^*)|\, |h_2 - h_1| \ldots |h_{p+1} - h_1| \\ &\leqq \delta^p\, \varepsilon(s^{p+1}). \end{aligned}$$

Wegen der Additivität des Betrages des p-fach linearen alternierenden Differentials $D_0 d_1 x \ldots d_p x = D h_1 d_1 x \ldots d_p x$ folgt hieraus

$$|r_0| \leqq \int_{s_0^p} |x - x^*| \, |\varepsilon_0(x)| \, |D h_1 d_1 x \ldots d_p x|$$

$$\leqq \frac{\delta^{p+1}}{D h_1 \ldots h_{p+1}} \varepsilon(s^{p+1}) \int_{s_0^p} |D h_1 d_1 x \ldots d_p x| = \delta^{p+1} \varepsilon(s^{p+1}).$$

Um eine Abschätzung der Restglieder r_i $(i = 1, \ldots, p+1)$ zu finden, schreibt man auf s_i^p

$$(x - x^*; x^*) d_1 x \ldots d_p x \equiv \varepsilon_i(x) D d_1 x \ldots d_{i-1} x \, h_i \, d_i x \ldots d_p x,$$

womit $\varepsilon_i(x) \in R_y^n$ auf diesem Seitensimplex eindeutig bestimmt ist. Insbesondere ergibt sich für die Vektoren $d_j x = h_j$ $(j = 1, \ldots, i-1)$, $d_j x = h_{j+1}$ $(j = i, \ldots, p)$

$$(x - x^*; x^*) h_1 \ldots \hat{h}_i \ldots h_{p+1} = \varepsilon_i(x) D h_1 \ldots h_{p+1}.$$

Wegen der Additivität des Betrages des p-fach linearen alternierenden Differentials $D_i d_1 x \ldots d_p x \equiv D d_1 x \ldots d_{i-1} x \, h_i \, d_i x \ldots d_p x$ erhält man so für r_i genau dieselbe Abschätzung wie oben für r_0,

$$|r_i| \leqq \delta^{p+1} \varepsilon(s^{p+1}).$$

Durch Summation nach i ergibt sich jetzt aus (2.1)

$$\int_{\partial s^{p+1}} A(x) d_1 x \ldots d_p x$$

$$= \int_{\partial s^{p+1}} (A(x^*) - A'(x^*) x^*) d_1 x \ldots d_p x + \int_{\partial s^{p+1}} A'(x^*) x \, d_1 x \ldots d_p x + r$$

mit

$$|r| \leqq (p + 2) \delta^{p+1} \varepsilon(s^{p+1}), \tag{2.6}$$

wo also $\varepsilon(s^{p+1})$ eine Zahl ist, die gegen Null konvergiert, wenn man das Simplex s^{p+1} in der festen Ebene $x^* + U^{p+1}$ gegen den Punkt x^* konvergieren läßt.

Nach (2.2) verschwindet hier das erste Integral rechts. Der Beitrag des zweiten Integrals wird gemäß (2.3)

$$\int_{\partial s^{p+1}} A'(x^*) x \, d_1 x \ldots d_p x = \frac{1}{p+1} \sum_{i=1}^{p+1} (-1)^{i-1} A'(x^*) h_i h_1 \ldots \hat{h}_i \ldots h_{p+1},$$

und man findet schließlich

$$\int_{\partial s^{p+1}} A(x) d_1 x \ldots d_p x$$

$$= \frac{1}{p+1} \sum_{i=1}^{p+1} (-1)^{i-1} A'(x^*) h_i h_1 \ldots \hat{h}_i \ldots h_{p+1} + r. \tag{2.7}$$

Die Gl. (2.7) mit der Abschätzung (2.6) des Restgliedes enthält die *Differentialformel von Stokes*, welche also unter den Voraussetzungen 1° und 2° dieser Nummer bewiesen worden ist.

2.4. Das äußere Differential. Der Rotor. Durch die obige Analyse ist dem alternierenden Differential $\omega = A(x)\, h_1 \ldots h_p$ der Stufe p eine alternierende Differentialform

$$\begin{aligned} &\wedge A'(x)\, h_1 \ldots h_{p+1} \\ &= \frac{1}{p+1} \sum_{i=1}^{p+1} (-1)^{i-1} A'(x)\, h_i h_1 \ldots \hat{h}_i \ldots h_{p+1} \end{aligned} \qquad (2.8)$$

der Stufe $p+1$ als der alternierende Teil des Differentials der gegebenen Form ω zugeordnet. Diese $(p+1)$-Form ist (bis auf den Faktor $1/(p+1)$) gleich dem von É. Cartan eingeführten *äußeren Differential* der Form ω[1].

Der Operator des äußeren Differentials ist der *Rotor* des Operators $A(x)$:

$$\operatorname{rot} A(x) = \wedge A'(x). \qquad (2.8')$$

2.5. Koordinatendarstellung des Rotors. Wir gehen von dem Ausdruck (2.8) des Rotors aus und beschränken die Differentiale $d_i x$ auf einen $(p+1)$-dimensionalen Unterraum U^{p+1} des linearen Raumes R_x^m, betrachten somit den Rotor in der Richtung U^{p+1}.

Falls in einem linearen Koordinatensystem $e_1, \ldots, e_{p+1}$ dieses Unterraumes

$$d_i x = \sum_{j=1}^{p+1} d\xi_i^j e_j \qquad (i = 1, \ldots, p+1),$$

so wird

$$A(x)\, d_1 x \ldots \hat{d}_i x \ldots d_{p+1} x = \sum_{j=1}^{p+1} \Delta_i^j \alpha_j(x),$$

wo

$$\alpha_j(x) = A(x)\, e_1 \ldots \hat{e}_j \ldots e_{p+1}$$

und Δ_i^j die zu dem Differential $d\xi_i^j$ gehörende Unterdeterminante der vollen $(p+1)$-reihigen Determinante

$$\Delta = \begin{vmatrix} d\xi_1^1 & \ldots d\xi_{p+1}^1 \\ \vdots & \vdots \\ d\xi_1^{p+1} & \ldots d\xi_{p+1}^{p+1} \end{vmatrix}$$

bezeichnet.

---

[1] Unsere Darstellung des „äußeren Kalküls" weicht von der Cartanschen erstens dadurch ab, daß wir koordinatenfrei vorgehen. Ein zweiter formaler Unterschied besteht in den verschiedenen Bezeichnungen des äußeren Differentials. Bei Cartan wird das äußere Differential der Form ω durch $d\omega$ bezeichnet. Da wir die Bezeichnung d nur für den *gewöhnlichen* Differentiationsoperator verwenden, ziehen wir die ausführlichere Bezeichnung $\wedge\, d\omega$ (alternierender Teil des gewöhnlichen Differentials $d\omega$) vor.

Es sei $A(x)\, k_1 \ldots k_p \quad (k_i \in U^{p+1})$, und damit auch die Vektorfunktionen $\alpha_j(x)$ reell. Dann ist nach obigem

$$A'(x)\, d_i x\, d_1 x \ldots \hat{d}_i x \ldots d_{p+1} x = \sum_{j=1}^{p+1} \sum_{k=1}^{p+1} \frac{\partial \alpha_j}{\partial \xi^k} d\xi_i^k \Delta_i^j,$$

folglich

$$\operatorname{rot} A(x)\, d_1 x \ldots d_{p+1} x = \frac{1}{p+1} \sum_{j=1}^{p+1} \sum_{k=1}^{p+1} \frac{\partial \alpha_j}{\partial \xi^k} \sum_{i=1}^{p+1} (-1)^{i-1} d\xi_i^k \Delta_i^j.$$

Hier verschwindet die Summe nach i rechts für $k \neq j$, und sie ist gleich $(-1)^{j-1}\Delta$ für $k = j$. Also wird

$$\operatorname{rot} A(x)\, d_1 x \ldots d_{p+1} x = \frac{\Delta}{p+1} \sum_{j=1}^{p+1} (-1)^{j-1} \frac{\partial \alpha_j}{\partial \xi^j},$$

was wir noch

$$\operatorname{rot} A(x)\, d_1 x \ldots d_{p+1} x = \varrho(x)\, D d_1 x \ldots d_{p+1} x$$

schreiben können, wo D die reelle alternierende Grundform des Unterraumes U^{p+1} mit $D e_1 \ldots e_{p+1} = 1$ bezeichnet, und

$$\varrho(x) = \frac{1}{p+1} \sum_{j=1}^{p+1} (-1)^{j-1} \frac{\partial \alpha_j}{\partial \xi^j}$$

die Koordinatendarstellung der *Rotordichte* in der Richtung dieses Unterraumes ist.

2.6. Erweiterung der Definition des Rotors. Es sei der p-fach lineare alternierende Operator $A(x)$ in einer Umgebung des Punktes $x^* \in R_x^m$ stetig und in diesem Punkt differenzierbar. Sei ferner U^{p+1} ein Unterraum und $s^{p+1}(x_0, \ldots, x_{p+1})$ ein Simplex der Ebene $x^* + U^{p+1}$, das in der genannten Umgebung liegt und x^* als innerer oder Randpunkt enthält. Dann gilt nach 2.3 die Stokessche Differentialformel

$$\int_{\partial s^{p+1}} A(x)\, d_1 x \ldots d_p x = \operatorname{rot} A(x^*)\, h_1 \ldots h_{p+1} + \delta^{p+1}(s^{p+1}; x^*),$$

wo δ die größte Kantenlänge $|h_i| = |x_i - x_0|$ und $(s^{p+1}; x^*)$ einen Vektor bezeichnet, dessen Länge mit δ verschwindet.

Diese Formel kann umgekehrt zur Erklärung von $\operatorname{rot} A(x^*)$ benutzt werden, indem man das Bestehen der Formel postuliert. Man gelangt so zur folgenden, gegenüber (2.8) verallgemeinerten

Definition. *Es sei der p-fach lineare alternierende Operator $A(x)$ in einer Umgebung des Punktes x^* stetig. Falls dann ein $(p+1)$-fach linearer Operator $B(x^*)$ existiert, so daß für jedes in der genannten Um-*

gebung liegende abgeschlossene und den Punkt x^* *enthaltende Simplex* $s^{p+1}(x_0, \ldots, x_{p+1})$ *des Raumes* R_x^m *eine Zerlegung*

$$\int\limits_{\partial s^{p+1}} A(x)\, d_1 x \ldots d_p x = B(x^*)\, h_1 \ldots h_{p+1} + \delta^{p+1}(s^{p+1}; x^*) \qquad (2.9)$$

mit $|(s^{p+1}; x^*)| \to 0$ *für* $\delta = \max|h_i| = \max|x_i - x_0| \to 0$ *besteht, so nennen wir* $B(x^*)$ *den Rotor von* $A(x)$ *im Punkte* x^* *und schreiben* $B(x^*) = \operatorname{rot} A(x^*)$.

Zu dieser Definition sei folgendes bemerkt. Erstens ist klar, daß der Rotor, falls er in einem Punkt x^* im Sinne der obigen Definition existiert, durch $A(x)$ *eindeutig* bestimmt ist.

Ferner folgt aus der Definition, daß der Operator $B(x^*)$, von dem $(p+1)$-fache Linearität vorausgesetzt wurde, ein *alternierender* Operator ist. Vertauscht man nämlich in (2.9) zwei Vektoren h_i und h_j, also die Eckpunkte x_i und x_j des Simplexes, so verändert die Orientierung von s^{p+1} und des Randes ∂s^{p+1} das Vorzeichen, und damit auch die linke Seite der Gleichung. Ersetzt man noch die Vektoren h durch λh $(0 < \lambda \leqq 1)$, so folgt aus dieser Gleichung, daß

$$0 = B(x^*) \ldots h_i \ldots h_j \ldots + B(x^*) \ldots h_j \ldots h_i \ldots + (\lambda)$$

mit $|(\lambda)| \to 0$ für $\lambda \to 0$, woraus die Behauptung folgt.

In jedem Punkt x, wo $\operatorname{rot} A(x)$ im Sinne der Definition (2.9) existiert, kann somit

$$\operatorname{rot} A(x)\, h_1 \ldots h_{p+1} = \varrho(x)\, D h_1 \ldots h_{p+1} \qquad (2.10)$$

geschrieben werden, wo D die reelle alternierende Grundform des von den $p+1$ Vektoren h_i aufgespannten Unterraumes U^{p+1} ist und $\varrho(x) = \varrho(x; A; U^{p+1})$ die *Rotordichte* des Operators $A(x)$ in der Richtung U^{p+1} bezeichnet. Für diese Rotordichte ergibt sich aus der Definition (2.9) die Darstellung

$$\varrho(x; A; U^{p+1}) = \lim_{s^{p+1} \to x} \left(\frac{1}{D h_1 \ldots h_{p+1}} \int\limits_{\partial s^{p+1}} A(x)\, d_1 x \ldots d_p x \right), \qquad (2.11)$$

wo der Grenzübergang $s^{p+1} \to x$ in der festen Ebene $x + U^{p+1}$ so vorzunehmen ist, daß der *Regularitätsindex* des Simplexes s^{p+1},

$$\operatorname{reg} s^{p+1} = \frac{\delta^{p+1}}{|D h_1 \ldots h_{p+1}|} = \frac{\delta^{p+1}}{V(s^{p+1})},$$

unter einer endlichen Grenze bleibt; hierbei ist $V(s^{p+1})$ gleich dem „Volumen“ $|D h_1 \ldots h_{p+1}|$ von s^{p+1} gesetzt.

Schließlich zeigt die in 2.3 durchgeführte Analyse, daß es für die Existenz des Rotors im Sinne der Definition (2.9) jedenfalls *hinreicht*, daß $A(x)$ in der Umgebung von x^* *stetig* und in diesem Punkt *differenzierbar* ist; wobei der Rotor dann durch die Formel (2.8) dargestellt werden kann und die in 2.5 hergeleiteten Koordinatendarstellungen bestehen. Die obige Definition hingegen setzt über die Differenzierbarkeit des Operators $A(x)$ nichts voraus und gibt somit eine Erweiterung der engeren Definition (2.8).

Für $p = 0$ sind beide Definitionen äquivalent. Denn es ist dann der „0-fach lineare alternierende Operator" $A(x)$ einfach eine Vektorfunktion $A(x)$, und nach (2.8) hat man dann $\operatorname{rot} A(x^*) = A'(x^*)$, während die Gl. (2.9) in

$$A(x_1) - A(x_0) = B(x^*)(x_1 - x_0) + |x_1 - x_0|(x_1 - x_0; x^*)$$

ausartet, mit $|(x_1 - x_0; x^*)| \to 0$ für $x_0, x_1 \to x^*$. Für $x_0 = x^*$ besagt diese Gleichung, daß $A(x)$ in x^* differenzierbar ist mit der Ableitung $A'(x^*) = B(x^*)$, so daß auch gemäß der zweiten Definition $\operatorname{rot} A(x^*) = A'(x^*)$. Nach dieser letzteren Definition kann somit der Differentialoperator rot als formale Verallgemeinerung der Ableitung, beim Übergang von einem 0-fach zu einem p-fach linearen alternierenden Operator, aufgefaßt werden.

2.7. Die Transformationsformel von Stokes. Wir nehmen jetzt an, daß der p-fach lineare alternierende Operator $A(x)$ auf dem abgeschlossenen Simplex $s^{p+1}(x_0, \ldots, x_{p+1})$ folgenden Bedingungen genügt:

1°. *$A(x)$ ist auf s^{p+1} stetig.*

2°. *$\operatorname{rot} A(x)$ existiert im Sinne der erweiterten Definition (2.9) in jedem Punkt x des Simplexes s^{p+1}.*

3°. *$\operatorname{rot} A(x)$ ist auf s^{p+1} stetig.*

Gemäß den Ausführungen in 2.3 und 2.6 ist hierzu hinreichend, daß $A(x)$ auf dem abgeschlossenen Simplex s^{p+1} stetig differenzierbar ist. Im folgenden halten wir uns lediglich zu den obigen drei Annahmen, die bezüglich der Differenzierbarkeit von $A(x)$ nichts aussagen, und beweisen den

Integralsatz von Stokes. *Falls der p-fach lineare alternierende Operator $A(x)$ auf dem abgeschlossenen Simplex $s^{p+1}(x_0, \ldots, x_{p+1}) \subset R_x^m$ den obigen drei Bedingungen genügt, so besteht die Integraltransformationsformel*

$$\int_{\partial s^{p+1}} A(x)\, d_1 x \ldots d_p x = \int_{s^{p+1}} \operatorname{rot} A(x)\, d_1 x \ldots d_{p+1} x, \qquad (2.12)$$

wo der Rand ∂s^{p+1}, bei gegebener Orientierung von s^{p+1}, mit der induzierten Orientierung zu versehen ist.

Zum Beweis bemerken wir zunächst, daß die beiden Integrale dieser Formel infolge der gemachten Voraussetzungen auf dem Simplex s^{p+1}, sowie auf jedem $(p+1)$-dimensionalen Teilsimplex s, sinnvoll sind. Für jedes solche echte oder unechte Teilsimplex s ist somit auch die Differenz

$$J(s) \equiv \int_{\partial s} A(x)\, d_1 x \dots d_p x - \int_{s} \operatorname{rot} A(x)\, d_1 x \dots d_{p+1} x \qquad (2.13)$$

sinnvoll, und sie definiert in der Menge (s) dieser Simplexe eine wohlbestimmte Mengenfunktion. Der Integralsatz von Stokes behauptet, daß $J(s) = 0$.

Der folgende Beweis benutzt eine bekannte Idee, die von Goursat angewandt wurde, um den Cauchyschen Integralsatz zu begründen, und die auf folgende zwei Eigenschaften der Mengenfunktion $J(s)$ beruht.

Um die erste zu formulieren, betrachten wir einen Punkt x^* des abgeschlossenen Simplexes $s^{p+1}(x_0, \dots, x_{p+1})$ und ein Teilsimplex $s = s(y_0, \dots, y_{p+1})$, das diesen Punkt enthält. Sei D die reelle orientierende Grundform der Ebene $x^* + U^{p+1}$ des Simplexes s^{p+1}, ferner

$$V(s) = |D k_1 \dots k_{p+1}| \qquad (k_i = y_i - y_0)$$

das „Volumen" von s und δ die größte Kantenlänge $|k_i|$. Falls dann s gegen x^* konvergiert, so daß der Regularitätsindex von s,

$$\operatorname{reg} s = \frac{\delta^{p+1}}{V(s)},$$

unter einer endlichen Schranke bleibt, so ist in jedem Punkt $x^* \in s^{p+1}$

$$\lim_{s \to x^*} \frac{|J(s)|}{V(s)} = 0. \qquad (2.14)$$

Bezeichnet man nämlich mit $(s; x^*)$ eine Größe, die mit δ verschwindet, so folgt einerseits aus der Existenz von $\operatorname{rot} A(x^*)$ gemäß der Definition (2.9), daß

$$\int_{\partial s} A(x)\, d_1 x \dots d_p x = \operatorname{rot} A(x^*)\, k_1 \dots k_{p+1} + \delta^{p+1} (s; x^*)_1,$$

und andererseits aus der Stetigkeit von $\operatorname{rot} A(x)$ im Punkte x^*, daß

$$\int_{s} \operatorname{rot} A(x)\, d_1 x \dots d_{p+1} x = \operatorname{rot} A(x^*)\, k_1 \dots k_{p+1} + V(s)\, (s; x^*)_2.$$

Also wird

$$|J(s)| = |\delta^{p+1} (s; x^*)_1 - V(s) (s; x^*)_2| \leqq (\operatorname{reg} s\, |(s; x^*)_1| + |(s; x^*)_2|)\, V(s),$$

woraus sich (2.14) ergibt, falls $\operatorname{reg} s$ für $\delta \to 0$ beschränkt bleibt.

Die zweite Eigenschaft der Mengenfunktion $J(s)$ besteht darin, daß sie *additiv* ist im folgenden Sinn: Bezeichnet Z eine Zerlegung eines Simplexes s der betrachteten Menge (s) in eine endliche Anzahl

$(p+1)$-dimensionaler Simplexe s_Z, die mit s gleich orientiert sind, so ist

$$J(s) = \sum_Z J(s_Z). \tag{2.15}$$

Beachtet man, daß auch das Volumen $V(s)$ additiv ist, so folgt aus (2.15)

$$\frac{|J(s)|}{V(s)} = \frac{1}{V(s)} \left|\sum_Z J(s_Z)\right| \leqq \frac{1}{V(s)} \sum_Z |J(s_Z)|,$$

somit, wenn

$$\max_Z \frac{|J(s_Z)|}{V(s_Z)} = M_Z$$

gesetzt wird,

$$\frac{|J(s)|}{V(s)} \leqq \frac{1}{V(s)} \left(\sum_Z V(s_Z)\right) M_Z = M_Z. \tag{2.16}$$

Sei nun $Z_1, Z_2, \ldots$ eine unendliche Folge von Zerlegungen des Simplexes s mit folgenden Eigenschaften[1]:

A. *Z_{i+1} ist eine Unterteilung von Z_i.*

B. *Z_i verfeinert sich unbeschränkt für $i \to \infty$.*

C. *Die Regularitätsindizes sämtlicher vorkommender Teilsimplexe s_Z sind gleichmäßig beschränkt.*

Es bezeichne dann s_1 ein Simplex der Zerlegung Z_1, wofür das Maximum $M_{Z_1} = M_1$ erreicht wird, $s_2 \subset s_1$ ein Simplex der Zerlegung Z_2, welches dem Maximum $M_{Z_2} = M_2$ entspricht, wobei man nur die in s_1 liegenden Teilsimplexe der Zerlegung Z_2 berücksichtigt, usw. Nach der Ungleichung (2.16) ist dann

$$\frac{|J(s)|}{V(s)} \leqq M_1 \leqq M_2 \leqq \cdots. \tag{2.17}$$

Da die Simplexe $s, s_1, s_2, \ldots$ ineinandergeschachtelt sind, so existiert wegen der Bedingung B ein wohlbestimmter Punkt $x^* \in s_i$ $(i = 1, 2, \ldots)$, so daß $s_i \to x^*$ für $i \to \infty$. Mit Rücksicht auf die Bedingung C und die Gl. (2.14) ist nun

$$\lim_{i\to\infty} M_i = \lim_{i\to\infty} \frac{|J(s_i)|}{V(s_i)} = 0,$$

somit infolge der Ungleichungen (2.17)

$$J(s) = 0$$

---

[1] Um den einfachen Gedankengang des Beweises nicht durch unwesentliche Nebenbetrachtungen zu stören, haben wir oben die Mengenfunktion $J(s)$ nur für *Simplexe* $s \subset s^{p+1}(x_0, \ldots, x_{p+1})$ definiert. Man könnte offenbar die Definition auf die Menge (π) sämtlicher *konvexer Polyeder* $\pi \subset s^{p+1}$ mit gleichmäßig beschränkter Anzahl von Seitenflächen erweitern. Die Eigenschaften (2.14) und (2.15) sowie die Ungleichung (2.16) bleiben auch dann in Kraft. Statt der Zerlegungsfolge $Z_1, Z_2, \ldots$ in Simplexe hätte man eine den Bedingungen A, B, C genügende Zerlegungsfolge in Polyeder der Menge (π). Daß solche Zerlegungsfolgen tatsächlich existieren ist von T. Nieminen [*1*] bewiesen worden.

für jedes Simplex s der Menge (s), insbesondere auch für $s = s^{p+1}$. Hiermit ist der Integralsatz von Stokes bewiesen.

2.8. Bemerkung. Um den oben gegebenen Beweis des Stokesschen Satzes zu erläutern, weisen wir darauf hin, daß ein anderer Beweisgang, der in der Theorie der Integraltransformationsformeln oft angewandt worden ist, beim ersten Anblick naheliegender wäre als die oben befolgte, im Prinzip von Goursat herrührende Idee. Jener Beweisansatz wäre kurz der folgende.

Unter den obigen Voraussetzungen 1°, 2°, 3° zerlege man das Simplex s^{p+1} in positiv orientierte Teilsimplexe $s_i^{p+1} (i = 1, \ldots, N)$ und schreibe das Randintegral des gegebenen alternierenden Differentials $A(x)\, d_1 x \ldots d_p x$

$$\int_{\partial s^{p+1}} A(x)\, d_1 x \ldots d_p x = \sum_{i=1}^{N} \int_{\partial s_i^{p+1}} A(x)\, d_1 x \ldots d_p x. \tag{2.18}$$

Auf dem i-ten Teilsimplex, das wir kurz durch $s = s_i^{p+1}$ bezeichnen, wählen wir irgendeinen Punkt $x_i^* = x$ und haben dann nach der Definition (2.9) des Rotors

$$\int_{\partial s} A(x)\, d_1 x \ldots d_p x = \operatorname{rot} A(x)\, k_1 \ldots k_{p+1} + \delta^{p+1}(s; x), \tag{2.18'}$$

wo $k_1, \ldots, k_{p+1}$ die das Simplex s aufspannenden Kantenvektoren sind, mit der größten Länge δ; die Größe $(s; x)$ verschwindet, wenn das Simplex s gegen den festgehaltenen Punkt x konvergiert.

Verfährt man ähnlich für alle N Teilsimplexe $s = s_i^{p+1}$, so ergibt sich als Summe der ersten Glieder rechts in (2.18') ein Ausdruck, der mit Rücksicht auf die vorausgesetzte Stetigkeit des Operators $\operatorname{rot} A(x)$ gegen das Integral von $\operatorname{rot} A(x)$ über s^{p+1} strebt, falls die Zerlegung (regulär) unbeschränkt verfeinert wird. Wegen (2.18) ist also der Stokessche Satz bewiesen, sofern es gelingt zu zeigen, daß die Summe der Restglieder $r = \delta^{p+1}(s; x)$ an der Grenze verschwindet.

Wollen wir sehen, was über diese letzte Frage ausgesagt werden kann. Für das einzelne Restglied r hat man die Abschätzung

$$|r| = \delta^{p+1} |(s; x)| \leqq M |D k_1 \ldots k_{p+1}| \, |(s; x)|,$$

wo M eine a priori gegebene endliche obere Schranke für die vorkommenden Regularitätsindizes ist. Nach der Definition (2.9) des Rotors verschwindet $(s; x)$ bei einer regulären Annäherung von s an dem *festgehaltenen* Punkt x. Würde man überdies wissen, daß die Konvergenz $|(s; x)| \to 0$ für $\delta \to 0$ *gleichmäßig* in bezug auf alle Punkte $x \in s^{p+1}$ gilt, so würde die Summation der Restglieder r offensichtlich einen Ausdruck ergeben, der bei unbeschränkter Verfeinerung der

Zerlegung verschwindet, und der Beweis des Stokesschen Satzes wäre damit beendet.

Das für diesen Beweisgang erforderliche gleichmäßige Verschwinden der Größe $(s; x)$ für $\delta \to 0$ ist aber aus den Voraussetzungen 1°, 2°, 3° in 2.7 i. a. nicht direkt zu ersehen. Im Falle $p = 0$ geht dies freilich aus dem Mittelwertsatz hervor. Ein sinngemäß verallgemeinerter Mittelwertsatz steht aber für $p > 0$ nicht zur Verfügung; vielmehr ergibt sich ein solcher Satz erst als Folgerung des zu beweisenden Stokesschen Satzes (vgl. 2.11 Aufgabe 2). Wegen dieses Zirkels versagt der oben skizzierte Beweisansatz für $p > 0$[1].

Hingegen gelingt der Beweis des Stokesschen Satzes, auf Grund der allgemeinen Postulate 1°, 2°, 3°, nach der Methode von 2.7, welche die in dem oben erklärten Sinn zu verstehende *gleichmäßige* Existenz des Rotors von $A(x)$ gar nicht benötigt. Hierin liegt die eigentliche Pointe der „Goursatschen Idee".

Die Vorteile der obigen verschärften Fassung des Stokesschen Satzes werden aus den nachfolgenden Anwendungen klar hervortreten.

2.9. Die Divergenz. Wie früher sei $D h_1 \ldots h_{p+1}$ eine alternierende Grundform des von den $p+1$ $(\leqq m)$ Vektoren h_i aufgespannten Unterraumes U^{p+1} des Raumes R_x^m. Mittels dieser Form läßt sich zu einem gegebenen differenzierbaren Vektorfeld $u(x) \in U^{p+1}(x \in R_x^m)$ ein weiterer Differentialoperator, die *Divergenz* von $u(x)$ durch Spurbildung der Ableitung $u'(x)$ erklären (vgl. I.5.7 Aufgabe 4):

$$\operatorname{div} u(x) \equiv \operatorname{Sp} u'(x) \equiv \frac{\sum_{i=1}^{p+1} D h_1 \ldots h_{i-1} (u'(x) h_i) h_{i+1} \ldots h_{p+1}}{D h_1 \ldots h_{p+1}}. \qquad (2.19)$$

Zwischen den linearen Operatoren div und rot besteht ein einfacher Zusammenhang. Es ist

$$\sum_{i=1}^{p+1} D h_1 \ldots h_{i-1} \big(u'(x) h_i\big) h_{i+1} \ldots h_{p+1}$$
$$= \sum_{i=1}^{p+1} (-1)^{i-1} D \big(u'(x) h_i\big) h_1 \ldots \widehat{h}_i \ldots h_{p+1}.$$

Der letzte Ausdruck ist gleich dem äußeren Differential der p-fach linearen alternierenden Differentialform

$$A(x) h_1 \ldots h_p \equiv D u(x) h_1 \ldots h_p$$

und kann also durch

$$(p+1) \operatorname{rot}\big(D u(x)\big) h_1 \ldots h_{p+1}$$

---

[1] Nimmt man spezieller an, daß der Operator $A(x)$ *stetig differenzierbar* ist, so ergibt sich unter der Anwendung des Ausdruckes (2.8) für $\operatorname{rot} A(x)$ die für den obigen Beweisgang wesentliche Eigenschaft des gleichmäßigen Verschwindens von $(s; x)$, und der oben skizzierte Weg ist gangbar (vgl. II. 1.13 Aufgabe 7).

bezeichnet werden. Die Divergenz von $u(x)$ ist somit gleich der mit $p+1$ multiplizierten Rotordichte $\varrho(x)$ des Operators $D\,u(x)$:

$$\operatorname{div} u(x) = (p+1)\,\varrho(x) = (p+1)\,\frac{\operatorname{rot}(D\,u(x))\,h_1 \ldots h_{p+1}}{D\,h_1 \ldots h_{p+1}}. \qquad (2.20)$$

Falls der Rotor rechts im erweiterten Sinn (2.9) dieses Begriffes existiert, so gibt diese Gleichung eine entsprechend erweiterte Definition der Divergenz, die offenbar von der besonderen Normierung der Grundform D des Raumes U^{p+1} unabhängig ist.

Führt man im Unterraum U^{p+1} ein Koordinatensystem $e_1, \ldots, e_{p+1}$ ein und hat der Vektor $u(x)$ hier die Darstellung

$$u(x) = \sum_{j=1}^{p+1} \omega^j(x)\, e_j,$$

so ergibt sich die übliche koordinatenabhängige Darstellung für $\operatorname{div} u$,

$$\operatorname{div} u = \sum_{j=1}^{p+1} \frac{\partial \omega^j}{\partial \xi^j},$$

wo ξ^j die Koordinaten des Punktes $x \in R_x^m$ in bezug auf das Koordinatensystem $e_1, \ldots, e_{p+1}$ des Raumes U^{p+1} sind (vgl. 2.11 Aufgabe 4).

2.10. Die Transformationsformel von Gauß. Es sei $u(x)$ ein auf dem abgeschlossenen Simplex

$$s^{p+1} = s^{p+1}(x_0, \ldots, x_{p+1}) \qquad (x_i - x_0 = h_i)$$

erklärtes Vektorfeld mit Werten aus dem von $h_1, \ldots, h_{p+1}$ aufgespannten Unterraum U^{p+1} von R_x^m $(p+1 \leqq m)$. Wendet man die Stokessche Transformationsformel (2.12) auf das alternierende Differential

$$A(x)\,d_1 x \ldots d_p x \equiv D\,u(x)\,d_1 x \ldots d_p x$$

an[1], so wird

$$\int_{\partial s^{p+1}} D\,u(x)\,d_1 x \ldots d_p x = \int_{s^{p+1}} \operatorname{rot}(D\,u(x))\,d_1 x \ldots d_{p+1} x$$

oder, bei Benutzung der obigen Definition (2.20) der Divergenz,

$$\int_{\partial s^{p+1}} D\,u(x)\,d_1 x \ldots d_p x = \frac{1}{p+1} \int_{s^{p+1}} \operatorname{div} u(x)\,D\,d_1 x \ldots d_{p+1} x. \qquad (2.21)$$

Das ist die *affine Form der Transformationsformel von Gauß*. Um dies einzusehen und die Formel auf die übliche metrische Form zu bringen, führen wir in U^{p+1} eine euklidische Metrik ein, bezeichnen mit

---

[1] Dies ist gemäß dem Stokesschen Satz erlaubt, falls $\operatorname{div} u(x)$ in dem oben genannten erweiterten Sinn auf s^{p+1} existiert und hier stetig ist, insbesondere also, falls $u(x)$ stetig differenzierbar ist.

$e_1, \ldots, e_{p+1}$ ein orthonormiertes Koordinatensystem und normieren die Grundform D so, daß $D e_1 \ldots e_{p+1} = 1$.

Wird dann in der obigen Formel s^{p+1} in bezug auf D positiv orientiert, so ist gemäß I.6.9—10

$$D d_1 x \ldots d_{p+1} x = (p+1)!\, d v_{p+1},$$

wo $d v_{p+1}$ den euklidischen Inhalt des von den Vektoren $d_1 x, \ldots, d_{p+1} x$ aufgespannten Simplexes bezeichnet. Die rechte Seite der Formel (2.21) kann somit

$$p! \int_{s^{p+1}} \operatorname{div} u(x)\, d v_{p+1}$$

geschrieben werden.

Auf der linken Seite bestimmen wir auf jedem der $p+2$ Seitensimplexe die „positive" Einheitsnormale n_i so, daß auf dem Simplex $s_i^p(x_0, \ldots, \hat{x}_i, \ldots, x_{p+1})$ $(i = 0, \ldots, p+1)$ der Ausdruck

$$(-1)^{i-1} D n_i\, d_1 x \ldots d_p x$$

bei Beachtung der in der Stokesschen Transformationsformel vorausgesetzten Orientierung der Seitensimplexe z. B. positiv ausfällt. Zerlegt man dann $u(x)$ auf dem Seitensimplex s_i^p gemäß

$$u(x) = v_i(x)\, n_i + p_i(x),$$

wo $p_i(x)$ die orthogonale Projektion von $u(x)$ auf s_i^p bezeichnet, so sind $p_i(x)$ und die Differentiale $d_i x$ des Seitensimplexes linear abhängig, und der Beitrag dieses Seitensimplexes zum Randintegral gemäß der in I.6.10 gegebenen Definition des Simplexvolumens wird

$$-p! \int_{s_i^p} v_i(x)\, d v_p,$$

wo $d v_p$ das euklidische Inhaltselement des Seitensimplexes bezeichnet.

Alles zusammengenommen wird also, mit der obigen Definition der „positiven" Normalkomponente $v(x)$ von $u(x)$ auf dem Rande ∂s^{p+1},

$$\int_{\partial s^{p+1}} v(x)\, d v_p + \int_{s^{p+1}} \operatorname{div} u(x)\, d v_{p+1} = 0. \tag{2.22}$$

Das ist die *Gaußsche Transformationsformel in der üblichen euklidischen Formulierung.*

2.11. Aufgaben. 1. R_x^3 sei ein 3-dimensionaler linearer Raum, in dem eine euklidische Metrik durch das innere Produkt (x_1, x_2) erklärt ist. Sei $y(x)$ eine differenzierbare Vektorfunktion der Variable $x \in R_x^3$, mit einem Wertevorrat in R_x^3, und

$$A(x)\, h \equiv (y(x), h) \qquad (h \in R_x^3).$$

Man zeige, daß zwischen dem durch (2.8) definierten Rotorbegriff und dem Rotor $\mathfrak{rot}\, y(x)$ der üblichen Vektoranalysis die Relation

$$\operatorname{rot} A(x)\, h_1 h_2 = \frac{1}{2} (\mathfrak{rot}\, y(x), [h_1, h_2])$$

gilt, wo $[h_1, h_2]$ das „äußere Produkt" der Vektoren $h_1, h_2 \in R_x^3$ bezeichnet.

2. Man beweise folgenden Satz, der als Verallgemeinerung des Mittelwertsatzes in II.1.6 aufgefaßt werden kann:

Es sei $y = A(x)\, d_1 x \ldots d_p x$ ein alternierendes Differential auf dem abgeschlossenen Simplex $s^{p+1}(x_0, \ldots, x_{p+1})$ des Raumes R_x^m mit Werten aus dem euklidischen Raum R_y^n. Dieses Differential genüge den Annahmen:

1°. $A(x)$ ist auf s^{p+1} stetig.

2°. $\operatorname{rot} A(x)$ existiert im Sinne von (2.9) und ist stetig auf s^{p+1}.

Dann existiert für jeden Vektor e aus R_y^n wenigstens ein Punkt $x_e \in s^{p+1}$, so daß $(h_i = x_i - x_0)$

$$\Big(\int_{\partial s^{p+1}} A(x)\, d_1 x \ldots d_p x \,,\; e \Big) = (\operatorname{rot} A(x_e)\, h_1 \ldots h_{p+1} \,,\; e) \,.$$

Anleitung. Es sei $D\, h_1 \ldots h_{p+1}$ die reelle Grundform des zu s^{p+1} parallelen Unterraumes und $\varrho(x)$ die Rotordichte (vgl. (2.10)) in der Richtung dieses Unterraumes. Aus der Stokesschen Transformationsformel (2.12) folgt dann

$$\Big(\int_{\partial s^{p+1}} A(x)\, d_1 x \ldots d_p x \,,\; e \Big) = \Big(\int_{s^{p+1}} \operatorname{rot} A(x)\, d_1 x \ldots d_{p+1} x \,,\; e \Big)$$

$$= \Big(\int_{s^{p+1}} \varrho(x)\, D\, d_1 x \ldots d_{p+1} x \,,\; e \Big) = \int_{s^{p+1}} (\varrho(x), e)\, D\, d_1 x \ldots d_{p+1} x \,,$$

woraus sich die Behauptung, bei Beachtung der Stetigkeit der reellen Funktion $(\varrho(x), e)$ auf s^{p+1}, ergibt.

3. Man beweise mit Hilfe des obigen Mittelwertsatzes folgende Verallgemeinerung des in der Aufgabe 7 in II.1.13 bewiesenen Satzes:

Falls der p-fach lineare alternierende Operator $A(x)$ in dem Gebiet G_x^m des Raumes R_x^m stetig ist und $\operatorname{rot} A(x)$ in jedem Punkt x^* dieses Gebietes im Sinne von (2.9) existiert, so ist $\operatorname{rot} A(x)$ in G_x^m dann und nur dann stetig, wenn die Gleichung

$$\lim_{\delta \to 0} |(s^{p+1}; x^*)| = 0$$

auf jedem abgeschlossenen Teilbereich von G_x^m *gleichmäßig* in bezug auf x^* besteht.

4. Man beweise die Formel

$$\operatorname{div} u = \sum_{j=1}^{p+1} \frac{\partial \omega^j}{\partial \xi^j},$$

wo $x \in R_x^m$ und $u = u(x) \in U^{p+1}$ Vektoren sind, mit den Koordinaten ξ^j, ω^j $(j = 1, \ldots, p+1)$ in dem Koordinatensystem $e_1, \ldots, e_{p+1}$ des Unterraumes U^{p+1} von R_x^m.

5. Sei $D h_1 \ldots h_n$ der euklidische Inhalt des von den Vektoren $h_i \in R_x^n$ $(i = 1, \ldots, n)$ aufgespannten Parallelepipeds,

$$(D h_1 \ldots h_n)^2 = \det\big((h_i, h_j)\big),$$

und $\pi^n \subset R_x^n$ ein Polyeder. Dann ist der „Index" J des Nullpunktes $x = 0$ in bezug auf den Rand $\partial \pi^n$ von π^n:

$$J = \int_{\partial \pi^n} \frac{D\, x\, d_1 x \ldots d_{n-1} x}{|x|^n}$$

gleich Null, falls $x = 0$ außerhalb π^n liegt, und gleich dem (orientierten) Inhalt

$$\omega_{n-1} = \int_{|x|=1} D\, x\, d_1 x \ldots d_{n-1} x$$

der Oberfläche der Einheitskugel, falls x innerhalb π^n liegt.

Anleitung. Man beweise, daß $\operatorname{rot}\left(D \frac{x}{|x|^n}\right) = 0$ für $x \neq 0$. Der erste Teil der Behauptung folgt dann aus der Stokesschen Formel. Im zweiten Fall entferne man eine kleine Kugel $|x| \leqq r$ aus π^n; der Stokessche Satz ergibt dann

$$J = \frac{1}{r^n} \int_{|x|=r} D\, x\, d_1 x \ldots d_{n-1} x,$$

unabhängig von r, und der Satz folgt für $r = 1$.

6. Sei G ein von einer stückweise regulären Kurve ∂G begrenztes endliches Gebiet in R_x^2. Man beweise die Stokessche Formel

$$\int_{\partial G} A(x)\, d x = \int_G \operatorname{rot} A(x)\, d_1 x\, d_2 x,$$

wo $A(x)$ auf $G + \partial G$ stetig differenzierbar ist.

7. Es sei R_x^2 die komplexe $(x = \xi + i\,\eta)$-Ebene und $G (\subset R_x^2)$ ein polygonales Gebiet. Wenn die komplexwertige Funktion $y = y(x) = u(x) + i\, v(x)$ auf $G + \partial G$ stetig differenzierbar ist, so gilt (Formel von Morera-Pompeiù)

$$\int_{\partial G} y(x)\, d x = \iint_G E_{yx}(x)\, d\xi\, d\eta,$$

wo

$$E_{yx} \equiv i\left(\left(\frac{\partial u}{\partial \xi} - \frac{\partial v}{\partial \eta}\right) + i\left(\frac{\partial u}{\partial \eta} + \frac{\partial v}{\partial \xi}\right)\right).$$

Anleitung. Das Produkt $y(x)\,dx$ ist eine lineare Differentialform, und die Stokessche Formel ergibt

$$\int_{\partial G} y(x)\,dx = \frac{1}{2}\int_G (d_1 y\, d_2 x - d_2 y\, d_1 x),$$

wo $d_1 x$, $d_2 x$ zwei beliebige Differentiale von x und $d_1 y$, $d_2 y$ die entsprechenden Differentiale von $y(x)$ bezeichnen. Die Rotordichte

$$E_{yx} = \frac{1}{2}\,\frac{d_1 y\, d_2 x - d_2 y\, d_1 x}{D\, d_1 x\, d_2 x},$$

wo der Nenner eine beliebige reelle alternierende Form ($\not\equiv 0$) ist, ist von den Differentialen $d_1 x$, $d_2 x$ unabhängig. Setzt man z. B. $d_1 x = 1$, $d_2 x = i$, und wählt man für D die orientierte Fläche des von den Vektoren $d_1 x$, $d_2 x$ aufgespannten Dreiecks:

$$D\, d_1 x\, d_2 x = \frac{1}{2}|d_1 x|\,|d_2 x| \sin[d_1 x\, d_2 x],$$

wo der Klammerausdruck den Winkel zwischen $d_1 x$ und $d_2 x$ angibt, so wird $D\, d_1 x\, d_2 x = 1/2$ und $E_{yx} = i\, d_1 y - d_2 y$, woraus sich die Behauptung ergibt.

8. Man beweise, unter den Voraussetzungen der vorigen Aufgabe die Formel

$$2\pi i\, y(t) = \int_{\partial G} \frac{y(x)}{x - t}\,dx - \iint_G \frac{E_{yx}(x)}{x - t}\,d\xi\, d\eta,$$

wo t ein innerer Punkt von G ist.

§ 3. Anwendungen des Stokesschen Satzes

3.1. Symmetrie der zweiten Ableitung. Für $p = 0$ artet ein p-fach linearer alternierender Operator in eine Vektorfunktion $y(x)$ aus. Vorausgesetzt, daß diese Vektorfunktion auf dem abgeschlossenen Simplex $s^1(x_0, x_1)$, d. h. auf der Strecke $x = x_0 + \tau(x_1 - x_0)$ $(0 \leqq \tau \leqq 1)$, stetig differenzierbar ist, besagt der Stokessche Satz (2.12), dessen Beweis auch für $p = 0$ gültig bleibt, daß

$$y(x_1) - y(x_0) = \int_{x_0 x_1} y'(x)\,dx. \qquad (3.1)$$

Diese Formel kann man, wie in der elementaren Infinitesimalrechnung, auch mit Hilfe des Mittelwertsatzes beweisen.

Nach dieser Vorbemerkung betrachten wir im Raume R_x^m eine Vektorfunktion $y(x)$, die folgenden Bedingungen genügt:

1°. *$y(x)$ ist in einer Umgebung des Punktes x_0 stetig differenzierbar.*

2°. *Der zweite Ableitungsoperator $y''(x_0)$ existiert.*

Wir behaupten, daß schon unter diesen Bedingungen, die erheblich weniger als die in II.1.11 genannten voraussetzen, die Symmetrie der zweiten Ableitung besteht:

Für beliebige Vektoren h, k des Raumes R_x^m ist

$$y''(x_0)\,h\,k = y''(x_0)\,k\,h. \tag{3.2}$$

In der Tat folgt aus der Voraussetzung 1° und (3.1), daß

$$\int_{\partial s^2} y'(x)\,dx = 0$$

für jedes 2-dimensionale Simplex s^2 in der Umgebung von x_0. Gemäß der Definition (2.9) des Rotors existiert somit $\operatorname{rot} y'(x_0)$ mit dem Wert Null. Da ferner $y''(x_0)$ existiert, so hat man, unter Beachtung der Ausdrücke (2.8) und (2.8′),

$$\operatorname{rot} y'(x_0)\,h\,k = \frac{1}{2}\left(y''(x_0)\,h\,k - y''(x_0)\,k\,h\right) = 0,$$

w. z. b. w.

3.2. Die Gleichung $\operatorname{rot}\operatorname{rot} A(x) = 0$. Die Symmetrie der zweiten Ableitung kann als Spezialfall ($p = 1$) des folgenden allgemeinen Satzes aufgefaßt werden:

Es sei $A(x)\,h_1 \ldots h_{p-1} \in R_y^n$ $(x, h_i \in R_x^m)$ ein $(p-1)$-fach lineares und alternierendes Differential, das folgenden Bedingungen genügt:

1°. *$A(x)$ ist in einer Umgebung des Punktes x_0 stetig.*

2°. *$\operatorname{rot} A(x)$ existiert und ist in jener Umgebung stetig.*

Dann existiert und verschwindet $\operatorname{rot}\operatorname{rot} A(x_0)$.

Es sei s^{p+1} ein beliebiges Simplex der genannten Umgebung, das den Punkt x_0 enthält. Dann ist

$$\int_{\partial s^{p+1}} \operatorname{rot} A(x)\,d_1 x \ldots d_p x = \sum_{i=0}^{p+1} (-1)^i \int_{s_i^p} \operatorname{rot} A(x)\,d_1 x \ldots d_p x.$$

Rechts kann man infolge der Voraussetzungen auf jedes Glied die Stokessche Integraltransformationsformel (2.12) anwenden. Man erhält so für das Randintegral links eine Doppelsumme von Integralen des Differentials $A(x)\,d_1 x \ldots d_{p-1} x$ über die Seitensimplexe s_{ij}^{p-1}, wobei jedes Integral zweimal mit entgegengesetzten Vorzeichen auftritt. Es ist somit für jedes Simplex s^{p+1} der genannten Art

$$\int_{\partial s^{p+1}} \operatorname{rot} A(x)\,d_1 x \ldots d_p x = 0.$$

Das bedeutet aber gemäß der Definition (2.9), daß $\operatorname{rot}\operatorname{rot} A(x_0)$ mit dem Wert Null existiert.

3.3. Integration der Gleichung $dy(x) = A(x)\,dx$. Es sei G_x^m ein offenes in bezug auf den Punkt x_0 sternförmiges Gebiet des

Raumes R_x^m: mit x liegt also die ganze Strecke $x_0\, x$ in G_x^m. In G_x^m sei ein Differential $A(x)\,d\,x \in R_y^n$ $(d\,x \in R_x^m)$ erklärt, das folgenden Bedingungen genügt:

1°. *$A(x)$ ist in G_x^m stetig.*

2°. *$\operatorname{rot} A(x)$ existiert und verschwindet in G_x^m.*

Es gilt die Differentialgleichung

$$d\,y(x) = A(x)\,d\,x \tag{3.3}$$

vollständig zu integrieren.

Die Bedingung 2° ist infolge des Satzes in der vorangehenden Nummer notwendig für die Lösbarkeit der gestellten Aufgabe. Es wird sich zeigen, daß diese Integrabilitätsbedingung auch hinreichend ist.

Unsere Differentialgleichung läßt sich

$$\operatorname{rot} y(x)\,d\,x = A(x)\,d\,x \tag{3.3'}$$

schreiben und kann somit als Spezialfall $(p = 1)$ der später zu behandelnden allgemeinen Differentialgleichung

$$\operatorname{rot} Y(x)\,d_1 x \ldots d_p x = A(x)\,d_1 x \ldots d_p x$$

aufgefaßt werden. Wir wollen deshalb die Behandlung des vorliegenden Spezialfalles so gestalten, daß die Einheitlichkeit der benutzten, wesentlich auf die Anwendung der Stokesschen Transformationsformel (2.12) fußenden Integrationsmethode für sämtliche Dimensionen $1 \leqq p \leqq m$ hervortritt.

Für jedes x des sternförmigen Gebietes G_x^m liegt das Simplex $s^1(x_0, x)$, d. h. die abgeschlossene Strecke

$$t = x_0 + \tau(x - x_0) \quad (0 \leqq \tau \leqq 1)$$

in G_x^m.

Gesetzt, es existiere in G_x^m eine Lösung der Differentialgleichung (3.3), die in x_0 einen beliebig vorgegebenen Wert y_0 aus R_y^n annimmt, so setzen wir, um einen Ausdruck für diese hypothetische Lösung herzuleiten, den Stokesschen Satz (2.12) für $s^1(x_0, x)$ und $y(x)$ an. Im vorliegenden Fall artet diese Formel wegen $\operatorname{rot} y(t) = y'(t)$ in

$$y(x) - y(x_0) = \int\limits_{x_0 x} y'(t)\,d\,t$$

aus, und es ist somit notwendig

$$y(x) = y_0 + \int\limits_{x_0 x} A(t)\,d\,t = y_0 + \int\limits_0^1 A\big(x_0 + \tau(x - x_0)\big)\,(x - x_0)\,d\,\tau\,. \tag{3.4}$$

Dieser Ausdruck definiert andererseits im Gebiet G_x^m eine eindeutige Vektorfunktion, die für x_0 den Wert y_0 annimmt. Wir behaupten, daß diese Funktion unter den Bedingungen 1° und 2° tatsächlich der vorgelegten Differentialgleichung (3.3) genügt und somit die einzige Lösung ist, mit dem vorgegebenen Anfangswert y_0 in x_0.

Zum Beweis sei $x = x_1 (\neq x_0)$ ein beliebiger Punkt in G_x^m. Für ein genügend kleines Differential $dx = h$, das wir von $x_1 - x_0$ linear unabhängig nehmen, liegt dann auch das Simplex $s^2(x_0, x_1, x_2)$ $(x_2 = x_1 + h)$ in G_x^m. Infolge der Annahmen 1° und 2° können wir die Stokessche Transformationsformel (2.12) anwenden, wonach

$$\int_{\partial s^2} A(t)\, dt = \int_{s^2} \operatorname{rot} A(t)\, d_1 t\, d_2 t .$$

Auf Grund der Voraussetzung 2° verschwindet das Integral rechts, und es ist somit

$$\int_{\partial s^2} A(t)\, dt = \int_{x_0 x_1} A(t)\, dt + \int_{x_1 x_2} A(t)\, dt + \int_{x_2 x_0} A(t)\, dt = 0 ,$$

folglich gemäß der Definition (3.4) von $y(x)$

$$y(x_2) - y(x_1) = y(x+h) - y(x) = \int_{x_1 x_2} A(t)\, dt = \int_{x(x+h)} A(t)\, dt ,$$

eine Gleichung, die ohne weiteres auch dann besteht, wenn h und $x - x_0$ linear abhängig sind, insbesondere also auch für $x = x_0$. Wegen der Stetigkeit von $A(t)$ im Punkte $t = x$ folgt hieraus

$$y(x+h) - y(x) = A(x)\, h + |h|\, (h; x) ,$$

mit $|(h; x)| \to 0$ für $|h| \to 0$, was die Behauptung $y'(x) = A(x)$ enthält.

Unter den Bedingungen 1° und 2° hat somit die vorgelegte Differentialgleichung (3.3) in G_x^m eine Lösung, die in x_0 einen beliebig vorgegebenen Wert annimmt und hierdurch eindeutig bestimmt ist. Wenn das Gebiet G_x^m speziell konvex ist, kann der Punkt x_0 in diesem Gebiet beliebig gewählt werden.

Falls das offene und zusammenhängende Gebiet G_x^m nicht sternförmig um den Punkt x_0 ist, so erhält man in G_x^m eine Lösung der Differentialgleichung (3.3), wenn man zunächst in einem x_0 enthaltenden konvexen Teilgebiet G_0 eine Lösung $y_0(x)$ mit $y_0(x_0) = y_0$ konstruiert und diese dann in bekannter Weise bis zu einem beliebigen Punkt x des Gebietes G_x^m fortsetzt. Hierzu verbinde man die Punkte x_0 und x mit einer endlichen Kette $G_0, \ldots, G_j$ offener und konvexer Gebiete, die so zu wählen sind, daß die Durchschnitte $G_i \cap G_{i+1}$ $(i = 0, \ldots, j-1)$ nicht leer sind. Nimmt man dann in jedem dieser Durchschnitte einen Punkt x_{i+1}, so existiert in G_0 eine eindeutige Lösung $y_0(x)$ mit

$y_0(x_0) = y_0$, in G_1 eine eindeutige Lösung $y_1(x)$ mit $y_1(x_1) = y_0(x_1)$, usw. Da die Lösungen $y_i(x)$ und $y_{i+1}(x)$ in dem Punkt x_{i+1} des konvexen Durchschnittes $G_i \cap G_{i+1}$ denselben Wert $y_i(x_{i+1})$ annehmen, so sind sie nach obigem im ganzen Durchschnitt identisch, somit Fortsetzungen voneinander, und $y_j(x)$ somit in G_j ein Lösungselement, das $y_0(x)$ eindeutig bis dem Punkt x längs der obigen Kette fortsetzt.

Die so erhaltene Integralfunktion ist im Kleinen eindeutig. Allgemein gilt, daß das Integral auf jedem nullhomologen Weg in G_x^m den Zuwachs Null erhält. Auf einem geschlossenen, nichtnullhomologen Weg kann die Fortsetzung des Integrals eine von Null verschiedene *Periode* ω ergeben. Die Perioden bilden eine Abelsche Gruppe, welche mit der Homologiegruppe des Gebietes G_x^m homomorph ist.

3.4. Integration der Gleichung rot $Y(x) = A(x)$. Es sei jetzt allgemeiner $A(x)\, d_1 x \ldots d_p x \in R_y^n$ $(d_i x \in R_x^m,\ 1 \leqq p \leqq m)$ ein in dem in bezug auf x_0 sternförmigen Gebiet G_x^m des Raumes R_x^m erklärtes p-fach lineares alternierendes Differential, das den beiden Bedingungen der vorangehenden Nummer genügt:

1°. *$A(x)$ ist in G_x^m stetig.*

2°. rot$A(x)$ *existiert und verschwindet in G_x^m.*

Wir stellen uns die Aufgabe, die Differentialgleichung

$$\operatorname{rot} Y(x)\, d_1 x \ldots d_p x = A(x)\, d_1 x \ldots d_p x \tag{3.5}$$

vollständig zu lösen.

Gesetzt, es sei $Y(x)$ eine $(p-1)$-fach lineare alternierende und stetige Lösung dieser Differentialgleichung, so wollen wir, in Verallgemeinerung der für $p = 1$ befolgten Methode, zunächst die p-dimensionale Stokessche Transformationsformel (2.12) auf diese Lösung anwenden, um einen Ausdruck für $Y(x)$ herzuleiten, und dann vermittels des $(p+1)$-dimensionalen Stokesschen Satzes zeigen, daß der erhaltene Ausdruck tatsächlich die allgemeine Lösung der obigen Gleichung in G_x^m gibt.

Es seien hierzu $x = x_1 (\neq x_0)$ ein beliebiger Punkt des Gebietes G_x^m und $h_1, \ldots, h_{p-1}$ Vektoren, die wir zunächst so annehmen, daß sie von $x_1 - x_0$ linear unabhängig und überdies so klein sind, daß das ganze p-dimensionale Simplex $s^p = s^p(x_0, \ldots, x_p)$, wo $x_{i+1} = x_1 + h_i$ $(i = 1, \ldots, p-1)$, in G_x^m liegt.

Die hypothetische Lösung Y wurde stetig vorausgesetzt. Da ferner rot$Y$ gemäß (3.5) existiert und infolge der Annahme 1° in G_x^m stetig ist, so können wir den Stokesschen Satz (2.12) auf Y anwenden, und erhalten so, wegen rot$Y = A$,

$$\int_{\partial s^p} Y(t)\, d_1 t \ldots d_{p-1} t = \int_{s^p} A(t)\, d_1 t \ldots d_p t$$

oder

$$\int_{s_0^{p-1}} Y(t)\, d_1 t \ldots d_{p-1} t$$

$$= \sum_{i=1}^{p} (-1)^{i-1} \int_{s_i^{p-1}} Y(t)\, d_1 t \ldots d_{p-1} t + \int_{s^p} A(t)\, d_1 t \ldots d_p t, \qquad (3.6)$$

wo die $p + 1$ Seitensimplexe von s^p mit $s_i^{p-1} = s_i^{p-1}(x_0, \ldots, \hat{x}_i, \ldots, x_p)$ $(i = 0, \ldots, p)$ bezeichnet sind.

Die linke Seite kann wegen der Stetigkeit von $Y(t)$ für $t = x_1 = x$

$$\int_{s_0^{p-1}} Y(t)\, d_1 t \ldots d_{p-1} t = Y(x)\, h_1 \ldots h_{p\ 1} + \delta^{p-1} (s_0^{p-1}; x) \qquad (3.7)$$

geschrieben werden, wo $\delta = \max |h_i|$ und $(s_0^{p-1}; x)$ allgemein eine Größe bezeichnet, die mit δ verschwindet.

Rechts in (3.6) setzen wir die Formel (1.8) an. Das letzte Integral wird

$$\int_{s^p} A(t)\, d_1 t \ldots d_p t = \int_{s_0^{p-1}} \varphi\, A(t)\, d_1 t \ldots d_{p-1} t,$$

mit dem $(p - 1)$-fach linearen alternierenden Operator

$$\varphi\, A(t) = \int_0^1 d(\tau^p)\, A\big(x_0 + \tau(t - x_0)\big)\,(t - x_0). \qquad (3.8)$$

Wegen der Stetigkeit von $A(t)$ für $t = x_1 = x$ folgt hieraus

$$\int_{s^p} A(t)\, d_1 t \ldots d_p t = \varphi\, A(x)\, h_1 \ldots h_{p-1} + \delta^{p-1} (s_0^{p-1}; x). \qquad (3.9)$$

Die Summe rechts in (3.6) wird ähnlich umgeformt:

$$\Sigma = \sum_{i=1}^{p} (-1)^{i-1} \int_{s_i^{p-1}} Y(t)\, d_1 t \ldots d_{p-1} t$$

$$= \sum_{i=1}^{p} (-1)^{i-1} \int_{s_{i0}^{p-2}} \varphi\, Y(t)\, d_1 t \ldots d_{p-2} t,$$

wo $s_{i0}^{p-2} = s_{i0}^{p-2}(x_1, \ldots, \hat{x}_i, \ldots, x_p)$ $(i = 1, \ldots, p)$, und

$$\varphi\, Y(t) = \int_0^1 d(\tau^{p-1})\, Y\big(x_0 + \tau(t - x_0)\big)\,(t - x_0) \qquad (3.10)$$

ein $(p - 2)$-fach linearer alternierender Operator ist. Hieraus ergibt sich weiter, da die Simplexe s_{i0}^{p-2} $(i = 1, \ldots, p)$ den Rand ∂s_0^{p-1} von s_0^{p-1} bilden,

$$\Sigma = \int_{\partial s_0^{p-1}} \varphi\, Y(t)\, d_1 t \ldots d_{p-2} t. \qquad (3.11)$$

Als Zusammenfassung der Formeln (3.7), (3.9), (3.11) folgt aus (3.6)

$$\int_{\partial s_0^{p-1}} \varphi\, Y(t)\, d_1 t \ldots d_{p-2} t$$
$$= Y(x)\, h_1 \ldots h_{p-1} - \varphi\, A(x)\, h_1 \ldots h_{p-1} + \delta^{p-1}(s_0^{p-1}; x),$$

was gemäß der Definition (2.9) des Rotors besagt, daß $\operatorname{rot} \varphi\, Y$ existiert und gleich $Y - \varphi A$ ist. Folglich hat man

$$Y(x)\, h_1 \ldots h_{p-1} = \operatorname{rot} \varphi\, Y(x)\, h_1 \ldots h_{p-1} + \varphi\, A(x)\, h_1 \ldots h_{p-1} \qquad (3.12)$$

für jedes $x \in G_x^m$.

Falls unser Problem überhaupt lösbar ist, so entspricht also jeder stetigen Lösung Y ein wohlbestimmter $(p-2)$-fach linearer alternierender Operator φY, für den der Rotor existiert, so daß die Gl. (3.12) besteht. Hiernach ist $\operatorname{rot} \varphi Y$ sogar stetig, und es ist gemäß dem in 3.2 bewiesenen Satz $\operatorname{rot} \operatorname{rot} \varphi Y = 0$. Wegen $\operatorname{rot} Y = A$ ist also notwendig

$$\operatorname{rot} \varphi\, A(x) = A(x), \qquad (3.13)$$

und φA ist somit eine partikuläre Lösung der Gl. (3.5).

In der folgenden Nummer wird gezeigt, daß φA unter der Integrabilitätsbedingung 2° tatsächlich die Gl. (3.13) befriedigt. Wenn also $B(x)$ ein beliebiger in G_x^m definierter $(p-1)$-fach linearer alternierender Operator ist, für welchen $\operatorname{rot} B$ existiert und verschwindet, so ist

$$Y(x)\, h_1 \ldots h_{p-1} = B(x)\, h_1 \ldots h_{p-1} + \varphi\, A(x)\, h_1 \ldots h_{p-1} \qquad (3.14)$$

die *allgemeine Lösung* des vorgelegten Problems.

Aus der obigen Herleitung folgt, daß der Operator B mit der Lösung Y durch die Formel

$$B(x) = \operatorname{rot} \varphi\, Y(x)$$

zusammenhängt. Betreffs der Bedeutung dieses arbiträren Operators für das Problem sei noch folgendes bemerkt: Aus der Definition (3.8) folgt sofort, daß das Differential $\varphi A(x)\, h_1 \ldots h_{p-1}$ verschwindet, sobald die p Vektoren $x - x_0,\ h_1, \ldots, h_{p-1}$ linear abhängig sind. Das Ergebnis (3.14) bleibt aber auch in diesem Fall gültig, und man sieht also, daß B die Rolle eines „Anfangsoperators" spielt, dessen Vorgabe die Lösung eindeutig bestimmt.

3.5. Berechnung von $\operatorname{rot} \varphi A(x)$. Um die Gl. (3.13) zu beweisen, nehmen wir einen beliebigen Punkt $x = x_1 (\neq x_0)$ in G_x^m und die Vektoren $k_1, \ldots, k_p$ $(1 \leqq p \leqq m-1)$ aus R_x^m so an, daß sie mit $x_1 - x_0$ ein linear unabhängiges System bilden und daß das Simplex $s^{p+1} = s^{p+1}(x_0, \ldots, x_{p+1})$ $(x_{i+1} = x_1 + k_i)$ in G_x^m liegt. Der Operator $A(x)$ ist gemäß der Voraussetzung 1° in G_x^m stetig. Da ferner der

Rotor gemäß 2° in G_x^m existiert und wegen $\operatorname{rot} A = 0$ stetig ist, so können wir die Stokessche Integraltransformation (2.12) für den Operator A und das Simplex s^{p+1} ansetzen und finden

$$\int_{\partial s^{p+1}} A(x)\, d_1 x \ldots d_p x = 0. \tag{3.15}$$

Wegen der Additivität des alternierenden Differentials

$$A(x)\, d_1 x \ldots d_p x$$

besteht dieses Ergebnis auch, falls die Vektoren $x_1 - x_0, k_1, \ldots, k_p$ ein linear abhängiges System bilden und das Simplex ausartet. Unsere Überlegungen bleiben also im Falle $p = m$ gültig, und dies gilt für $p \leqq m$ auch im Punkte $x_1 = x_0$.

Die Gl. (3.15) ergibt

$$\int_{s_0^p} A(x)\, d_1 x \ldots d_p x = \sum_{i=1}^{p+1} (-1)^{i-1} \int_{s_i^p} A(x)\, d_1 x \ldots d_p x, \tag{3.16}$$

wo die Seitensimplexe von s^{p+1} mit $s_i^p = s_i^p(x_0, \ldots, \hat{x}_i, \ldots, x_{p+1})$ $(i = 0, \ldots, p+1)$ bezeichnet sind. Für $i = 1, \ldots, p+1$ erhält man nach (1.8)

$$\int_{s_i^p} A(x)\, d_1 x \ldots d_p x = \int_{s_{i0}^{p-1}} \varphi A(x)\, d_1 x \ldots d_{p-1} x,$$

wo $s_{i0}^{p-1} = s_{i0}^{p-1}(x_1, \ldots, \hat{x}_i, \ldots, x_{p+1})$ und φA der Operator (3.8) ist. Die Simplexe s_{i0}^{p-1} $(i = 1, \ldots, p+1)$ bilden den Rand ∂s_0^p von s_0^p, und die Summation nach i in (3.16) gibt bei Beachtung der Stetigkeit von $A(x)$

$$\int_{\partial s_0^p} \varphi A(x)\, d_1 x \ldots d_{p-1} x = \int_{s_0^p} A(x)\, d_1 x \ldots d_p x = A(x_1)\, k_1 \ldots k_p + \delta^p (s_0^p; x_1),$$

wo $\delta = \max |k_i|$ und $(s_0^p; x_1)$ mit δ verschwindet. Diese Relation besagt aber gemäß der Definition (2.9), daß

$$\operatorname{rot} \varphi A(x_1)\, k_1 \ldots k_p = A(x_1)\, k_1 \ldots k_p,$$

und da x_1 hier ein beliebiger Punkt in G_x^m war und die Gleichung infolge der Linearität für beliebige Vektoren $k_i \in R_x^m$ gilt, falls sie für genügend kleine besteht, so ist hiermit die Behauptung (3.13) bewiesen.

3.6. Aufgabe. Es sei $A(x)$ ein p-fach linearer alternierender Operator, der in G_x^m stetig ist, und dessen Rotor in G_x^m im Sinne der Definition (2.9) existiert und stetig ist. Falls $\operatorname{rot} A(x)$ nicht identisch verschwindet, ist der Wert des Randintegrals (3.15) nicht mehr Null. Man umforme dieses Integral nach dem Stokesschen Satz (2.12) und führe dann die Transformation (1.8) aus. Durch einen Grenzübergang (analog zu 3.5) beweise man weiter die Formel

$$\operatorname{rot} \varphi A = A - \varphi \operatorname{rot} A,$$

die wichtig für gewisse Fragen der Theorie der Tensorfelder auf differenzierbaren Mannigfaltigkeiten ist.

IV. Differentialgleichungen

In diesem Abschnitt soll die Differentialgleichung erster Ordnung

$$\frac{dy}{dx} = f(x, y) \tag{0.1}$$

untersucht werden. Dabei ist x ein Vektor eines m-dimensionalen linearen Raumes R_x^m und $y = y(x)$ eine zu bestimmende unbekannte Vektorfunktion, deren Wertevorrat in einem n-dimensionalen Raum R_y^n liegt, während $f(x, y)$ einen durch das Punktpaar x, y eindeutig bestimmten linearen Operator bezeichnet, der den Raum R_x^m in den Raum R_y^n abbildet. In Differentialform lautet die Gleichung

$$dy = f(x, y)\, dx. \tag{0.1'}$$

Führt man in R_x^m bzw. in R_y^n eine Basis $a_1, \ldots, a_m$ bzw. $b_1, \ldots, b_n$ ein und setzt man

$$x = \sum_{i=1}^{m} \xi^i a_i, \qquad y = \sum_{j=1}^{n} \eta^j b_j,$$

so geht die Gleichung in ein System von mn partiellen Differentialgleichungen erster Ordnung für die ebenso vielen partiellen Ableitungen $\partial \eta^j / \partial \xi^i$ der n unbekannten Funktionen $\eta^j = \eta^j(\xi^1, \ldots, \xi^m)$ über:

$$\frac{\partial \eta^j}{\partial \xi^i} = f_i^j(\xi^1, \ldots, \xi^m, \eta^1, \ldots, \eta^n) \qquad (i = 1, \ldots, m;\ j = 1, \ldots, n),$$

wo (f_i^j) die dem Operator f zugeordnete Matrix ist. Umgekehrt läßt sich ein solches System in der Form (0.1) vektoriell zusammenfassen.

§ 1. Normalsysteme

1.1. Definition und Aufgabe. Falls der Raum R_x^m der unabhängigen Veränderlichen x *eindimensional* ist, $m = 1$, so nennt man die Differentialgleichung

$$\frac{dy}{dx} = f(x, y) \tag{1.1}$$

eine *Normalgleichung* (ein Normalsystem). Sie lautet in Koordinaten geschrieben $(x = \xi e,\ e \in R_x^1)$

$$\frac{d\eta^j}{d\xi} = f^j(\xi, \eta^1, \ldots, \eta^n) \qquad (j = 1, \ldots, n)$$

und ist also mit einem *Normalsystem* von n Gleichungen zur Bestimmung der ebenso vielen Funktionen $\eta^j = \eta^j(\xi)$ äquivalent.

Man kann die Gl. (1.1), unter Beibehaltung der Vektorbezeichnung y, auch in der Form

$$\frac{dy}{d\xi} = f_1(\xi, y) \tag{1.1'}$$

schreiben, wo $f_1(\xi, y) = f(x, y)\, dx/d\xi = f(x, y)\, e$. Der Einheitlichkeit halber ziehen wir vor, die allgemeine vektorielle Form (1.1) unserer Gleichung auch im vorliegenden Spezialfall eines eindimensionalen x-Raumes zu verwenden.

Im folgenden soll die Eindeutigkeit und Existenz der Lösung eines Normalsystems untersucht werden, unter der folgenden Annahme[1]:

Der lineare Operator $f(x, y)$ ist für $|x - x_0| \leqq r_x < \infty$, $|y - y_0| \leqq r_y < \infty$ stetig.

Den trivialen Fall, wo $f(x, y)$ nur von x abhängt und die Integration der Differentialgleichung sich auf eine Quadratur reduziert, schließen wir aus.

1.2. Das Eindeutigkeitsproblem. Wir betrachten im folgenden Lösungen $y = y(x)$ des Normalsystems, d. h. Funktionen, die für $|x - x_0| \leqq r_x$ differenzierbar sind und deren Werte in die Kugel $|y - y_0| \leqq r_y$ fallen, so daß

$$y'(x) = \frac{dy(x)}{dx} = f(x, y(x))$$

und

$$y(x_0) = y_0. \tag{1.2}$$

Es gilt zu entscheiden, unter welchen Annahmen diese Lösungsklasse, falls sie nicht leer ist, genau *eine* Lösung enthält.

Zu diesem Zweck assozieren wir zu dem Operator $f(x, y)$ die für jedes $\varrho \geqq 0$ durch die Gleichung[2]

$$\varphi(\varrho) \equiv \sup |f(x, y_1) - f(x, y_2)| \tag{1.3}$$

für $|x - x_0| \leqq r_x$, $|y_j - y_0| \leqq r_y (j = 1, 2)$, $|y_1 - y_2| \leqq \varrho$ erklärte „obere Schwankung" von f in bezug auf y. Diese Funktion φ genügt den Bedingungen:

1°. $\varphi(\varrho)\ (\geqq 0)$ ist mit ϱ monoton wachsend, $\varphi(0) = 0$ und $\varphi(\varrho) \equiv \varphi(2r_y)$ für $\varrho \geqq 2r_y$.

2°. $\varphi(\varrho)$ ist subadditiv: $\varphi(\varrho_1 + \varrho_2) \leqq \varphi(\varrho_1) + \varphi(\varrho_2)$.

3°. $\varphi(\varrho)$ ist stetig.

Die Eigenschaft 1° ist auf Grund der Definition von φ evident. Zum Beweis von 2° seien ϱ_1 und ϱ_2 zwei beliebige Zahlen $\geqq 0$. Man

---

[1] R. Nevanlinna [5].

[2] Die Norm soll nach einer beliebigen Minkowskischen oder euklidischen Metrik festgelegt werden.

wähle dann zwei Punkte y_1, y_2 der Kugel $|y - y_0| \leqq r_y$, so daß $|y_1 - y_2| \leqq \varrho_1 + \varrho_2$. Sei ferner $y = y_3$ derjenige Punkt auf der Verbindungsstrecke von y_1 und y_2, für den

$$|y_1 - y_3| = \frac{\varrho_1}{\varrho_1 + \varrho_2} |y_1 - y_2| \quad (\leqq \varrho_1),$$

$$|y_3 - y_2| = \frac{\varrho_2}{\varrho_1 + \varrho_2} |y_1 - y_2| \quad (\leqq \varrho_2).$$

Dann wird

$$|f(x, y_1) - f(x, y_2)| \leqq |f(x, y_1) - f(x, y_3)| + |f(x, y_3) - f(x, y_2)|$$
$$\leqq \varphi(\varrho_1) + \varphi(\varrho_2).$$

Diese Beziehung gilt für jedes Wertepaar y_1, y_2 mit $|y_1 - y_2| \leqq \varrho_1 + \varrho_2$. Daher ist auch $\varphi(\varrho_1 + \varrho_2) \leqq \varphi(\varrho_1) + \varphi(\varrho_2)$.

Die Eigenschaften 1° und 2° gelten unabhängig von der Annahme der Stetigkeit von f. Ist aber die Stetigkeitsbedingung erfüllt, so ist $f(x, y)$ auf der abgeschlossenen Punktmenge $|x - x_0| \leqq r_x$, $|y - y_0| \leqq r_y$ gleichmäßig stetig, und daraus folgt, daß $\varphi(\varrho) \to 0$ für $\varrho \to 0$, d. h. $\varphi(\varrho)$ ist für $\varrho = 0$ stetig. Aus der Subadditivität 2° ergibt sich dann weiter die Stetigkeit von $\varphi(\varrho)$ für jedes $\varrho \geqq 0$.

Man bemerke, daß $\varphi(\varrho) > 0$ für $\varrho > 0$, weil $f(x, y)$ anderenfalls nur von x abhängt, was oben ausgeschlossen wurde.

1.3. Eindeutigkeitssatz von Osgood. Es seien nun $y_1(x)$ und $y_2(x)$ zwei Lösungen der Normalgleichung (1.1), welche der Anfangsbedingung (1.2) genügen. Wir bezeichnen $y(x) \equiv y_1(x) - y_2(x)$ und, für $r \leqq r_x$,

$$m(r) \equiv \sup_{|x - x_0| \leqq r} |y(x)|.$$

Man fixiere alsdann zwei Zahlen $r, \Delta r$, so daß $0 \leqq r < r + \Delta r \leqq r_x$, und wähle x und Δx gemäß $|x - x_0| = r \leqq |x + \Delta x - x_0| \leqq r + \Delta r$. Dann ist die Ableitung

$$y'(x) = \frac{d\,y(x)}{d\,x} = f(x, y_1(x)) - f(x, y_2(x)),$$

und es wird

$$|y(x + \Delta x)| = \Big| y(x) + \int\limits_{x(x+\Delta x)} \big(f(t, y_1(t)) - f(t, y_2(t))\big)\, dt \Big|$$
$$\leqq |y(x)| + \int\limits_{x(x+\Delta x)} |f(t, y_1(t)) - f(t, y_2(t))|\, |dt|$$
$$\leqq m(r) + \int\limits_{x(x+\Delta x)} \varphi(|y(t)|)\, |dt|$$
$$\leqq m(r) + \varphi(m(r + \Delta r)) \int\limits_{x(x+\Delta x)} |dt|$$
$$\leqq m(r) + \varphi(m(r + \Delta r))\, \Delta r.$$

Wird nun das Maximum $m(r+\Delta r)$ von $|y(t)|$ $(|t-x_0|\leqq r+\Delta r)$ in einem Punkt x' des Intervalls $r<|t-x_0|\leqq r+\Delta r$ erreicht, so folgt aus dem obigen für $x+\Delta x=x'$, daß

$$m(r+\Delta r)\leqq m(r)+\varphi(m(r+\Delta r))\,\Delta r.$$

Anderenfalls ist aber bereits $m(r+\Delta r)=m(r)$, und die obige Ungleichung ist also allgemeingültig, folglich, $m(r)=\varrho(r)=\varrho$ gesetzt,

$$\Delta\varrho=\varrho(r+\Delta r)-\varrho(r)\leqq\varphi(\varrho+\Delta\varrho)\,\Delta r.$$

Wir bezeichnen mit $r_0\leqq r_x$ die obere Grenze derjenigen Zahlen $r<r_x$, für die $m(r)=0$, und nehmen an, es sei $r_0<r_x$. Dann ist $\varrho(r)\to 0$ für $r\to r_0+0$ und $\varrho(r)>0$ für $r_0<r\leqq r_x$, folglich auch $\varphi(\varrho+\Delta\varrho)>0$, so daß die obige Ungleichung für diese Werte r

$$\frac{\Delta\varrho}{\varphi(\varrho+\Delta\varrho)}\leqq\Delta r$$

geschrieben werden kann. Hieraus folgt für $r_0<r\leqq r_x$

$$\int\limits_{\varrho(r)}^{\varrho(r_x)}\frac{d\varrho}{\varphi(\varrho)}\leqq r_x-r<r_x,$$

woraus sich, wegen $\varrho(r)\to 0$ für $r\to r_0+0$,

$$\int\limits_{0}^{m(r_x)}\frac{d\varrho}{\varphi(\varrho)}<r_x$$

ergibt.

Nimmt man also an, daß das Integral

$$\int\limits_{0}\frac{d\varrho}{\varphi(\varrho)}=\infty,$$

so muß notwendig $r_0=r_x$ sein, folglich $\varrho(r)=m(r)=0$ für $r<r_x$, somit

$$y(x)\equiv y_1(x)-y_2(x)=0$$

im ganzen Intervall $|x-x_0|<r_x$.

Dieses Ergebnis enthält den

Eindeutigkeitssatz von W. F. Osgood. *Falls das Integral*

$$\int\limits_{0}\frac{d\varrho}{\varphi(\varrho)}\tag{1.4}$$

divergiert, so hat das Normalsystem (1.1) *höchstens eine Lösung* $y=y(x)$ *mit dem gegebenen Anfangswert* $y(x_0)=y_0$.

Der Satz umfaßt auch den oben ausgeschlossenen Fall, wo $f(x,y)$ nur von x abhängt, weil dann $\varphi(\varrho)\equiv 0$.

Die Osgoodsche Bedingung ist sicher erfüllt, wenn $f(x, y)$ in bezug auf y einer Lipschitz-Bedingung ($K = \text{const.}$)

$$|f(x, y_1) - f(x, y_2)| \leqq K|y_1 - y_2|$$

genügt. Denn dann ist $\varphi(\varrho) \leqq K\varrho$, und das Osgoodsche Integral divergiert. Allgemeiner besteht die Eindeutigkeit, falls für genügend kleine $|y_1 - y_2|$

$$|f(x, y_1) - f(x, y_2)| \leqq K|y_1 - y_2| \log\frac{1}{|y_1 - y_2|} \cdots \log_p \frac{1}{|y_1 - y_2|},$$

wo $\log_p$ der p-mal iterierte Logarithmus ist.

1.4. Umkehrung des Osgoodschen Satzes. Es erhebt sich die Frage, ob die Osgoodsche hinreichende Bedingung auch notwendig ist für die Einzigkeit der gesuchten Lösung. Dies ist tatsächlich der Fall, im folgenden Sinn.

Man betrachte eine Menge von stetigen Operatoren $f(x, y)$ und die Menge der zugehörigen Differentialgleichungen (1.1). Jedem f ordne man durch (1.3) die entsprechende Schwankung $\varphi(\varrho) = \varphi_f(\varrho)$ zu. Dann hat $\sup \varphi_f(\varrho)$ (sofern diese Funktion endlich ist) ebenfalls die Eigenschaften 1° und 2° von 1.2.

Umgekehrt sei jetzt $\varphi(\varrho)$ eine beliebige stetige Funktion mit jenen zwei Eigenschaften 1° und 2° gegeben. Wir betrachten die Gesamtheit $\{f\}$ aller für $|x - x_0| \leqq r_x$, $|y - y_0| \leqq r_y$ stetigen Operatoren $f(x, y)$, welche der Ungleichung

$$\varphi_f(\varrho) \leqq \varphi(\varrho)$$

genügen. Dann gilt der Satz:

Falls das Osgoodsche Integral (1.4) *konvergiert, so gibt es in der Menge* $\{f\}$ *einen Operator* f, *so daß die Differentialgleichung* (1.1) *mindestens zwei verschiedene Lösungen hat, mit der Anfangsbedingung* $y(x_0) = y_0$.

Zum Beweis schränken wir die Betrachtung auf solche spezielle Differentialgleichungen der Klasse $\{f\}$ ein, bei denen der lineare Operator $f(x, y)$ das Differential $dx \in R_x^1$ in einen 1-dimensionalen Unterraum R_y^1 des Raumes R_y^n überführt. Dann befinden wir uns im eindimensionalen Fall ($m = n = 1$), und nach Einführung von beliebigen Einheitsvektoren in R_x^1 bzw. R_y^1 kann man die Differentialgleichung in der „Koordinatenform"

$$dy = f(x, y)\,dx$$

schreiben, wo x, y und f jetzt reelle Zahlen sind.

In dieser Unterklasse von $\{f\}$ befindet sich speziell auch der (reelle) Operator

$$f(x, y) \equiv \varphi(|y|),$$

wo φ die oben eingeführte, für alle $|y|$ erklärte Funktion ist. In der Tat ist für diese Funktion

$$|f(x, y_1) - f(x, y_2)| = \varphi(|y_1|) - \varphi(|y_2|),$$

falls $|y_1| \geqq |y_2|$, und mit Rücksicht auf die Ungleichung 2° in 1.2

$$\varphi(|y_1|) = \varphi(|y_2| + (|y_1| - |y_2|)) \leqq \varphi(|y_2|) + \varphi(|y_1| - |y_2|).$$

Hier ist aber $|y_1| - |y_2| \leqq |y_1 - y_2|$ und somit $\varphi(|y_1| - |y_2|) \leqq \varphi(|y_1 - y_2|)$. Also wird

$$|f(x, y_1) - f(x, y_2)| \leqq \varphi(|y_1 - y_2|),$$

und f gehört also der betrachteten Klasse $\{f\}$ an.

Die reelle Differentialgleichung

$$dy = \varphi(|y|)\, dx$$

aber hat zwei Lösungen, die für $x = 0$ verschwinden, nämlich die triviale Lösung $y = 0$ und die Funktion $y = y(x)$, welche für $y \geqq 0$, $x \geqq 0$ als Umkehrfunktion des Integrals

$$x = \int_0^y \frac{dy}{\varphi(y)}$$

definiert ist und für $x < 0$ durch $y(x) = -y(-x)$ festgesetzt wird.

1.5. Existenzbeweis nach der Polygonzugmethode. Wir behandeln jetzt die Frage der *Existenz* einer Lösung des Normalsystems (1.1). Dies soll gemäß dem klassischen *Polygonzugverfahren von Cauchy* geschehen. Zu diesem Zweck nehmen wir vorläufig lediglich die Stetigkeitsbedingung von 1.1 an. Es sei $|f(x, y)| \leqq M < \infty$ auf dem Bereich $|x - x_0| \leqq r_x$, $|y - y_0| \leqq r_y$; wir bezeichnen $r_0 = \min[r_x, r_y/M]$.

Die in 1.2 zu $f(x, y)$ zugeordnete Funktion sei $\varphi(\varrho)$. Auf dem eben genannten Bereich gilt dann

$$|f(x, y_1) - f(x, y_2)| \leqq \varphi(|y_1 - y_2|).$$

Sei a der eine Endpunkt des Intervalls $|x - x_0| \leqq r_0$. Auf der abgeschlossenen Strecke $x_0\, a$ schalte man eine monotone Punktfolge D: $x_0, \ldots, x_N = a$ ein. Es gilt also $|x_1 - x_0| < \cdots < |x_N - x_0|$. Wir bestimmen, beginnend mit dem Anfangswert y_0, die Punktfolge

$$y_j = y_{j-1} + \int_{x_{j-1}\, x_j} f(t, y_{j-1})\, dt \qquad (j = 1, \ldots, N).$$

Daß dieser Prozeß sinnvoll ist, schließt man aus der Beziehung

$$|y_j - y_0| \leqq M|x_j - x_0| \leqq M r_0 \leqq r_y,$$

die durch Induktion hervorgeht. Denn für $j = 0$ ist sie trivial, und gilt sie für $y_0, \ldots, y_{j-1}$, so wird

$$
\begin{aligned}
|y_j - y_0| &\leqq |y_j - y_{j-1}| + |y_{j-1} - y_0| \\
&\leqq \int\limits_{x_{j-1} x_j} |f(t, y_{j-1})|\,|dt| + M\,|x_{j-1} - x_0| \\
&\leqq M(|x_j - x_{j-1}| + |x_{j-1} - x_0|) = M|x_j - x_0|.
\end{aligned}
$$

Wir setzen nun für $|x_{j-1} - x_0| \leqq |x - x_0| \leqq |x_j - x_0|$

$$
y_D(x) = y_{j-1} + \int\limits_{x_{j-1} x} f(t, y_{j-1})\,dt. \tag{1.5}
$$

Damit ist $y_D(x)$ als eine stetige Funktion auf der abgeschlossenen Strecke $x_0\,a$ definiert, so daß $y_D(x_j) = y_j$ $(j = 0, \ldots, N)$. Für $|x_{j-1} - x_0| < |x - x_0| < |x_j - x_0|$ hat sie die wohlbestimmte Ableitung

$$
y'_D(x) = f(x, y_{j-1}), \tag{1.6}
$$

und für $x = x_j$ die „einseitigen" Ableitungen $f(x_j, y_{j-1})$ und $f(x_j, y_j)$. Diese Ableitung ist stetig (mit Ausnahme der Punkte x_j)[1] und beschränkt $(|y'_D(x)| \leqq M)$. Man schließt ferner aus (1.5), daß

$$
\begin{aligned}
|y_D(x) - y_0| &\leqq |y_D(x) - y_{j-1}| + |y_{j-1} - y_0| \\
&\leqq \int\limits_{x_{j-1} x} |f(t, y_{j-1})|\,|dt| + M|x_{j-1} - x_0| \\
&\leqq M(|x - x_{j-1}| + |x_{j-1} - x_0|) \leqq M|x - x_0| \leqq M\,r_0 \leqq r_y
\end{aligned}
$$

ist.

Nunmehr schreiben wir

$$
y'_D(x) = f(x, y_D(x)) + r_D(x),
$$

wo nach (1.6)

$$
|r_D(x)| = |f(x, y_D(x)) - f(x, y_{j-1})| \leqq \varphi(|y_D(x) - y_{j-1}|)
$$

für $|x_{j-1} - x_0| < |x - x_0| < |x_j - x_0|$ gilt. Hier ist wegen (1.5)

$$
\begin{aligned}
|y_D(x) - y_{j-1}| &\leqq \int\limits_{x_{j-1} x} |f(t, y_{j-1})|\,|dt| \\
&\leqq \int\limits_{x_{j-1} x_j} |f(t, y_{j-1})|\,|dt| \leqq M|x_j - x_{j-1}|.
\end{aligned}
$$

Die größte der Zahlen $|x_j - x_{j-1}|$ $(j = 1, \ldots, N)$ sei δ_D. Dann wird

$$
|r_D(x)| \leqq \varphi(M\,\delta_D).
$$

Damit gilt für die Stetigkeitsstellen $x \neq x_j$ $(j = 1, \ldots, N)$ der Ableitung[2]

$$
y'_D(x) = f(x, y_D(x)) + \langle\varphi(M\,\delta_D)\rangle,
$$

[1] Im Punkte $x = x_0$ ist $y'_D(x)$ stetig und $y'_D(x_0) = f(x_0, y_0)$.

[2] Wir bezeichnen mit $\langle\varrho\rangle$ jede Größe, deren Norm $|\langle\varrho\rangle| < \varrho$.

und man überzeugt sich leicht davon, daß dieselbe Ungleichung auch für die zwei Derivierten von $y_D(x)$ an den Punkten $x = x_j$ besteht. Die Integration dieser Relation zwischen den Grenzen x und $x + \Delta x$ ergibt weiter

$$y_D(x + \Delta x) = y_D(x) + \int\limits_{x(x+\Delta x)} f(t, y_D(t))\, dt + |\Delta x| \langle \varphi(M \delta_D) \rangle. \quad (1.7)$$

Es sei nun δ eine beliebig vorgegebene positive Zahl. Wir betrachten zwei so feine Einteilungen D_1 und D_2 der Strecke $x_0\, a$, daß $\delta_{D_1}, \delta_{D_2} \leqq \delta$. Setzt man dann

$$\bar{y}(x) \equiv y_{D_1}(x) - y_{D_2}(x) \qquad (|\bar{y}(x)| \leqq 2M r_0)$$

und wendet man die Relation (1.7) für $D = D_1$ und $D = D_2$ an, so erhält man durch Subtraktion

$$\bar{y}(x + \Delta x)$$
$$= \bar{y}(x) + \int\limits_{x(x+\Delta x)} (f(t, y_{D_1}(t)) - f(t, y_{D_2}(t)))\, dt + 2|\Delta x| \langle \varphi(M \delta) \rangle. \quad (1.8)$$

Wir schließen nun, ähnlich wie in 1.3, folgendermaßen. Es sei diesmal

$$m(r) \equiv \sup_{|x - x_0| \leqq r} |\bar{y}(x)| \qquad (r \leqq r_0).$$

Nimmt man wieder $0 \leqq r < r + \Delta r \leqq r_0$ und $|x - x_0| = r \leqq |x + \Delta x - x_0| \leqq r + \Delta r$, so ergibt sich mit Rücksicht auf (1.8)

$$|\bar{y}(x + \Delta x)|$$
$$\leqq |\bar{y}(x)| + \int\limits_{x(x+\Delta x)} |f(t, y_{D_1}(t)) - f(t, y_{D_2}(t))|\, |dt| + 2|\Delta x|\, \varphi(M \delta)$$
$$\leqq m(r) + \int\limits_{x(x+\Delta x)} \varphi(|\bar{y}(t)|)\, |dt| + 2|\Delta x|\, \varphi(M \delta).$$

Hier ist $|\bar{y}(t)| \leqq m(r + \Delta r)$, und man schließt genau wie in 1.3, daß

$$m(r + \Delta r) \leqq m(r) + (\varphi(m(r + \Delta r)) + 2\varphi(M \delta))\, \Delta r.$$

Unter Berücksichtigung der Monotonie von sowohl m wie φ folgt hieraus

$$\Delta m = m(r + \Delta r) - m(r) \leqq (\varphi(m(r + \Delta r)) + 2\varphi(M \delta))\Delta r$$
$$\leqq 3\varphi(m(r + \Delta r) + M \delta)\Delta r$$

und

$$\frac{\Delta m}{\varphi(m(r + \Delta r) + M \delta)} \leqq 3\Delta r.$$

Setzt man noch

$$\varrho = m(r) + M \delta,$$

so ergibt sich schließlich, wie in 1.3,

$$\int\limits_{M\delta}^{M\delta + m(r_0)} \frac{d\varrho}{\varphi(\varrho)} \leqq 3 r_0. \quad (1.9)$$

1.6. Um weiter zu kommen, betrachten wir für ein gegebenes $\alpha > 0$ das Integral

$$\int_{\alpha}^{\alpha+\beta} \frac{d\varrho}{\varphi(\varrho)}$$

als Funktion von $\beta \geqq 0$ (vgl. die Abb. 3, wo ϱ Abszisse und $1/\varphi(\varrho)$ Ordinate ist). Da dieses Integral für $\beta = 0$ verschwindet und für wachsende β stetig, monoton und unbeschränkt wächst, so gibt es einen wohlbestimmten Wert

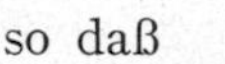

$$\beta = \beta(\alpha),$$

so daß

$$\int_{\alpha}^{\alpha+\beta(\alpha)} \frac{d\varrho}{\varphi(\varrho)} = 3r_0.$$

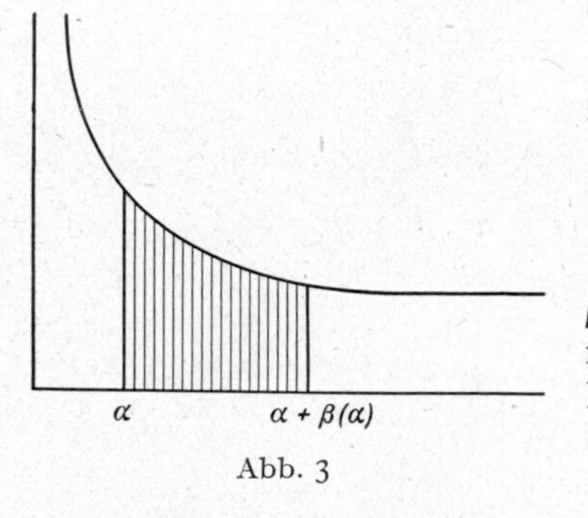

Abb. 3

$\beta(\alpha)$ ist für $\alpha > 0$ als eine positive, monoton wachsende und stetige Funktion von α erklärt. Es existiert also der Grenzwert

$$\lim_{\alpha \to 0} \beta(\alpha) = \beta_0 \geqq 0,$$

und zwar ist $\beta_0 > 0$ oder $\beta_0 = 0$, je nachdem das Osgoodsche Integral (1.4) konvergiert oder divergiert.

1.7. Wir kehren zu der Ungleichung (1.9) zurück. Setzt man $M\delta = \alpha$, so ist

$$\int_{\alpha}^{\alpha+m(r_0)} \frac{d\varrho}{\varphi(\varrho)} \leqq 3r_0 = \int_{\alpha}^{\alpha+\beta(\alpha)} \frac{d\varrho}{\varphi(\varrho)},$$

woraus folgt:

$$m(r_0) \leqq \beta(\alpha) = \beta(M\delta).$$

Ist nun das *Integral* (1.4) *divergent*, so strebt $\beta(M\delta)$ für $\delta \to 0$ gegen Null, und da dann für $|x - x_0| \leqq r_0$

$$|\bar{y}(x)| = |y_{D_1}(x) - y_{D_2}(x)| \leqq m(r_0) \leqq \beta(M\delta), \tag{1.10}$$

so folgt aus dem Cauchyschen Konvergenzkriterium, daß die Näherungsfunktion $y_D(x)$ bei unbeschränkter Verfeinerung der Einteilung D gegen eine wohlbestimmte Grenzfunktion $y(x)$ konvergiert, gleichmäßig auf dem Intervall $|x - x_0| \leqq r_0$.

Die so konstruierte Funktion ist eine Lösung unseres Problems. Denn erstens ist $y(x_0) = y_0$, $|y(x) - y_0| \leqq r_y$ für $|x - x_0| \leqq r_0$, weil jede Näherungsfunktion diese Eigenschaften besitzt. Ferner ist nach (1.7) ($x = x_0$, $\Delta x = x - x_0$)

$$y_D(x) = y_0 + \int_{x_0 x} f(t, y_D(t))\, dt + r_0 \langle \varphi(M \delta_D) \rangle,$$

und bei unbeschränkter Verfeinerung von D findet man

$$y(x) = y_0 + \int_{x_0 x} f(t, y(t))\, dt,$$

somit auch

$$\frac{d y(x)}{d x} = f(x, y(x)),$$

für $|x - x_0| \leq r_0 = \min[r_x, r_y/M]$. Damit ist alles gezeigt.

1.8. Zusammenfassung. Die vorhergehende Untersuchung hat uns zu folgendem Ergebnis geführt:

Es sei $f(x, y)$ ein für

$$|x - x_0| \leqq r_x < \infty, \qquad |y - y_0| \leqq r_y < \infty$$

definierter Operator, welcher den Raum R_x^1 in den Raum R_y^n linear abbildet, mit folgenden Eigenschaften:

A. *$f(x, y)$ ist für $|x - x_0| \leqq r_x$, $|y - y_0| \leqq r_y$ stetig und beschränkt ($|f(x, y)| \leqq M < \infty$).*

B. *Das Osgoodsche Integral*

$$\int_0 \frac{d\varrho}{\varphi(\varrho)}$$

divergiert, wo $\varphi(\varrho)$ die durch die Gl. (1.3) zu $f(x, y)$ zugeordnete Funktion ist.

Unter diesen Voraussetzungen hat die Differentialgleichung

$$\frac{dy}{dx} = f(x, y)$$

auf dem Intervall $|x - x_0| \leqq r_0 = \min[r_x, r_y/M]$ eine und nur eine Lösung, so daß $y(x_0) = y_0$ und $|y(x) - y_0| \leqq r_y$.

1.9. Die obige Analyse des Cauchyschen Polygonzugverfahrens gibt auch über die Güte dieses Grenzprozesses Information (Ungleichung (1.10)). Nimmt man z. B. die Lipschitz-Bedingung an, $\varphi(\varrho) = K\varrho$, so wird

$$\int_\alpha^{\alpha+\beta} \frac{d\varrho}{\varphi(\varrho)} = \frac{1}{K} \log\left(1 + \frac{\beta}{\alpha}\right)$$

und

$$\beta(\alpha) = \beta(M\delta) = \alpha(e^{3Kr_0} - 1) \sim 3Kr_0\alpha = 3Kr_0 M\delta.$$

Für $\varphi(\varrho) = K\varrho \log(1/\varrho)$ findet man

$$\beta(M\delta) = (M\delta)^\mu - M\delta \quad \text{mit} \quad \mu = e^{-3Kr_0},$$

usw.; je langsamer das Osgoodsche Integral divergiert, um so schlechter ist die Konvergenz des Polygonzugverfahrens.

Schließlich sei noch bemerkt, daß der obige Existenzbeweis auch den Osgoodschen Eindeutigkeitssatz enthält. In der Tat gilt die Ungleichung (1.10) nach der obigen Herleitung auch dann, wenn man unter $\overline{y}(x)$ die Differenz einer *vorgegebenen Lösung* $y(x)$ unseres Problems und einer nach dem Polygonzugverfahren konstruierten Näherungsfunktion $y_D(x)$ versteht. Ist δ die Länge der größten Teilstrecke bei der Einteilung D, so wird also

$$|y(x) - y_D(x)| \leqq \beta(M\,\delta).$$

Divergiert nun das Osgoodsche Integral (1.4), so verschwindet also $|y(x) - y_D(x)|$ für $\delta \to 0$, woraus die Einzigkeit der Lösung folgt.

1.10. Aufgaben. 1. In der Differentialgleichung

$$dy = f(x, y)\,dx \qquad (x \in R^1_x,\ y \in R^n_y)$$

sei $f(x, y)$ ein linearer Operator, der für $|x - x_0| \leqq r_x$, $|y - y_0| \leqq r_y$ stetig ist $(|f(x, y)| \leqq M)$ und einer Lipschitz-Bedingung

$$|f(x, y_1) - f(x, y_2)| \leqq K|y_1 - y_2|$$

genügt ($K = \text{const.}$).

Nach der *Methode der sukzessiven Approximationen von Picard* löst man diese Normalgleichung unter der Anfangsbedingung $y(x_0) = y_0$, so daß man als erste Näherung für die Lösung $y = y(x)$ die Konstante $y_0(x) \equiv y_0$ nimmt und die Näherungsfolge $y_i(x)$ $(i = 1, 2, \ldots)$ durch die Rekursionsformel

$$y_i(x) = y_0 + \int_{x_0 x} f(t, y_{i-1}(t))\,dt$$

bestimmt.

Man zeige, daß diese Folge für $|x - x_0| \leqq r_0 < \min[r_x, r_y/M, 1/K]$ gleichmäßig konvergiert, und daß die Grenzfunktion $y(x) \equiv \lim\limits_{i\to\infty} y_i(x)$ $(y(x_0) = y_0)$ die Differentialgleichung löst.

2. Für die lineare Differentialgleichung

$$dy = A(x)\,dx\,y \qquad (x \in R^1_x,\ y \in R^n_y),$$

wo $A(x)$ für $|x - x_0| \leqq r_0$ stetig ist, ergibt das Picardsche Verfahren die Lösung

$$y(x) = \sum_{i=0}^{\infty} A_i(x)\,y_0,$$

wo der Operator $A_i(x)$ rekursiv aus

$$A_0(x) \equiv I, \qquad A_i(x) = \int_{x_0 x} A(t)\,dt\,A_{i-1}(t) \quad (i = 1, 2, \ldots)$$

berechnet wird.

Anleitung. Die Reihe $\sum_{i=0}^{\infty} A_i(x)$ hat als Majorante die Exponentialreihe

$$\sum_{i=0}^{\infty} \frac{(|A|\,|x - x_0|)^i}{i!},$$

wo $|A| = \max |A(x)|$ für $|x - x_0| \leqq r_0$.

§ 2. Die lineare Differentialgleichung erster Ordnung

2.1. Homogene lineare Gleichung erster Ordnung. Wir lassen die Veränderlichen x und y wieder Punkte in zwei linearen Räumen R_x^m bzw. R_y^n *beliebiger* endlicher Dimensionen (m bzw. n) bezeichnen, schränken aber die Differentialgleichung (0.1′) zunächst auf den linearen homogenen Fall

$$dy = A(x)\,dx\,y \tag{2.1}$$

ein, wo also $A(x)$ ein *bilinearer* Operator ist. Diese Gleichung wurde in der Aufgabe 2 von 1.10 bereits für $m = 1$ behandelt.

In Koordinatenform nimmt ein solches lineares homogenes System folgende Gestalt an (wo die Funktionen f_i^j jetzt lineare homogene Funktionen der Ausdrücke $\eta^1, \ldots, \eta^n$ sind):

$$\frac{\partial \eta^j}{\partial \xi_i} = \sum_{k=1}^{n} A_{k\,i}^j(\xi^1, \ldots, \xi^m)\,\eta^k \qquad (i = 1, \ldots, m;\ j = 1, \ldots, n).$$

2.2. Eindeutigkeit der Lösung. Wir nehmen im folgenden $A(x)$ in einem in bezug auf den Punkt x_0 sternförmigen Gebiet G_x^m des Raumes R_x^m, etwa in einer Kugel $|x - x_0| < r$ stetig an. Aus dem Eindeutigkeitssatz für allgemeine Normalsysteme folgt dann, daß auch die Gl. (2.1) höchstens *eine* Lösung $y = y(x)$ zuläßt, welche in dem Punkt x_0 einen vorgegebenen Wert $y_0 = y(x_0)$ in R_y^n annimmt. Sei nämlich $x = x_1\ (\neq x_0)$ ein beliebiger zweiter Punkt in G_x^m. Wir verbinden x_0 mit x_1 durch eine Strecke $t = x_0 + \tau(x_1 - x_0)$ $(0 \leqq \tau \leqq 1)$. Die Gl. (2.1) geht dann in ein Normalsystem

$$dy = A(t)\,dt\,y \tag{2.2}$$

über, und der Wert $y(x_1)$ der Lösung $y(t)$ ist nach dem Satz von 1.3 durch den Anfangswert $y_0 = y(x_0)$ *eindeutig* bestimmt, w. z. b. w.

2.3. Der Lösungsraum L^q. Die Differentialgleichung (2.1) hat mindestens *eine* Lösung, nämlich die triviale $y(x) \equiv 0$. Umgekehrt, wenn die Lösung $y(x)$ nicht trivial ist, so ist sie nirgends gleich Null; denn aus $y(x_0) = 0$ folgt wegen des Eindeutigkeitssatzes, daß $y(x)$ mit der trivialen Lösung übereinstimmt.

Die Gesamtheit der Lösungen $y(x)$ ist eine *lineare* Menge. Aus der Linearität des Operators $A(x)$ in bezug auf y folgt nämlich, daß falls $y_i(x)$ $(i = 1, \ldots, q)$ partikuläre Lösungen der Differentialgleichung sind, dann die Linearkombination

$$y(x) = \sum_{i=1}^{q} \lambda^i y_i(x)$$

eine Lösung ist, bei beliebiger Wahl der reellen Konstanten λ^i.

Sei nun $\{y(x)\}$ diese lineare Menge aller Lösungen. In der Vektormenge $\{y(x_0)\}$ gibt es höchstens n linear unabhängige Vektoren. Die maximale Anzahl solcher Vektoren sei q $(0 \leqq q \leqq n)$. Sei $y_i(x_0)$ $(i = 1, \ldots, q)$ eine Basis der Vektoren $\{y(x_0)\}$; dann hat jeder Vektor $y(x_0)$ eine Darstellung

$$y(x_0) = \sum_{i=1}^{q} \lambda^i y_i(x_0),$$

mit wohlbestimmten Multiplikatoren λ^i. Die Lösungen $y(x)$ und $\sum_{i=1}^{q} \lambda^i y_i(x)$ haben also für $x = x_0$ denselben Anfangswert, und sie müssen daher für alle Werte x übereinstimmen. Damit ist gezeigt:

Die Dimension der linearen Lösungsmenge $\{y(x)\}$ *ist eine Zahl* q *des Intervalls* $0 \leqq q \leqq n$.

Diesen q-dimensionalen Lösungsraum bezeichnen wir mit L^q, während $L^q_y(x)$ im folgenden denjenigen q-dimensionalen Unterraum von R^n_y angeben soll, der von den Vektoren $y(x) \in R^n_y$ für ein *gegebenes* x aufgespannt wird.

2.4. Integrabilitätsbedingung. Wir kommen zur Frage der Existenz von (nichttrivialen) Lösungen der Differentialgleichung (2.1). Im Falle $m > 1$, der uns jetzt beschäftigt, ist diese Gleichung, in Koordinaten ausgedrückt, mit einem System von partiellen Differentialgleichungen äquivalent, und die nichttriviale Lösbarkeit des Problems fordert, daß gewisse notwendige Integrabilitätsbedingungen erfüllt sind. Diese Bedingungen sollen jetzt hergeleitet werden, unter der zusätzlichen Voraussetzung, daß der gegebene Operator $A(x)$ in G^m_x *differenzierbar* ist.

Unter dieser Annahme sei $y = y(x)$ eine Lösung von (2.1):

$$d\,y(x) = y'(x)h = A(x)h\,y(x) \qquad (x \in G^m_x,\ h \in R^m_x).$$

Dann ist $y(x)$ zweimal differenzierbar, und es ist für ein Differential $k \in R^m_x$ das zweite Differential gleich

$$\begin{aligned} d^2 y(x) = y''(x)k\,h &= (d\,A(x))h\,y(x) + A(x)h(d\,y(x)) \\ &= A'(x)k\,h\,y(x) + A(x)h(A(x)k\,y(x)), \end{aligned}$$

wo $A'(x)$ ein trilinearer Operator ist. Da aber der Operator $y''(x)$ symmetrisch ist, so ergibt sich durch Vertauschung von h und k, daß der Ausdruck

$$R(x)hky \equiv \frac{1}{2}[(A'(x)hk - A(x)hA(x)k) - (A'(x)kh - A(x)kA(x)h)]\,y$$

verschwindet, falls $y = y(x)$ eingesetzt wird, und zwar für jedes Paar $h, k \in R_x^m$.

Der Ausdruck $R(x)\,h\,k\,y \in R_y^n$ ist, für jedes $x \in G_x^m$, eine trilineare Funktion der drei Argumente $h, k \in R_x^m$ und $y \in R_y^n$. In den zwei ersten Argumenten h und k ist er *alternierend*, und man hat (vgl. I.5.1)

$$R(x)\,h\,k \equiv \wedge\,(A'(x)\,h\,k - A(x)\,h\,A(x)\,k).$$

Für feste $x \in G_x^m$ und $h, k \in R_x^m$ ist $R(x)\,h\,k$ eine lineare Selbstabbildung des Raumes R_y^n.

2.5. Diskussion der Integrabilitätsbedingung. Die so gefundene notwendige Integrabilitätsbedingung

$$R(x)\,h\,k\,y(x) = 0 \tag{2.3}$$

ist im Falle $m = 1$ ohne weiteres erfüllt, es gilt sogar

$$R(x)\,h\,k\,y = 0 \tag{2.3'}$$

identisch für $y \in R_y^n$, denn h und k sind dann linear abhängig und der Operator $R(x)$ ist in diesen Argumenten alternierend.

Falls hingegen $m > 1$ ist, so wird die Bedingung (2.3′) im allgemeinen nicht identisch in y erfüllt sein. Es läßt sich aber jedenfalls folgendes aussagen. Für einen Punkt $x \in G_x^m$ nehme man ein Paar $h, k \in R_x^m$ und betrachte die in y lineare Gl. (2.3′), wobei y jetzt frei als eine unabhängige Variable im Raum R_y^n variieren möge. Das System (2.3′) hat dann einen gewissen linearen Unterraum $\{y\}$ von R_y^n als Lösungsraum, nämlich den Kern der linearen Transformation $R(x)\,h\,k$, welche den Raum R_y^n in sich abbildet. Bei festem x lassen wir nun die Differentiale h und k den Raum R_x^m durchlaufen. Der Durchschnitt aller so erhaltenen Kerne $\{y\}$ ist dann ein wohlbestimmter linearer Unterraum $L_y^p(x)$ von R_y^n, der Dimension p $(0 \leqq p \leqq n)$, und die Gesamtheit der Punkte dieses Unterraumes $L_y^p(x)$ ergibt die vollständige Lösung der Gl. (2.3′), bei gegebenem $x \in G_x^m$ und frei veränderlichen Differentialen $h, k \in R_x^m$.

2.6. Beziehung zwischen den Räumen $L_y^q(x)$ und $L_y^p(x)$. Andererseits haben wir in 2.3 gesehen, daß für einen gegebenen Punkt $x \in G_x^m$ die Gesamtheit der Werte $y = y(x)$ der Lösungsmenge $\{y(x)\}$ der Differentialgleichung (2.1) einen linearen Unterraum $L_y^q(x)$ von R_y^n bildet, und daß die Gl. (2.3) (die Integrabilitätsbedingung) von diesen

Werten $y(x)$ für jedes Paar $h, k \in R_x^m$ befriedigt wird. Hieraus folgt, daß $L_y^q(x)$ ein Unterraum von $L_y^p(x)$ ist. Es gelten also für jedes $x \in G_x^m$ die Inklusionen

$$L_y^q(x) \subset L_y^p(x) \subset R_y^n, \tag{2.4}$$

und für die entsprechenden Dimensionszahlen hat man $0 \leqq q \leqq p \leqq n$. Aus der Definition der Zahl q folgt, daß sie von x unabhängig ist.

Es erhebt sich nun die Frage: Unter welchen Bedingungen kann man behaupten, daß $p = q$, $L_y^q(x) = L_y^p(x)$ ist? Im folgenden werden wir sehen, daß dies jedenfalls für den extremen Fall $p = n$ gilt; dann ist auch $q = n$ und $L_y^q(x) \equiv L_y^p(x) \equiv R_y^n$. Dieser Fall bietet vom Standpunkt der Anwendungen der Theorie der partiellen Differentialgleichungen aus besonderes Interesse. Bei vielen Fragen der Differentialgeometrie und der mathematischen Physik ist es wichtig zu entscheiden, ob eine Differentialgleichung von der Form (2.1) Lösungen $y = y(x)$ zuläßt, bei *beliebiger* Wahl des Anfangswertes $y_0 = y(x_0)$. Die notwendige Bedingung dafür ist aber, daß der Wert $y = y_0$ in dem linearen Raum $L_y^p(x_0)$ liegt. Soll nun, bei festem x_0, der Funktionswert y_0 frei in R_y^n gewählt werden können, so muß $L_y^p(x) = R_y^n$ sein für jedes $x \in G_x^m$. Man hat es also mit dem extremen Fall $p = n$ zu tun.

Um die obige den Fall $p = n$ betreffende Behauptung zu beweisen, gehen wir wieder zu unserem allgemeinen Problem der Integration der Differentialgleichung (2.1) zurück.

2.7. Existenzsatz. In 2.4 wurde gezeigt, daß eine Funktion $y = y(x)$ $(y_0 = y(x_0))$ nur dann die Differentialgleichung (2.1) lösen kann, wenn die Integrabilitätsbedingung

$$R(x)\, h\, k\, y(x) \equiv \wedge \left(A'(x)\, h\, k - A(x)\, h\, A(x)\, k\right) y(x) = 0$$

für $x \in G_x^m$ und $h, k \in R_x^m$ gilt.

Andererseits läßt sich im Anschluß an dem Eindeutigkeitsbeweis in 2.2 folgendes schließen. Sei der Operator $A(x)$ in G_x^m stetig. Man fixiere in G_x^m einen beliebigen Punkt x und verbinde ihn mit dem Punkt x_0 durch eine Strecke $t = x_0 + \tau(x - x_0)$ $(0 \leqq \tau \leqq 1)$. Wie in 2.2 integriere man das Normalsystem (2.2) auf jener Strecke, mit dem Anfangswert $y(x_0) = y_0$. Man gelangt zu dem Punkt x mit einem wohlbestimmten Wert $y = y(x)$, und schließt, daß die so definierte in G_x^m eindeutige Funktion die einzige Lösung der Differentialgleichung (2.1) (mit der Anfangsbedingung $y_0 = y(x_0)$) ist, *sofern eine solche Lösung überhaupt existiert.*

Nach der Konstruktion dieser Funktion $y(x)$ löst sie aber die Differentialgleichung

$$dy = A(x)\, dx\, y$$

sicher dann, wenn die Vektoren dx und $x - x_0$ linear abhängig sind. Zum Nachweis der Lösbarkeit des vorgelegten Problems hat man also nur zu zeigen, daß das „Normalintegral" $y(x)$ der Differentialgleichung genügt, auch wenn dx von $x - x_0$ linear unabhängig ist.

Im folgenden soll gezeigt werden, daß dies tatsächlich der Fall ist, sofern folgende Bedingungen erfüllt sind:

1°. *Der Operator $A(x)$ ist in G_x^m stetig differenzierbar.*

2°. *Die Bilinearform*

$$B(x)\,h\,k \equiv R(x)\,h\,k\,y(x) \equiv \wedge\left(A'(x)\,h\,k - A(x)\,h\,A(x)\,k\right) y(x)$$

verschwindet für $x \in G_x^m$ und $h, k \in R_x^m$, wobei $y(x)$ das oben konstruierte „Normalintegral" bezeichnet.

2.8. Ausdruck des Operators $R(x)$. Für den Beweis werden wir einen Ausdruck für $R(x)$ herleiten, mit Hilfe des Operators $A(x)$ und einer *beliebigen* in G_x^m definierten zweimal differenzierbaren Funktion $y = y(x)$. Für einen gegebenen Vektor $h \in R_x^m$ bilden wir zunächst den Ausdruck

$$L(x)\,h \equiv y'(x)\,h - A(x)\,h\,y(x). \tag{2.5}$$

Das Differential von $L(x)\,h$, entsprechend einem Differential $dx = k$, ist

$$\begin{aligned} L'(x)\,k\,h &= \left(d\,y'(x)\right) h - \left(d\,A(x)\right) h\,y(x) - A(x)\,h\left(d\,y(x)\right) \\ &= y''(x)\,k\,h - A'(x)\,k\,h\,y(x) - A(x)\,h\,A(x)\,k\,y(x) - A(x)\,h\,L(x)\,k. \end{aligned}$$

Vertauscht man h und k, so ergibt sich hieraus, wegen der Symmetrie des Operators $y''(x)$,

$$\begin{aligned} &2\,R(x)\,h\,k\,y(x) \\ &= -\left(L'(x)\,h\,k - A(x)\,h\,L(x)\,k\right) + \left(L'(x)\,k\,h - A(x)\,k\,L(x)\,h\right). \end{aligned} \tag{2.6}$$

Das ist die gesuchte Identität. Sie zeigt, daß

$$R(x)\,h\,k\,y(x) = -\wedge\left(L'(x)\,h\,k - A(x)\,h\,L(x)\,k\right).$$

Falls insbesondere $R(x) = 0$, so ist der Operator

$$-\left(L'(x)\,h\,k - A(x)\;h\;L(x)\,k\right)$$

symmetrisch in h und k.

2.9. Existenzbeweis. Um zu zeigen, daß das Normalintegral $y(x)$ von 2.7 die Differentialgleichung (2.1) löst, haben wir zu beweisen, daß die Identität

$$L(x)\,k = y'(x)\,k - A(x)\,k\,y(x) = 0 \tag{2.7}$$

für jedes $x \in G_x^m$ und für ein beliebiges $k \in R_x^m$ gilt. Diese Behauptung setzt jedenfalls voraus, daß $y(x)$ differenzierbar ist; tatsächlich existiert sogar das zweite Differential $y''(x)\,h\,k$ für jedes k und jedes von $x - x_0$ linear abhängige h, und es gilt für solche Argumente h, k die Symmetrie $y''(x)\,h\,k = y''(x)\,k\,h$. Um die Beweisidee nicht zu unterbrechen, wird der Nachweis dieser Differenzierbarkeiten später gegeben (vgl. 2.20 Aufgaben 1—2).

Zum Beweis von (2.7) gehen wir davon aus, daß diese Beziehung für jedes von $x - x_0$ linear abhängige Differential k in Kraft ist; wählen wir also $k = x - x_0$, so gilt *identisch*

$$L(x)(x - x_0) = 0.$$

Nach Differentiation, entsprechend einem beliebigen Differential k, wird also

$$L'(x)\,k(x - x_0) + L(x)\,k = 0. \tag{2.8}$$

Im folgenden halten wir k zunächst fest. Sei dann $e \neq 0$ ein beliebiger Vektor und $x - x_0 = \lambda e$. Lassen wir $x - x_0$ auf der von e aufgespannten Gerade variieren, so wird $h = dx = d\lambda\, e$, wo das Differential h also jetzt von $x - x_0$ linear abhängt. Die Gl. (2.8) schreibt sich nun

$$\begin{aligned} d\lambda\,(L'(x)\,k(x - x_0) + L(x)\,k) &\\ = L'(x)\,k(d\lambda(x - x_0)) + d\lambda\, L(x)\,k &\\ = L'(x)\,k(\lambda h) + d\lambda\, L(x)\,k &\\ = \lambda L'(x)\,k\,h + d\lambda\, L(x)\,k = 0. & \end{aligned} \tag{2.9}$$

Andererseits ergibt die allgemeine Identität (2.6), wegen der Voraussetzung 2° von 2.7 und da wegen der linearen Abhängigkeit von h und $x - x_0$ die Gleichung $L(x)\,h = L(x)\,(x - x_0) = 0$ und somit $A(x)\,k\,L(x)\,h = 0$ gilt,

$$L'(x)\,k\,h = L'(x)\,h\,k - A(x)\,h\,L(x)\,k.$$

Setzt man dies in den Ausdruck (2.9) ein, so wird

$$\begin{aligned} 0 &= \lambda(L'(x)\,h\,k - A(x)\,h\,L(x)\,k) + d\lambda\, L(x)\,k \\ &= \lambda L'(x)\,h\,k + d\lambda\, L(x)\,k - A(x)\,h(\lambda L(x)\,k). \end{aligned}$$

Wir bezeichnen hier nun $u(x) \equiv \lambda L(x)\,k$. Für $x = x_0 + \lambda e$, $dx = h = d\lambda\, e$ wird dann $du(x) = \lambda L'(x)\,h\,k + d\lambda\, L(x)\,k$, und somit

$$du(x) = A(x)\,dx\,u(x).$$

Die Funktion $u(x)$ befriedigt also auf der von e aufgespannten Gerade die gegebene Differentialgleichung. Da aber $u(x_0) = 0$, so muß, wegen des Eindeutigkeitssatzes, $u(x)$ mit der trivialen Lösung $u(x) \equiv 0$ der Gl. (2.1) übereinstimmen, und es ergibt sich also die Behauptung

$$L(x)\,k \equiv y'(x)\,k - A(x)\,k\,y(x) \equiv 0.$$

Damit ist die Differentialgleichung (2.1) vollständig integriert, vorausgesetzt, daß der Operator $A(x)$ *stetig differenzierbar* ist (und daß die Integrabilitätsbedingung 2° gilt). Wir werden in 2.13—19 auf diese

Frage zurückkommen und zeigen, daß das konstruierte Normalintegral die Differentialgleichung (2.1) unter weniger speziellen Annahmen löst; es genügt z. B. die bloße Differenzierbarkeit von $A(x)$ vorauszusetzen.

Durch den obigen Existenzsatz wird auch die in 2.6 gestellte Frage beantwortet. Falls nämlich die Dimension p des Lösungsraumes $L_y^p(x)$ der Gleichung $R(x)\,h\,k\,y = 0$ gleich der Dimensionszahl n des Raumes R_y^n ist, so ist die Integrabilitätsbedingung $R(x)\,h\,k\,y = 0$ *identisch* in x, h, k und y erfüllt: der Operator

$$R(x) \equiv 0.$$

Wie immer der Anfangswert y_0 gewählt wird, ist also das entsprechende Normalintegral $y(x)$ eine Lösung. Der Lösungsraum $L_y^q(x)$ hat ebenfalls die Dimension n, und es ist $L_y^q(x) \equiv L_y^p(x) \equiv R_y^n$.

2.10. Differentialgleichungen mit konstanten Koeffizienten. Wir betrachten näher den Fall, wo der Operator $A(x) \equiv A$ *konstant*, d. h. von x unabhängig ist. Die Integrabilitätsbedingung der Gleichung $dy = A\,dx\,y$ lautet jetzt

$$R\,h\,k\,y \equiv \frac{1}{2}(A\,h\,A\,k\,y - A\,k\,A\,h\,y) = 0$$

oder kürzer

$$A\,h\,A\,k = A\,k\,A\,h. \tag{2.10}$$

Der Operator $A\,x$ definiert für jedes $x \in R_x^m$ eine lineare Selbstabbildung des Raumes R_y^n. Die Integrabilitätsbedingung spricht also aus, daß *das Produkt von zwei solchen Transformationen $A\,h$ und $A\,k$ vertauschbar ist.*

Um die Differentialgleichung $dy = A\,dx\,y$ unter dieser Voraussetzung zu integrieren, fixieren wir zwei Punkte x_0 und x des Raumes R_x^m und führen die Integration längs der Strecke $x_0\,x$ aus, indem dem Wert $x = x_0$ ein beliebiger Anfangswert $y_0 \in R_y^n$ zugeordnet wird. Nach der *Methode der sukzessiven Approximationen* (vgl. 1.10 Aufgaben 1—2) gelangt man im Punkte x mit dem Wert

$$y(x) = \sum_{j=0}^{\infty} A_j(x)\,y_0,$$

wo $A_0(x) \equiv I$ die identische Transformation ist und

$$A_j(x) = \int_{x_0\,x} A\,dt\,A_{j-1}(t) \qquad (j = 1, 2, \ldots).$$

Diese Integrale lassen sich sukzessive für $j = 1, 2, \ldots$ elementar berechnen. Man findet

$$A_j(x) = \frac{1}{j!}A(x - x_0)\ldots A(x - x_0) = \frac{1}{j!}(A(x - x_0))^j;$$

hier ist $(A\,x)^j$ die j-te Potenz des Operators $A\,x$, und es wird also

$$y(x) = f(x - x_0)\,y_0,$$

wobei $f(x)$ die lineare Selbstabbildung

$$f(x) = \sum_{j=0}^{\infty} \frac{(A\,x)^j}{j!} \qquad ((A\,x)^0 \equiv I) \tag{2.11}$$

des Raumes R_y^n bezeichnet.

Aus der oben entwickelten allgemeinen Theorie der linearen homogenen Differentialgleichung folgt, daß die im ganzen Raum R_x^m definierte Funktion $y(x) = f(x - x_0)\,y_0$ tatsächlich die gesuchte Lösung ist; sie ist durch den Anfangswert $y(x_0) = y_0$ eindeutig bestimmt. Im vorliegenden einfachen Fall sieht man dies auch direkt ein (vgl. II.1.13 Aufgabe 9). Die Operatorenreihe $f(x - x_0)$ und die durch gliedweise Differentiation von dieser erhaltene Reihe sind in jeder Kugel $|x - x_0| \leqq r < \infty$ gleichmäßig konvergent, und es ergibt sich, mit Rücksicht auf die Vertauschbarkeit der Operatorenmenge $A\,x$, daß

$$d\,f(x - x_0) = A\,dx\,f(x - x_0), \qquad d\,y(x) = d\big(f(x - x_0)\,y_0\big) = A\,dx\,y(x).$$

Der Operator $f(x)$ ist unendlich oft differenzierbar, es gilt für $dx = x$

$$d^j f(0) = (A\,dx)^j = (A\,x)^j$$

und der Differentialquotient $d^j f(0)/dx^j$ ist durch die Gleichung

$$\frac{d^j f(0)}{dx^j}\,x^j = (A\,x)^j$$

definiert. Die Entwicklung (2.11) ist die Maclaurinsche Entwicklung des Operators $f(x)$.

2.11. Funktionalgleichung. Es seien a, b, c drei Punkte des Raumes R_x^m. Wenn y_1, y_2, y_3 die drei entsprechenden Werte einer Lösung $y = y(x)$ der Differentialgleichung $dy = A\,dx\,y$ (A konstant) sind, so hat man

$$y_2 = f(b - a)\,y_1, \qquad y_3 = f(c - b)\,y_2 = f(c - a)\,y_1,$$

also $y_3 = f(c - b)\,f(b - a)\,y_1 = f(c - a)\,y_1$. Da diese Beziehung für jede Wahl des Anfangswertes y_1 besteht, so wird $f(c - a) = f(c - b)\,f(b - a)$ oder, falls $x_1 = b - a$, $x_2 = c - b$ gesetzt wird,

$$f(x_1 + x_2) = f(x_2)\,f(x_1) = f(x_1)\,f(x_2).$$

Da $f(0) = I$, so ergibt sich hieraus insbesondere, daß

$$f(x)\,f(-x) = I.$$

Die linearen Selbsttransformationen $f(x)$ sind also *regulär*, und es gilt

$$(f(x))^{-1} = f(-x).$$

Die Automorphismen $f(x)$ $(x \in R_x^m)$ bilden somit eine topologische Abelsche Gruppe[1].

2.12. Der Fall $m = n$. Eine interessante Frage ist, unter welchen Bedingungen die Lösung $y = y(x)$ der Differentialgleichung $dy = A\,dx\,y$ (A konstant) eine lokal, d. h. in der Umgebung jedes Punktes x, *eineindeutige* Abbildung $x \rightarrow y$ vermittelt. Aus der Theorie der impliziten Funktionen folgt (vgl. II.4.2), daß dies genau dann zutrifft, wenn die Ableitung $y'(x)$ regulär ist und eine eineindeutige Abbildung zwischen den Räumen R_x^m und R_y^n vermittelt. Dies impliziert aber, daß die Dimensionen m und n *gleich* sind.

Eine weitere Analyse des Problems zeigt, daß die Regularität von $y'(x)$ im Falle $m = n$ nur in den zwei niedersten Fällen $m = n = 1$ und $m = n = 2$ möglich ist. Im ersteren Fall hat man es im wesentlichen mit der elementaren reellen Exponentialfunktion zu tun. Im zweiten Fall ist $y(x)$ einfach periodisch, die Abbildung $x \rightarrow y$ ist dann mit der von der komplexen Exponentialfunktion vermittelten isomorph; durch geeignete Wahl der Koordinatensysteme in den x- und y-Ebenen kann man die Gleichung $y = y(x)$ auf die Form $w = a^z$ bringen, wo a reell und z und w komplexe Veränderliche sind.

Die Beweise dieser Behauptungen können an Hand der Aufgabe 6 in 2.20 geführt werden.

2.13. Verallgemeinerung des Existenzsatzes. Wir kehren zu der allgemeinen linearen Differentialgleichung

$$dy = A(x)\,dx\,y$$

zurück. In 2.7—9 wurde, *stetige Differenzierbarkeit des bilinearen Operators $A(x)$ vorausgesetzt*, gezeigt, daß das identische Verschwinden des Operators

$$R(x)\,h\,k \equiv \wedge\,\big(A'(x)\,h\,k - A(x)\,h\,A(x)\,k\big),$$

so daß also für jedes x in G_x^m, jedes Paar h, k aus R_x^m und jedes y aus R_y^n

$$R(x)\,h\,k\,y = 0,$$

hinreichend ist, damit die Differentialgleichung eine Lösung habe, die in einem beliebigen Punkt $x_0 \in G_x^m$ einen *beliebig* vorgegebenen Wert $y_0 \in R_y^n$ annimmt.

Diese Bedingung der „vollständigen" Integrabilität der vorliegenden Differentialgleichung soll im folgenden auf einem neuen Weg hergeleitet und zugleich verschärft werden[2].

2.14. Die Transformationen T_l und U_l. Unsere Methode gründet sich wesentlich auf gewisse allgemeine strukturelle Eigenschaften der

[1] Man vergleiche hierzu die Arbeit von G. Pólya [*1*].

[2] R. Nevanlinna [6, 7].

Integrale eines linearen Normalsystems. Es empfiehlt sich diese Gesetze vorbereitungsweise zusammenzustellen.

Wir beschränken unsere Betrachtung im folgenden auf ein konvexes Gebiet G_x^m, wo wir bis auf weiteres nur *Stetigkeit* von der Operatorfunktion $A(x)$ verlangen. Die Differentialgleichung läßt sich dann längs jeder orientierten und stückweise regulären Kurve l dieses Gebietes als Normalsystem integrieren. Hierbei kann der Anfangswert $y_1 \in R_y^n$ im Anfangspunkt $x = x_1$ von l beliebig vorgegeben werden, und man gelangt im Endpunkt $x = x_2$ von l mit einem wohlbestimmten Integralwert $y_2 \in R_y^n$. Aus der linearen Struktur der Differentialgleichung folgt bei Beachtung des Eindeutigkeitssatzes, daß der Endwert y_2 bei gegebenem l von dem Anfangswert y_1 *linear* abhängt; denn ist der dem Anfangswert $\bar{y}_1$ entsprechende Endwert des Integrals $\bar{y}_2$, so ist $\lambda y(x) + \bar{\lambda}\,\bar{y}(x)$ (λ und $\bar{\lambda}$ reell) das durch den Anfangswert $\lambda y_1 + \bar{\lambda}\,\bar{y}_1$ eindeutig bestimmte Normalintegral auf l, somit der diesem Anfangswert entsprechende Endwert $\lambda y(x_2) + \bar{\lambda}\,\bar{y}(x_2) = \lambda y_2 + \bar{\lambda}\,\bar{y}_2$.

Jeder orientierten und stückweise regulären Kurve l des Gebietes G_x^m ist hiernach eine wohlbestimmte *lineare Transformation* T_l des Raumes R_y^n zugeordnet: das durch den Anfangswert $y(x_1) = y_1$ längs l eindeutig bestimmte Integral $y(x)$ des Normalsystems $dy = A(x)\,dx\,y$ hat im Endpunkt x_2 von l den Endwert

$$y_2 = y_1 + \int_l d\,y(x) = T_l\,y_1.$$

Bezeichnet man mit I die identische Transformation des Raumes R_y^n, so ist also der Zuwachs des Integrals $y(x)$ längs l

$$\int_l d\,y(x) = \int_l A(x)\,dx\,y(x) = (T_l - I)\,y_1 = U_l\,y_1$$

ebenfalls eine lineare Transformation des Anfangswertes y_1.

Aus dem Eindeutigkeitssatz folgt, daß die Transformationen T_l folgende Eigenschaften haben:

1°. Sind $l_1 = x_1 x_2$, $l_2 = x_2 x_3$ zwei Wege und $l_2 l_1 = x_1 x_2 x_3$ der „Produktweg“, so ist

$$T_{l_2 l_1} = T_{l_2} T_{l_1}.$$

2°. Wenn $l^{-1} = x_2 x_1$ den zu $l = x_1 x_2$ reziproken Weg bezeichnet, der aus l durch Umorientierung entsteht, so ist

$$T_l\,T_{l^{-1}} = T_{l^{-1}}\,T_l = I.$$

Aus der zweiten Regel folgt insbesondere, daß die Transformationen T_l regulär sind: es existiert für jede Transformation T_l die inverse Transformation $T_l^{-1} = T_{l^{-1}}$.

Außer diesen Regeln gruppentheoretischer Art genügen die Transformationen T_l noch folgender metrischen Bedingung, die den Charakter einer „Lipschitz-Ungleichung" hat:

3°. Schränkt man die Wege l auf solche ein, die auf einem abgeschlossenen Teilbereich $\bar{G}$ von G_x^m sind und deren Bogenlängen $|l| \leqq \varrho_0 < \infty$, so existiert zu irgendwelchen Metriken der Räume R_x^m und R_y^n eine Konstante $M = M(\bar{G}, \varrho_0) > 0$, so daß die Norm der Transformation U_l der Ungleichung

$$|U_l| = |T_l - I| \leqq M|l|$$

genügt.

Diese Bedingung besagt, daß für den Zuwachs des mit dem Anfangswert y_1 längs l konstruierten Normalintegrals $y(x)$, für jeden Weg l auf $\bar{G}$ und jedes y_1 aus R_y^n, die Ungleichung

$$\left|\int_l dy(x)\right| = |y_2 - y_1| \leqq M|l||y_1|$$

besteht, sobald $|l| \leqq \varrho_0$ (vgl. 2.20 Aufgaben 3—4).

Einen geschlossenen orientierten Weg, dessen Anfangs- und Endpunkte im Punkte a der Kurve zusammenfallen, bezeichnen wir mit γ_a. Die entsprechende Transformation $U_{\gamma_a} = U_a$ gibt dann für jedes $y_1 \in R_y^n$ den Zuwachs

$$U_a y_1 = \int_{\gamma_a} dy(x)$$

des mit dem Anfangswert y_1 in a herumintegrierten Normalintegrals $y(x)$. Nimmt man statt a einen anderen Anfangs- und Endpunkt b, dem die Transformation $U_{\gamma_b} = U_b$ entspricht, und bezeichnet man das (mit γ gleichorientierte) Randstück von a bis b mit l, so bestehen offenbar infolge der Regeln 1° und 2° die Relationen

$$U_b = T_l U_a T_{l^{-1}}, \qquad U_a = T_{l^{-1}} U_b T_l. \tag{2.12}$$

Hieraus folgt insbesondere: Falls U_a für ein a auf γ die Nulltransformation des Raumes R_y^n darstellt, so ist dies für jede Wahl des Anfangspunktes der Fall, somit

$$\int_\gamma dy(x) = \int_\gamma A(x)\,dx\,y(x) = 0,$$

wie man auch den Anfangswert des Normalintegrals $y(x)$ in einem beliebigen Punkt der geschlossenen Kurve γ annehmen mag.

Neben (2.12) werden wir im folgenden eine weitere Transformationsformel benutzen, die ebenfalls eine unmittelbare Folge der Regeln 1° und 2° ist.

Auf einer orientierten geschlossenen Kurve γ nehmen wir in Orientierungsfolge p Punkte $x_1, \ldots, x_p$, wobei wir einen vollen Umlauf von γ z. B. in x_1 anfangen und beenden. Diese Punkte verbinden wir mit einem Punkt x_0, außerhalb oder auf γ, mittels Kurven $l_i = x_0\, x_i$. Die Kurven l_i, l_{i+1} (i modulo p) und der Bogen $x_i\, x_{i+1}$ von γ bilden dann eine geschlossene Kurve γ_i, die wir in der Reihenfolge $x_0\, x_i\, x_{i+1}\, x_0$ von x_0 bis x_0 beschreiben. Dann ist ($T_{\gamma_i} = T_i$, $U_{\gamma_i} = U_i$ und $T_{l_1} = T_l$ gesetzt)

$$T_\gamma = T_l\, T_p \dots T_1\, T_{l^{-1}}.$$

Wird hier $T_i = I + U_i$ eingeführt, so erhält man für $U_\gamma = T_\gamma - I$ die Entwicklung

$$U_\gamma = T_l \left(\sum_{i=1}^{p} S_i \right) T_{l^{-1}}, \tag{2.13}$$

wo

$$S_i = \sum U_{j_1} \dots U_{j_i},$$

genommen über alle Kombinationen $p \geqq j_1 > \dots > j_i \geqq 1$. Weil die Produkte der Transformationen U im allgemeinen nicht kommutativ sind, so müssen die Faktoren in den einzelnen Gliedern dieser Summe in der angegebenen Reihenfolge genommen werden.

2.15. Die Integrabilitätsbedingung $U_\gamma = 0$. Nach dieser Vorbereitung beweisen wir den

Hilfssatz 1. *Falls der Operator $A(x)$ im konvexen Gebiet G_x^m stetig ist, so ist für die vollständige Integrabilität der Differentialgleichung*

$$dy = A(x)\, dx\, y$$

notwendig und hinreichend, daß die Transformation

$$U_\gamma = 0$$

für jede geschlossene und stückweise reguläre Kurve γ in G_x^m.

Aus der Formel (2.12) folgt, wie bereits bemerkt wurde, daß es bei dieser Bedingung gleichgültig ist, in welchem Punkt von γ man den Umlauf beginnt.

Die Bedingung ist offenbar notwendig. Denn konstruiert man dasjenige Normalintegral der Differentialgleichung, das in einem Punkt x_0 der Kurve den beliebig vorgegebenen Wert y_0 annimmt, so ist der Zuwachs dieses Normalintegrals bei einem Umlauf

$$\int_\gamma dy(x) = U_\gamma\, y_0.$$

Andererseits muß, bei vollständiger Integrabilität der Differentialgleichung, dieses Normalintegral infolge des Eindeutigkeitssatzes auf γ mit derjenigen Lösung übereinstimmen, die in x_0 den Wert y_0 annimmt; und da diese Lösung in G_x^m eindeutig ist, so ist der oben berechnete Zuwachs in der Tat für jedes $y_0 \in R_y^n$ gleich Null.

Die Bedingung ist auch hinreichend. Um dies einzusehen, integrieren wir, wie früher in 2.7, in einem Punkt $x_0 \in G_x^m$ mit einem beliebigen Anfangswert y_0 beginnend, die Differentialgleichung als Normalsystem längs der Strecke $x_0\, x$. Man erhält so eine in G_x^m wohlbestimmte Funktion $y(x)$ als die einzig mögliche Lösung der Differentialgleichung mit der Eigenschaft $y(x_0) = y_0$.

Die Integrabilitätsbedingung des Hilfssatzes vorausgesetzt, genügt nun diese Funktion in der Tat unserer Differentialgleichung. Zum Beweis seien x und $x + h$ zwei beliebige Punkte des Gebietes G_x^m und $\gamma = x\, x_0\, (x + h)\, x$ der von x aus in die angegebene Richtung beschriebene Rand des von den Punkten x_0, x und $x + h$ bestimmten Dreieckes. Auf diesem Rand sei $\bar{y}(t)$ das Normalintegral mit dem Anfangswert $\bar{y}(x) = y(x)$ für $t = x$. Infolge des Eindeutigkeitssatzes ist dann $\bar{y}(t) = y(t)$ auf dem ganzen Polygonzug $x\, x_0\, (x + h)$, folglich der Zuwachs längs diesem Polygonzug

$$\Delta\, y = y(x + h) - y(x) = \bar{y}(x + h) - \bar{y}(x) = \int\limits_{x\, x_0\, (x + h)} d\, \bar{y}(t) .$$

Nach der Integrabilitätsbedingung ist aber

$$U_\gamma\, y(x) = U_\gamma\, \bar{y}(x) = \int\limits_\gamma d\, \bar{y}(t) = 0 ,$$

somit

$$\Delta\, y = \int\limits_{x\, x_0\, (x + h)} d\, \bar{y}(t) = \int\limits_{x\, (x + h)} d\, \bar{y}(t) = \int\limits_{x\, (x + h)} A(t)\, d\, t\, \bar{y}(t) ,$$

so daß, wegen der Stetigkeit von $A(t)$ für $t = x$,

$$\Delta\, y = A(x)\, h\, \bar{y}(x) + |h|\, (h;\, x) = A(x)\, h\, y(x) + |h|\, (h;\, x)$$

wird, mit $|(h;\, x)| \to 0$ für $|h| \to 0$. Für jedes $x \in G_x^m$ und jedes $h = d\, x \in R_x^m$ ist hiernach

$$d\, y(x) = A(x)\, d\, x\, y(x) ,$$

w. z. b. w.

Bemerkung. Wie aus dem zweiten Teil des obigen Beweises hervorgeht, kann man sich bei der Integrabilitätsbedingung $U_\gamma = 0$ auf die Ränder γ von *Dreiecken* des Gebietes G_x^m einschränken; sie ist dann auch für jede andere geschlossene, stückweise reguläre Kurve des Gebietes in Kraft.

2.16. Reduktion der Integrabilitätsbedingung $U_\gamma = 0$. Die obige Integrabilitätsbedingung betrifft das Verhalten des Operators $A(x)$,,im Großen". Der Kernpunkt unserer Lösungsmethode besteht darin, daß diese Bedingung mit Hilfe der bereits in II.1.8 und III.2.7—8 benutzten ,,Goursatschen Idee" durch eine äquivalente lokale differentielle Bedingung ersetzt werden kann, die das Verhalten von $A(x)$ in jedem Punkte des Gebietes G_x^m betrifft.

Es sei hierzu x_0 ein Punkt von G_x^m und γ der Rand eines Dreiecks $s = s(x_1, x_2, x_3)$, das diesen Punkt enthält. Wir setzen $x_2 - x_1 = h$, $x_3 - x_1 = k$ und bezeichnen mit $\Delta = D\,h\,k$ die reelle Grundform der Ebene E von s, so daß Δ den orientierten (affinen) Inhalt des Dreiecks darstellt. Besteht nun die Integrabilitätsbedingung des Hilfssatzes 1, so ist $U_\gamma/\Delta = 0$ und es existiert trivialerweise die Grenztransformation

$$\lim \frac{U_\gamma}{\Delta} = 0,$$

wenn das Dreieck in der beliebigen aber festen Ebene E gegen x_0 konvergiert, so daß die größte Seitenlänge $\delta \to 0$.

Dieses evidente Sachverhältnis kann nun umgekehrt werden, wobei man sich sogar auf *reguläre* Konvergenz $\delta \to 0$ beschränken kann, bei der δ^2/Δ jeweils unter einer endlichen Grenze bleibt. Es besteht nämlich der

Hilfssatz 2. *Es sei der Operator $A(x)$ in G_x^m stetig und so beschaffen, daß für jeden Punkt x_0 dieses Gebietes und in jeder festen Ebene E durch x_0*

$$\lim \frac{U_\gamma}{\Delta} = 0, \tag{2.14}$$

wenn das Dreieck $s = s(x_1, x_2, x_3)$ mit dem Rand γ in E gegen $x_0 \in s$ regulär konvergiert $(\Delta = D\,h\,k,\ h = x_2 - x_1,\ k = x_3 - x_1)$.

Dann gilt die Integrabilitätsbedingung des Hilfssatzes 1 für jede geschlossene, stückweise reguläre Kurve im Gebiet G_x^m.

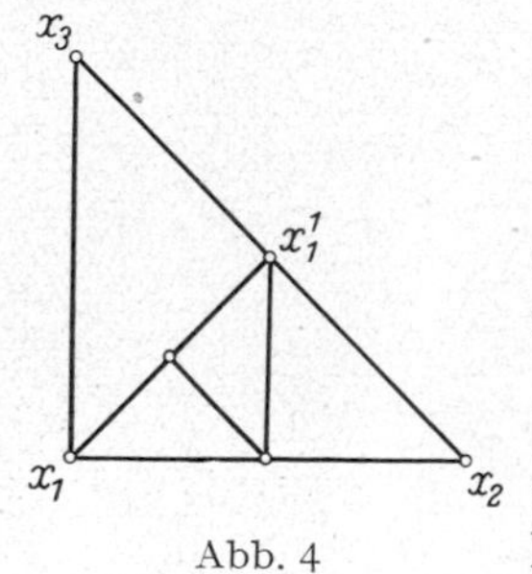

Abb. 4

Beweis. Nach der Schlußbemerkung in 2.15 genügt es zu zeigen, daß die Integrabilitätsbedingung $U_\gamma = 0$ für jedes Dreieck in G_x^m besteht.

Sei also $s_0 = s_0(x_1, x_2, x_3)$ ein solches Dreieck. Um die Behauptung $U_0 \equiv U_\gamma = 0$ für den Rand $\gamma = x_1 x_2 x_3 x_1$ nachzuweisen, metrisieren wir den Raum R_x^m euklidisch, so daß s_0 rechtwinklig gleichschenklig wird, mit dem rechten Winkel in x_1, und bezeichnen mit M die Konstante $M(s_0, \varrho_0)$ des Postulates 3° von 2.14, wobei $\varrho_0 = 2\delta_0 = 2|x_3 - x_2|$ (vgl. Abb. 4).

Wir zerlegen s_0 durch das Lot $l = x_1^1 x_1$ gegen die Hypothenuse $x_3 x_2$ in zwei kongruente Dreiecke s_1 und s_1' mit den Rändern $\gamma_1 = x_1^1 x_1 x_2 x_1^1$ und $\gamma_1' = x_1^1 x_3 x_1 x_1^1$. Setzt man $U_{\gamma_1} = U_1$, $U_{\gamma_1'} = U_1'$, so wird nach (2.13)

$$U_0 = T_l\, U\, T_{l^{-1}},$$

wo

$$U = U_1 + U_1' + U_1' U_1.$$

Nach der Bedingung 3° ist hier

$$|T_l| \leqq 1 + |U_l| \leqq e^{|U_l|} \leqq e^{M|l|} = e^{M\delta_0/2}, \qquad |T_{l-1}| \leqq e^{M\delta_0/2}.$$

Ferner gilt, falls $|U_1|$ die größere der Normen $|U_1|$, $|U_1'|$ ist,

$$|U| \leqq |U_1| + |U_1'| + |U_1'||U_1| \leqq 2|U_1|\left(1 + \frac{|U_1|}{2}\right) \leqq 2|U_1| e^{|U_1|/2}$$

$$\leqq 2|U_1| e^{M|\gamma_1|/2} \leqq 2|U_1| e^{M\delta_0},$$

und es wird also

$$|U_0| \leqq |T_l||U||T_{l-1}| \leqq 2|U_1| e^{2M\delta_0}.$$

Sind nun $\varDelta_0$ und $\varDelta_1 = \varDelta_0/2$ die Inhalte der Dreiecke s_0 bzw. s_1, so ergibt sich hieraus

$$\frac{|U_0|}{\varDelta_0} \leqq \frac{|U_1|}{\varDelta_1} e^{2M\delta_0}.$$

Dieses Verfahren läßt sich unbeschränkt wiederholen. Man erhält so eine Folge von Dreiecken $s_0 \supset s_1 \supset \cdots \supset s_j \supset \cdots$, und es existiert ein wohlbestimmter Grenzpunkt $x_0 \in s_j$ $(j = 0, 1, \ldots)$. Bezeichnet $\delta_j = \delta_0/2^{j/2}$ die Länge der Hypothenuse und $\varDelta_j$ den Inhalt von s_j, so ergibt die obige Ungleichung nach j Iterationen

$$\frac{|U_0|}{\varDelta_0} \leqq \frac{|U_j|}{\varDelta_j} e^{2M(\delta_0 + \cdots + \delta_{j-1})} \leqq \frac{|U_j|}{\varDelta_j} e^{7M\delta_0}.$$

Die Dreiecke s_j konvergieren (regulär) gegen den Grenzpunkt $x_0 \in s_0$, und da der Quotient $|U_j|/\varDelta_j$ nach der Voraussetzung (2.14) hierbei gegen Null konvergiert, so ist $U_0 = U_\gamma = 0$, w. z. b. w.

2.17. Erweiterung der Definition des Operators $R(x)$. Die Hilfssätze 1 und 2 haben, bloße Stetigkeit des Operators $A(x)$ vorausgesetzt, die notwendige und hinreichende Bedingung (2.14) für die vollständige Integrabilität unserer Differentialgleichung geliefert. Es soll jetzt diese Bedingung in Beziehung zu der früheren in 2.13 zitierten hinreichenden Bedingung $R(x) \equiv 0$ gestellt werden.

Dieser Zusammenhang erhellt aus dem folgenden

Hilfssatz 3. *Es sei der Operator $A(x)$ in einer Umgebung des Punktes x_0 stetig und in diesem Punkt differenzierbar.*

Ist dann $s = s(x_1, x_2, x_3)$ ein den Punkt x_0 enthaltendes Dreieck $(\partial s = \gamma)$ der genannten Umgebung und δ die größte Seitenlänge, so besteht die Beziehung $(x_2 - x_1 = h,\ x_3 - x_1 = k)$

$$\begin{aligned} U_\gamma &= R(x_0)\,h\,k + \delta^2(\delta) \\ &= \wedge\,(A'(x_0)\,h\,k - A(x_0)\,h\,A(x_0)\,k) + \delta^2(\delta), \end{aligned} \tag{2.15}$$

wo (δ) eine lineare Transformation des Raumes R_y^n bezeichnet, deren Norm für $\delta \to 0$ gegen Null konvergiert.

Hierbei ist die Orientierung des Randes $\partial s = \gamma$ durch die obige Reihenfolge der Eckpunkte bestimmt, während der Anfangspunkt beliebig angenommen werden kann. Wird also die Differentialgleichung $dy = A(x)\,dx\,y$, mit dem Anfangswert y_0 in einem beliebigen Randpunkt, als Normalsystem längs dem in genannter Weise orientierten Rand ∂s einmal herumintegriert, so ist für jedes $y_0 \in R_y^n$ der Zuwachs des Normalintegrals $y(x)$

$$U_\gamma y_0 = \int_{\partial s} dy(x) = \int_{\partial s} A(x)\,dx\,y(x) = R(x_0)\,h\,k\,y_0 + \delta^2(\delta)\,y_0. \quad (2.16)$$

Um den Gang unseres Existenzbeweises nicht zu unterbrechen, werden wir den Beweis des Hilfssatzes später in 2.19 bringen.

Die Formel (2.16) führt zu einer Verallgemeinerung der Definition des trilinearen Operators $R(x)$, die zu der in III.2.6 gegebenen Erweiterung der Definition des Rotors analog ist. In der Tat ist die linke Seite dieser Formel für jedes x_0 enthaltende Dreieck s des Raumes R_x^m und jedes $y_0 \in R_y^n$ sinnvoll bloße Stetigkeit des Operators $A(x)$ vorausgesetzt, und $R(x_0)\,h\,k\,y_0$ kann somit eindeutig erklärt werden durch die Forderung der Trilinearität und des Bestehens der Relation (2.16) für jedes Dreieck s.

Nach obigem stimmt diese Erklärung mit der früheren Definition

$$R(x_0)\,h\,k\,y_0 = \wedge\left(A'(x_0)\,h\,k - A(x_0)\,h\,A(x_0)\,k\right)y_0$$

überein, wenn der Operator $A(x)$ in einer Umgebung des Punktes x_0 stetig und überdies in x_0 *differenzierbar* ist. Hingegen setzt die erweiterte Definition nur die Möglichkeit der normalen Integration der Differentialgleichung $dy = A(x)\,dx\,y$ längs stückweise regulären Kurven voraus, und kann somit auch bei der bloßen Voraussetzung der Stetigkeit von $A(x)$ unter Umständen sinnvoll sein.

2.18. Existenzsatz. Faßt man die Ergebnisse der Hilfssätze 1, 2 und 3 zusammen, so ergibt sich folgender Existenzsatz, wobei der Operator $R(x)$ im Sinne der oben gegebenen erweiterten Definition zu nehmen ist.

Satz. *Es sei der bilineare Operator $A(x)$ im konvexen Gebiet G_x^m des Raumes R_x^m stetig.*

Damit die Differentialgleichung

$$dy = A(x)\,dx\,y$$

für jedes x_0 aus G_x^m und ein beliebiges y_0 aus R_y^n eine Lösung besitze, die für $x = x_0$ den Wert y_0 annimmt, ist notwendig und hinreichend, daß der Operator $R(x)$ in G_x^m existiert und identisch verschwindet, so daß folglich für beliebige Vektoren h und k des Raumes R_x^m und jedes y aus R_y^n

$$R(x)\,h\,k\,y = 0.$$

Falls $A(x)$ insbesondere in jedem Punkt des Gebietes G_x^m differenzierbar ist, so wird

$$R(x)\,h\,k\,y = \wedge\,(A'(x)\,h\,k - A(x)\,h\,A(x)\,k)\,y,$$

und das identische Verschwinden dieses Ausdruckes ist notwendig und hinreichend für die vollständige Integrabilität der Differentialgleichung.

Der zweite Teil dieses Satzes gibt in verschärfter Fassung den in 2.13 erwähnten und bereits in 2.7—9 nach einer anderen Methode bewiesenen Existenzsatz, wobei *stetige* Differenzierbarkeit des Operators $A(x)$ vorausgesetzt wurde. Unsere zweite, auf die Goursatsche Idee fußende Beweismethode zeigt, daß die Forderung der Stetigkeit der Ableitung $A'(x)$ überflüssig ist. Diese Verschärfung ist bekanntlich auch in anderen Zusammenhängen, z. B. beim Beweis des Cauchyschen Integralsatzes der Funktionentheorie, als Folgerung der Goursatschen Idee typisch.

2.19. Beweis des Hilfssatzes 3. Es erübrigt den Beweis des Hilfssatzes 3 zu bringen, was jetzt mit Beibehaltung der in 2.17 eingeführten Bezeichnungen geschehen soll.

Es sei $\bar{G}$: $|x - x_0| \leqq r$ eine abgeschlossene Umgebung des Punktes x_0, auf der $A(x)$ stetig ist. Sei ferner $M = M(\bar{G}, 3\sqrt{3}\,r)$ die Lipschitz-Konstante der Bedingung 3° von 2.14 in bezug auf diesen Bereich und die benutzten (etwa euklidischen) Hilfsmetriken der Räume R_x^m und R_y^n. Da jedes Dreieck $s \subset \bar{G}$ eine Randlänge $\leqq 3\sqrt{3}\,r$ hat, so ist die Bedingung 3° für alle solchen Dreiecke in Kraft.

Zum Beweis bemerken wir zunächst, daß es für das Bestehen der Gl. (2.15) des Hilfssatzes belanglos ist, wie man den Anfangspunkt der normalen Integration längs dem Rand γ des betrachteten Simplexes s annimmt. Denn ist diese Gleichung mit einem Anfangspunkt a für die Transformation $U_{\gamma_a} = U_a$ richtig, so besteht sie auch mit einem beliebigen anderen Anfangspunkt b für die entsprechende Transformation $U_{\gamma_b} = U_b$. Aus

$$U_a = R(x_0)\,h\,k + \delta^2(\delta)$$

folgt nämlich gemäß der Formel (2.12), wenn l das mit γ gleichorientierte Randstück von a bis b bezeichnet,

$$U_b = T_l\,U_a\,T_{l^{-1}} = R(x_0)\,h\,k + \delta^2\,T_l\,(\delta)\,T_{l^{-1}},$$

und hier ist nach der Bedingung 3°

$$|T_l\,(\delta)\,T_{l^{-1}}| \leqq |T_l|\,|T_{l^{-1}}|\,|(\delta)| \leqq (1 + M\,|\gamma|)^2\,|(\delta)|$$
$$\leqq (1 + 3\sqrt{3}\,M\,r)^2\,|(\delta)|.$$

Man kann somit den Anfangspunkt z. B. jeweils in den Eckpunkt x_1 verlegen, so daß, mit der im Hilfssatz vorausgesetzten Orientierung, $\gamma = x_1 x_2 x_3 x_1$ wird.

Eine weitere Vereinfachung folgt aus der Formel (2.13). Nimmt man in dieser Formel als Verbindungskurven l_i die Strecken $x_0 x_i$ $(i = 1, 2, 3)$, welche das Dreieck $s = s(x_1, x_2, x_3)$ in drei mit s gleichorientierte Teilsimplexe s_i zerlegen mit den Rändern $\gamma_i = x_0 x_i x_{i+1} x_0$ (i modulo 3), setzt man ferner $U_{\gamma_i} = U_i$ und $l_1 = l$, so wird auf Grund dieser Formel

$$U_\gamma = \sum_{i=1}^{3} T_l U_i T_{l^{-1}} + T_l V T_{l^{-1}} \tag{2.17}$$

mit

$$V = U_3 U_2 + U_3 U_1 + U_2 U_1 + U_3 U_2 U_1.$$

Gesetzt, es sei der Hilfssatz für die Transformationen U_i bewiesen, also

$$U_i = R(x_0) h_i h_{i+1} + \delta^2 (\delta)_i \qquad (h_i = x_i - x_0) \tag{2.18}$$

mit $|(\delta)_i| \to 0$ für $\delta \to 0$, so wird

$$T_l U_i T_{l^{-1}} = R(x_0) h_i h_{i+1} + \delta^2 T_l (\delta)_i T_{l^{-1}},$$

wo wegen $|l| \leqq \delta$ nach der Bedingung 3°

$$\begin{aligned} |T_l (\delta)_i T_{l^{-1}}| &\leqq |T_l| |T_{l^{-1}}| |(\delta)_i| \leqq (1 + M\delta)^2 |(\delta)_i| \\ &\leqq (1 + 2Mr)^2 |(\delta)_i|. \end{aligned}$$

Da die Dreiecke s_i mit s gleichorientiert sind, so folgt hieraus bei Beachtung der Additivität des alternierenden Operators $R(x_0) h k$ $(h = x_2 - x_1,\ k = x_3 - x_1)$

$$\sum_{i=1}^{3} T_l U_i T_{l^{-1}} = R(x_0) h k + \delta^2 (\delta)$$

mit $|(\delta)| \to 0$ für $\delta \to 0$, während sich aus (2.18) für das zweite Glied rechts in (2.17) die Abschätzung

$$|T_l V T_{l^{-1}}| < K \delta^4$$

(mit einer von δ unabhängigen Konstante K) ergibt. Zusammenfassend folgt also aus (2.17) in Verbindung mit (2.18) die behauptete Gleichung

$$U_\gamma = R(x_0) h k + \delta^2 (\delta)$$

des Hilfssatzes 3, dessen Beweis sich somit auf die Herleitung der Gln. (2.18) reduziert, unter Voraussetzung der Differenzierbarkeit des Operators $A(x)$ in dem gemeinsamen *Eckpunkt* x_0 der Teilsimplexe s_i.

Wir betrachten hierzu für ein beliebiges y_0 des Raumes R_y^n das Integral

$$U_i y_0 = \int_{\gamma_i} d y(x) = \int_{\gamma_i} A(x) \, d x \, y(x),$$

wo $y(x)$ das Normalintegral unserer Differentialgleichung längs γ_i mit dem Anfangswert y_0 in x_0 bezeichnet. Gemäß Voraussetzung ist in der Umgebung von x_0

$$A(x) = A(x_0) + A'(x_0)(x - x_0) + |x - x_0| (x - x_0; x_0),$$

wo $(x - x_0; x_0)$ ein bilinearer Operator ist, dessen Norm für $|x - x_0| \to 0$ verschwindet, somit auf γ_i für $\delta \to 0$ gleichmäßig gegen Null konvergiert. Wird dies in dem obigen Ausdruck für $U_i y_0$ eingesetzt, so folgt, bei Beachtung von 3° in 2.14,

$$U_i y_0 = \int_{\gamma_i} A(x_0) \, d x \, y(x) + \int_{\gamma_i} A'(x_0)(x - x_0) \, d x \, y(x) + \delta^2(\delta; y_0),$$

mit $|(\delta; y_0)| \to 0$ für $\delta \to 0$. Hier kann infolge der Stetigkeit von $A(x)$ und des Normalintegrals $y(x)$ auf dem Rand γ_i

$$y(x) = y_0 + \int_{x_0 x} A(t) \, d t \, y(t) = y_0 + A(x_0)(x - x_0) \, y_0 + \delta(\delta; x, y_0)$$

eingeführt werden, wo die Norm des Vektors $(\delta; x, y_0)$ $(x \in \gamma_i)$ gleichmäßig für $\delta \to 0$ verschwindet. Man erhält so

$$U_i y_0 = \int_{\gamma_i} A(x_0) \, d x \, y_0$$
$$+ \int_{\gamma_i} \left(A(x_0) \, d x \, A(x_0)(x - x_0) + A'(x_0)(x - x_0) \, d x\right) y_0 + \delta^2(\delta)_i \, y_0,$$

wo die Norm der linearen Transformation $(\delta)_i$ für $\delta \to 0$ gegen Null konvergiert.

Hier verschwindet das erste Integral rechts. Das zweite kann entweder direkt elementar berechnet oder mit Hilfe der Stokesschen Differentialformel ausgewertet werden. Man findet

$$U_i y_0 = \wedge \left(A'(x_0) \, h_i \, h_{i+1} - A(x_0) \, h_i \, A(x_0) \, h_{i+1}\right) y_0 + \delta^2(\delta) \, y_0,$$

und da dies für jedes $y_0 \in R_y^n$ besteht, so gilt die Formel (2.18) für $i = 1, 2, 3$.

Hiermit ist der Hilfssatz 3 bewiesen, und die Darstellung unserer zweiten Lösungsmethode der linearen Differentialgleichung

$$d y = A(x) \, d x \, y$$

ist zum Abschluß gebracht.

2.20. Aufgaben. 1. Integriert man die Differentialgleichung

$$dy = A(x)\,dx\,y \qquad (x \in R_x^m,\ y \in R_y^n),$$

wo der bilineare Operator $A(x)$ in dem in bezug auf x_0 sternförmigen Gebiet $G_x^m (\subset R_x^m)$ stetig differenzierbar ist, geradlinig von x_0 bis x mit einem Anfangswert $y_0 = y(x_0)$, so ist (vgl. 1.10 Aufgabe 2) die so erhaltene Funktion

$$y(x) = \sum_{i=0}^{\infty} A_i(x)\,y_0$$

in G_x^m stetig differenzierbar, und es gilt

$$dy(x) = y'(x)\,dx = \sum_{i=1}^{\infty} A_i'(x)\,dx\,y_0.$$

2. Unter den Voraussetzungen der Aufgabe 1 hat die Funktion $y = y(x)$ für jedes $k \in R_x^m$ und für ein von $x - x_0$ linear abhängiges h ein zweites Differential $y''(x)\,h\,k = y''(x)\,k\,h$.

Anleitung. Nach der Konstruktion von $y(x)$ gilt $dy(x) = y'(x)\,h = A(x)\,h\,y(x)$ für jedes von $x - x_0$ linear abhängige h. Setzt man $h = x - x_0$, so gilt also die Identität

$$y'(x)\,(x - x_0) = A(x)\,(x - x_0)\,y(x).$$

Für ein beliebiges $dx = k$ wird also, da $y(x)$ differenzierbar ist,

$$d\big(y'(x)\,(x - x_0)\big) = A'(x)\,k(x - x_0)\,y(x) + A(x)\,k\,y(x) + A(x)\,(x - x_0)\,y'(x)\,k.$$

Hieraus schließt man unter Anwendung der Definition des Differentials, daß auch $y''(x)\,k\,(x - x_0)$ existiert und gleich $d\big(y'(x)\,(x - x_0)\big) - y'(x)\,k$ ist. Da y'' ein bilinearer Operator ist, so existiert also das Differential $y''(x)\,k\,h$ für ein beliebiges k und jedes h, das von $x - x_0$ linear abhängt. Aus dem Ausdruck von $y''(x)\,k\,h$ folgt ferner, daß er eine stetige Funktion von x ist. Aus dem Schwarzschen Satz (vgl. II.3.4) ergibt sich schließlich, daß für die erwähnten Vektoren h und k, auch $y''(x)\,h\,k$ existiert und gleich $y''(x)\,k\,h$ ist.

3. Es sei $A(x)\,dx\,y \in R_y^n$ $(x \in R_x^m,\ y \in R_y^n)$ eine Bilinearfunktion, so daß der Operator $A(x)$ in dem Gebiet $G_x^m (\subset R_x^m)$ stetig ist. Die Zahl $|A|$ bezeichne das Maximum der Norm $|A(x)|$ auf einem abgeschlossenen Teilbereich $\overline{G}$ von G_x^m. Man integriere die Differentialgleichung

$$dy = A(x)\,dx\,y$$

längs einem stückweise regulären Weg $l \subset \overline{G}$, der den Punkt $x = x_1$ mit $x = x_2$ verbindet, so daß $y(x_1) = y_1$. Wenn der Endwert des Integrals $y = y(x)$ gleich $y_2 = y(x_2)$ ist, so gilt

$$|y_2| \leqq |y_1|\,e^{|A|\,|l|} \qquad (|l| = \text{Länge von } l).$$

Anleitung. Die Behauptung ist für $y_1 = 0$ trivial. Für $y_1 \neq 0$ ist das Integral $y(x) \neq 0$ in jedem Punkt x der Kurve l. Aus

$$d|y| \leqq |dy| = |A(x)\,dx\,y| \leqq |A|\,|dx|\,|y|$$

folgt durch Division mit $|y| \neq 0$

$$\frac{d|y|}{|y|} \leqq |A|\,|dx|,$$

woraus sich die Behauptung vermittels Integration längs l von x_1 bis x_2 ergibt.

4. Unter den Voraussetzungen der vorigen Aufgabe ist

$$|y_2 - y_1| \leq (e^{|A|\,|l|} - 1)\,|y_1|$$

und also, für $|l| \leqq \varrho_0$,

$$|y_2 - y_1| \leqq M\,|l|\,|y_1|,$$

wo

$$M = \frac{e^{|A|\,\varrho_0} - 1}{\varrho_0}.$$

5. Man betrachte die Differentialgleichung

$$d\,y = A(x)\,d\,x\,y \qquad (x \in R_x^m,\ y \in R_y^n),$$

wo $A(x)$ ein in einem konvexen Gebiet $G_x^m (\subset R_x^m)$ differenzierbarer Operator ist, mit der Eigenschaft

$$\operatorname{rot} A(x)\,h\,k = \bigwedge A'(x)\,h\,k = 0$$

für jedes $x \in G_x^m$ und $h, k \in R_x^m$. Die Bedingung für die vollständige Integrabilität lautet dann

$$A(x)\,h\,A(x)\,k = A(x)\,k\,A(x)\,h.$$

Man zeige, daß die Lösung $y = y(x)\ (y(x_0) = y_0)$ in die Reihe

$$y(x) = \sum_{i=0}^{\infty} \frac{(B(x))^i}{i!}\,y_0$$

entwickelt werden kann, wo $B(x)$ die Integralfunktion

$$B(x) = \int_{x_0 x} A(x)\,d\,x$$

bezeichnet.

6. Es sei der konstante Bilinearoperator A so beschaffen, daß die nicht identisch verschwindenden Lösungen $y = y(x)$ der Differentialgleichung $d\,y = A\,d\,x\,y\ (x, y \in R^n)$ eine lokal eineindeutige Abbildung $x \to y$ vermitteln. Dann ist die Dimension $n = 1$ oder $n = 2$, und $y(x)$ ist mit der reellen oder komplexen Exponentialfunktion isomorph.

Anleitung. Jede Lösung $y(x)$ der Aufgabe ist $\neq 0$. Wenn nämlich $y(x_0) = 0$, so ergibt sich aus der Darstellung $y(x) = f(x)\,y(0)$ mit

Rücksicht auf die Funktionalgleichung der Transformation $f(x)$, daß $y(x) = f(x)\, y(0) = f((x - x_0) + x_0)\, y(0) = f(x - x_0)\, f(x_0)\, y(0) = f(x - x_0)\, y(x_0) = 0$ (vgl. 2.11), und $y(x)$ würde also identisch verschwinden (vgl. auch 2.3).

Andererseits nimmt $y(x)$ alle von Null verschiedenen Werte an. Hierzu beweisen wir zunächst:

Jedes lokal definierte Element der Umkehrfunktion $x = x(y)$ von $y = y(x)$ läßt sich im Gebiete $0 < |y| < \infty$ unbeschränkt fortsetzen.

Um dies einzusehen, bemerke man, daß das Minimum $\alpha = \min |A\, h\, k|$ für $|h| = |k| = 1$ *positiv* ist. Sei nämlich k ein beliebiger Einheitsvektor in R^n. Dann gibt es eine wohlbestimmte Lösung $y = \bar{y}(x) = f(x)\, k$ unserer Aufgabe, so daß $\bar{y}(0) = k$. Es ist $\bar{y}'(0)\, h = A\, h\, k$, und da die Abbildung $x \to \bar{y}$ nach Voraussetzung lokal eineindeutig ist, so ist die Ableitung $\bar{y}'(0)$ *regulär*, und $A\, h\, k \neq 0$ für jedes $|h| = 1$. Daraus folgt, daß das Minimum α positiv sein muß.

Sei nun $x = x_1$ beliebig gewählt und $y_1 = y(x_1)$, wobei $y = y(x)$ $(\neq 0)$ eine beliebige Lösung ist. Man verbinde $y_1 (\neq 0)$ mit einem beliebigen zweiten Punkt $y_2 \neq 0$ durch einen Polygonzug l, der den Punkt $y = 0$ vermeidet. In einer Umgebung von $y = y_1$ ist die Umkehrfunktion $x = x(y)$ $(x_1 = x(y_1))$ eindeutig. Man setze nun dieses Element $x = x(y)$ als Umkehrfunktion von $y = y(x)$ längs l fort. Wir behaupten, daß die Fortsetzung bis zu dem Endpunkt $y = y_2$ gelingt, mit einem wohlbestimmten Element $x = x(y)$ der Umkehrfunktion von $y = y(x)$.

Sonst würde die Fortsetzung nur auf einem Teilbogen $y_1 c_0 \subset l$ gelingen, ohne daß der Endpunkt $y = c_0$ erreicht wird. Dieser Teilbogen grenzt an $y = c_0$ mit einer gewissen Strecke; seien $y = c_1, c_2$ zwei beliebige innere Punkte dieser Strecke, und $a_i = x(c_i)$ $(i = 1, 2)$. Auf dem Intervall $c_1 c_2$ genügt $x = x(y)$ der Gleichung $d y = A\, d x\, y$, woraus

$$|d y| = |A\, d x\, y| \geqq \alpha |d x|\, |y| \geqq \alpha\, \varrho\, |d x|,$$

wo $\varrho > 0$ den kürzesten Abstand von $y = 0$ zu l bezeichnet. Also wird

$$|a_1 - a_2| \leqq \int\limits_{c_1 c_2} |d x| \leqq \frac{1}{\alpha\, \varrho} \int\limits_{c_1 c_2} |d y| = \frac{|c_1 - c_2|}{\alpha\, \varrho}.$$

Nach dem Cauchyschen Kriterium ergibt sich hieraus die Existenz eines Grenzpunktes $a_0 = \lim x(y)$ für $y \to c_0$. Die Funktion $x = x(y)$ würde also als Umkehrung von $y = y(x)$ in einer Umgebung des Punktes $y = c_0$ existieren, so daß $y(a_0) = c_0$, was der Annahme betreffend c_0 widerspricht. Hieraus folgt die Richtigkeit der Behauptung: man gelangt bei der Fortsetzung von $x(y)$ längs l bis zu dem Endpunkt $y = y_2$, mit einem Endwert $x(y_2) = x_2$, und die Umkehrung des Endelementes stimmt mit $y = y(x)$ überein. Es ist folglich $y(x_2) = y_2$. Da $y_2 \neq 0$ beliebig war, so folgt aus dem oben bewiesenen speziell, daß $y(x)$ *alle* Werte $y \in R^n$ annimmt, mit der einzigen Ausnahme $y = 0$.

Wir betrachten nun die Einheitssphäre $|y| = 1$. Nach obigem ist die Umkehrfunktion $x = x(y)$, sofern die Dimension $n > 1$, auf dieser Fläche unbeschränkt fortsetzbar. Wir betrachten nun den Fall $n = 3$. Da die Sphäre einfach zusammenhängend ist (sie hat die Homologiegruppe Null), so muß die fortgesetzte Funktion $x = x(y)$ nicht nur lokal, sondern auf der ganzen Sphäre eindeutig sein. Die Abbildung $y \longleftrightarrow x$ ist also auf $|y| = 1$ eineindeutig und als Bild in dem x-Raum ergibt sich eine geschlossene Fläche F_x.

Dies führt aber zu einem Widerspruch. Sei nämlich $y_0 = y(0)$. Da die Form $A\,h\,y_0$ von Null verschieden ist, so ist $A\,h\,y_0$ als lineare Transformation von $h \in R^n$ *regulär*, und es gibt einen wohlbestimmten Wert $h = a \neq 0$, so daß $A\,a\,y_0 = y_0$. Auf der Gerade $x = \xi\,a$ $(-\infty < \xi < +\infty)$ ist dann $y = e^{\xi}\,y_0$ eine Lösung der Differentialgleichung. Denn

$$dy = e^{\xi}\,d\xi\,y_0 = e^{\xi}\,d\xi\,A\,a\,y_0 = A\,(d\xi\,a)\,(e^{\xi}\,y_0) = A\,dx\,y.$$

Da diese Lösung für $\xi = 0$ mit der gegebenen Lösung $y(x)$ übereinstimmt, so ist also $y(\xi\,a) = e^{\xi}\,y_0$.

Sei nun $x = b + \xi\,a$. Es wird

$$y(b + \xi\,a) = f(b + \xi\,a)\,y_0 = f(b)\,f(\xi\,a)\,y_0 = f(b)\,y(\xi\,a) = e^{\xi}\,f(b)\,y_0$$
$$= e^{\xi}\,y(b).$$

Hieraus sieht man, daß die Funktion $y = y(x)$ die Gerade $x = b + \xi\,a$ auf einen Halbstrahl $(y = e^{\xi}\,y(b))$, der von $y = 0$ ausgeht, eineindeutig abbildet. Da $y(b)$ bei variablem $b \in R^3$ alle Werte $\neq 0$ annimmt, so überdecken diese Halbstrahlen den ganzen punktierten Raum $y \neq 0$. Weil die Strahlen die Sphäre $|y| = 1$ schneiden, so muß die geschlossene Fläche F_x von jeder Gerade der parallelen Schar $x = b + \xi\,a$ (b variabel, a fest) getroffen werden. Dies ist aber für genügend große $|b|$ nicht möglich, und der so hergeleitete Widerspruch zeigt, daß der Fall $n = 3$ ausgeschlossen ist.

Ähnlich wird bewiesen, daß auch die Annahme $n > 3$ widerspruchsvoll ist.

Es bleiben also nur die Dimensionen $n = 1, 2$ übrig. Im Falle $n = 1$ ist $y(x) = y(\xi\,a)$ gleich der Exponentialfunktion $e^{\xi}\,y_0$. Im Falle $n = 2$ läßt sich folgendes schließen:

Da die Umkehrfunktion $x = x(y)$ auf der Einheitssphäre $|y| = 1$ unbeschränkt fortsetzbar ist, so entspricht einem vollen Umlauf, von $y = c$ beginnend, ein stetiger geschlossener Kurvenbogen mit den

Endpunkten $x = b_1, b_2$, so daß $y(b_1) = y(b_2) = c$. Ähnlich wie oben sieht man ein, daß dieser Bogen sich nicht schließen kann. Also ist $b_1 \neq b_2$. Setzt man $\omega = b_1 - b_2$, so wird demnach $y(b_1) = y(b_2)$, $f(b_1) = f(b_2)$, $f(\omega) = f(b_1 - b_2) = f(b_1)\, f(-b_2) = f(b_1)\, (f(b_2))^{-1} = I$. Daraus ergibt sich weiter

$$y(x + \omega) = f(x + \omega)\, y_0 = f(\omega)\, f(x)\, y_0 = f(x)\, y_0 = y(x),$$

und die Funktion $y(x)$ ist also *periodisch*, mit der Periode ω. Aus den Eigenschaften von $y(x)$ auf den zu $x = \xi a$ parallelen Geraden, wo $y(x)$ aperiodisch ist, folgt, daß ω von a linear unabhängig ist. Diese Funktion hat dann eine zu ω parallele primitive Periode b, und die Vektoren a, b spannen den Raum R^2 auf.

Unter Berücksichtigung der Integrabilitätsbedingung $A\,h\,A\,k = A\,k\,A\,h$ folgt nun durch eine einfache Rechnung, wobei man a, b als Koordinatensystem benutzt, daß $y(x)$ zu der komplexen Exponentialfunktion isomorph ist.

§ 3. Die allgemeine Differentialgleichung erster Ordnung

3.1. Eindeutigkeit der Lösung. Die allgemeine Differentialgleichung erster Ordnung

$$dy = f(x, y)\, dx \tag{3.1}$$

soll unter nachstehenden Voraussetzungen untersucht werden:

1. *Der Operator* $f(x, y)$, *der den Raum* R_x^m *in den Raum* R_y^n *linear abbildet, ist für* $|x - x_0| \leqq r_x < \infty$, $|y - y_0| \leqq r_y < \infty$ *stetig.*

2. *Für* $|y_j - y_0| \leqq r_y$ $(j = 1, 2)$ *besteht die Lipschitz-Bedingung*[1]

$$|f(x, y_1) - f(x, y_2)| \leqq K\, |y_1 - y_2|.$$

Es handelt sich im folgenden um die Lösbarkeit der Gl. (3.1) unter den Bedingungen $y(x_0) = y_0$ und $|y(x) - y_0| \leqq r_y$ für $|x - x_0| \leqq r_0 = \min[r_x, r_y/M]$ (wo $M \geqq |f(x, y)|$ für $|x - x_0| \leqq r_x$, $|y - y_0| \leqq r_y$).

Dabei werden wir wieder wesentlich von der im linearen Fall gegebenen Konstruktion (vgl. 2.2 und 2.7—9) Gebrauch machen. Man fixiere einen beliebigen Punkt $x\,(\neq x_0)$ in der Kugel $|x - x_0| \leqq r_0$ und verbinde ihn mit dem Punkt x_0 durch die Strecke $t = x_0 + \tau\,(x - x_0)$ $(0 \leqq \tau \leqq 1)$. Auf dieser Strecke geht die Differentialgleichung in eine Normalgleichung $dy = f(t, y)\, dt$ über. Es folgt aus § 1, daß diese Normalgleichung eine und nur eine Lösung $y = \bar{y}(t)$ hat, so daß $\bar{y}(x_0) = y_0$ und $|\bar{y}(t) - y_0| \leqq r_y$ für $|t - x_0| \leqq |x - x_0|$ $(\leqq r_0)$.

[1] Allgemein könnte man, statt dieser Bedingung 2, annehmen, daß die für $|x - x_0| \leqq r_x$, $|y - y_0| \leqq r_y$ nach der Definition (1.3) erklärte Schwankung $\varphi(\varrho)$ ein *divergentes* Osgoodsches Integral (1.4) ergibt.

Man gelangt zu dem Punkt x mit einem wohlbestimmten Wert $y = \bar{y}(x)$, und man schließt, daß die so für $|x - x_0| \leqq r_0$ konstruierte eindeutige Funktion $y(x) \equiv \bar{y}(x)$ die einzige Lösung der betrachteten Differentialgleichung (3.1) mit dem Anfangswert y_0 im Punkte x_0 ist, falls das Problem überhaupt eine Lösung gestattet.

Damit ist insbesondere die Frage der Einzigkeit der Lösung beantwortet.

3.2. Integrabilitätsbedingung. Es fragt sich nun, ob die konstruierte Funktion $y = y(x)$ tatsächlich die Differentialgleichung löst. Sobald die Dimensionszahl $m > 1$ ist, gilt dies, wie schon im Falle einer linearen Gleichung gezeigt wurde, nicht ohne daß eine gewisse Integrabilitätsbedingung erfüllt ist. Diese Bedingung wird wie in 2.4 hergeleitet; jedoch ist es hierzu notwendig anzunehmen, daß die Funktion $f(x, y)$ gewisse weitere Regularitätseigenschaften besitzt. Für unsere Zwecke genügt reichlich die folgende Voraussetzung, welche die in 3.1 gemachten Annahmen 1 und 2 impliziert:

1°. *Der Operator $f(x, y)$ ist für $|x - x_0| \leqq r_x$, $|y - y_0| \leqq r_y$ stetig differenzierbar.*

Das heißt: für jedes Punktpaar x, y der obigen Kugeln gilt mit stetigen Operatoren f_x und f_y

$$f(x + \Delta x, y + \Delta y) = f(x, y) + f_x(x, y)\Delta x + f_y(x, y)\Delta y + \delta(\delta),$$

wo $\delta^2 = |\Delta x|^2 + |\Delta y|^2$ und die Norm des Operators (δ) für $\delta \to 0$ gegen Null konvergiert.

Wir nehmen jetzt an, $y(x)$ sei eine *zweimal* differenzierbare Lösung der Differentialgleichung $dy = f(x, y)\,dx$. Für $dx = h$ findet man dann zuerst

$$y'(x)\,h = f(x, y(x))\,h,$$

und nach nochmaliger Differentiation mit $dx = k$,

$$\begin{aligned} y''(x)\,k\,h &= f_x(x, y(x))\,k\,h + f_y(x, y(x))\,dy\,h \\ &= f_x(x, y(x))\,k\,h + f_y(x, y(x))\,f(x, y(x))\,k\,h. \end{aligned}$$

Die Symmetrie des Operators $y''(x)$ ergibt also für $y = y(x)$

$$\begin{aligned} &R(x, y)\,h\,k \equiv \wedge\,(f_x(x, y)\,h\,k + f_y(x, y)\,f(x, y)\,h\,k) \\ &= \frac{1}{2}(f_x(x, y)\,h\,k + f_y(x, y)\,f(x, y)\,h\,k - f_x(x, y)\,k\,h - f_y(x, y)\,f(x, y)\,k\,h) \\ &= 0. \end{aligned} \tag{3.2}$$

Notwendig dafür, daß die Differentialgleichung eine zweimal differenzierbare Lösung $y(x)$ besitzt, ist demnach, daß der alternierende Operator $R(x, y)$ verschwindet, falls $y = y(x)$ eingesetzt wird.

3.3. Hinreichende Bedingungen. Wir setzen jetzt die Untersuchung fort, unter den Annahmen 1° (von 3.2) und

2°. *Der Operator* $R(x, y)$ *verschwindet für jedes Wertepaar* $x, y = y(x)$, *wo* $|x - x_0| \leqq r_0$ *und* $y(x)$ *die in* 3.1 *konstruierte Funktion ist.*

Unter diesen Bedingungen läßt sich zeigen, daß die Funktion $y = y(x)$ tatsächlich für $|x - x_0| \leqq r_0$ die Differentialgleichung befriedigt.

Der Beweis verläuft wie im Falle einer linearen Differentialgleichung, und wir können uns deshalb, mit Hinweis auf 2.7—9, kurz fassen. Man zeigt der Reihe nach:

a. Die in 3.1 hergestellte Funktion $y = y(x)$ genügt den Bedingungen $y(x_0) = y_0$ und $|y(x) - y_0| \leqq r_y$ für $|x - x_0| \leqq r_0$. Sie befriedigt die Differentialgleichung $dy = f(x, y)\,dx$ sicher dann, wenn die Vektoren dx und $x - x_0$ linear abhängig sind.

b. Das zweite Differential $y''(x)\,h\,k$ $(|x - x_0| \leqq r_0)$ existiert für jedes k und jedes von $x - x_0$ linear abhängige h (vgl. hierzu 2.9 und 2.20 Aufgaben 1—2).

c. Wenn $y(x)$ eine beliebige für $|x - x_0| \leqq r_0$ zweimal differenzierbare Funktion ist, so bezeichne man

$$L(x)\,dx \equiv y'(x)\,dx - f(x, y(x))\,dx.$$

Für den Operator $R(x, y(x))$ gilt dann der Ausdruck

$$R(x, y(x))\,h\,k = - \wedge \left(L'(x)\,h\,k + f_y(x, y(x))\,L(x)\,h\,k\right). \qquad (3.2')$$

d. Wählt man für $y(x)$ die in 3.1 konstruierte Funktion, so gelten unverändert die Beziehungen (k beliebig, vgl. (2.8) und (2.9))

$$L'(x)\,k(x - x_0) + L(x)\,k = 0$$

und, für $x - x_0 = \lambda\,e$ (e beliebig, fest) und $h = dx = d\lambda\,e$,

$$\lambda\,L'(x)\,k\,h + d\lambda\,L(x)\,k = 0. \qquad (3.3)$$

Nach der Identität (3.2′) ist aber, da $L(x)\,h = 0$ und $R(x, y(x)) = 0$,

$$L'(x)\,k\,h = L'(x)\,h\,k - f_y(x, y(x))\,L(x)\,k\,h, \qquad (3.4)$$

und es wird nach (3.3)

$$\lambda\,L'(x)\,h\,k + d\lambda\,L(x)\,k = f_y(x, y(x))\,(\lambda\,L(x)\,k)\,h.$$

Setzt man $u(x) \equiv \lambda\,L(x)\,k$, so schreibt sich diese Gleichung kürzer $(h = dx = d\lambda\,e)$

$$du(x) = f_y(x, y(x))\,u(x)\,dx.$$

Dies ist aber eine lineare homogene Differentialgleichung in bezug auf die Funktion $u = u(x) \equiv \lambda\,L(x)\,k$, welche für $x = x_0$ verschwindet. Andererseits hat aber diese Gleichung die triviale Lösung $u(x) \equiv 0$, und aus dem Eindeutigkeitssatz folgt daher, daß $u(x) - \lambda L(x) k \equiv 0$ für jedes $k = dx$. Also ist

$$L(x)\, dx = y'(x)\, dx - f(x, y(x))\, dx \equiv 0,$$

w. z. b. w.

Zum Schluß sei bemerkt, daß man auch das obige Resultat (betreffs der allgemeinen Differentialgleichung $dy = f(x, y)\, dx$) präzisieren kann, in Analogie mit den Ausführungen von 2.13—19, wobei die Definition der Form $R(x, y)\, h\, k$ entsprechend erweitert werden kann. Da sich diese Ausführungen im nichtlinearen Fall etwas kompliziert ausfallen, wollen wir auf Verschärfungen in dieser Richtung hier nicht eingehen.

Eine Differentialgleichung *höherer* Ordnung läßt sich durch Übergang zu passenden Produkträumen stets auf die oben behandelte Theorie der Gleichungen erster Ordnung zurückführen. Wir gehen auf diese Frage hier nicht näher ein, sondern verweisen auf die Ausführungen von V.5, wo ein solcher Spezialfall eingehend diskutiert wird.

V. Differentialgeometrie

Als Anwendung der vorangehenden Kapitel sollen in diesem letzten Abschnitt die Grundzüge der klassischen Kurventheorie und der Gaußschen Flächentheorie dargestellt werden. Wir werden Kurven und Flächen betrachten, welche in einem n-dimensionalen linearen Raum liegen, und die Eigenschaften dieser Gebilde relativ zu einer in den Einbettungsraum eingeführten euklidischen Metrik untersuchen.

§ 1. Reguläre Kurven und Flächen

1.1. Reguläre Kurvenbogen und Flächenstücke. Im folgenden betrachten wir zwei lineare Räume R_x^m und R_y^n von den Dimensionen m und n. In dem erstgenannten, sogenannten Parameterraum, sei ein offenes m-dimensionales Gebiet G_x^m gegeben. Sei ferner

$$y = y(x) \tag{1.1}$$

eine eindeutige Abbildung von G_x^m in den Raum R_y^n, die in G_x^m folgende Eigenschaften hat:

1°. *Die Vektorfunktion $y(x)$ ist stetig differenzierbar.*

2°. *Der Ableitungsoperator $y'(x)$ ist regulär.*

Eine solche Abbildung definiert ein „m-dimensionales reguläres Flächenstück“ F^m des Raumes R_y^n.

Die Regularität der Ableitung $y'(x)$ hat zur Folge, daß die Dimension $m \leq n$ ist. Aus der Theorie der impliziten Funktionen (vgl. II.4.2) ergibt sich dann, daß eine hinreichend kleine Umgebung H_x^m eines Punktes $x \in G_x^m$ auf die durch die Gl. (1.1) definierte Bildpunktmenge H_y^m von H_x^m umkehrbar eindeutig abgebildet wird[1]. Die Menge H_y^m ist dann und nur dann eine n-dimensionale Umgebung des Punktes $y = y(x)$, wenn $m = n$. Im Falle $m < n$ ist das Flächenstück F^m im eigentlichen Sinn des Wortes in R_y^n „eingebettet".

Für $m = 1$ ist (1.1) ein regulärer Kurvenbogen in R_y^n. Für $m = 2$, $n = 3$ handelt es sich um das Hauptproblem der Gaußschen Flächentheorie. Wir werden im folgenden die Dimension n des Einbettungsraumes R_y^n beliebig und die Dimension der Fläche im allgemeinen gleich $m = n - 1$ annehmen. Zunächst wollen wir aber diese Einschränkung nicht vornehmen; es ist also m eine beliebige Zahl des Intervalls $1 \leqq m \leqq n - 1$.

1.2. Parametertransformation. Tangentialraum. In der obigen Definition ist $y = y(x)$ die Gleichung des Kurvenbogens bzw. Flächenstückes F^m in bezug auf den Parameter x, der „zulässig" heiße, um kurz anzugeben, daß die Gleichung der Fläche in bezug auf diesen Parameter die obengenannten Eigenschaften 1° und 2° hat.

Es sei nun

$$\bar{x} = \bar{x}(x), \qquad x = x(\bar{x})$$

eine umkehrbar eindeutige Abbildung des offenen Gebietes G_x^m auf ein offenes Gebiet $\overline{G}_{\bar{x}}^m$ desselben oder eines anderen m-dimensionalen linearen Raumes $\overline{R}_{\bar{x}}^m$. Falls diese Funktion $\bar{x}(x)$ in G_x^m stetig differenzierbar und die Ableitung $\bar{x}'(x)$ regulär ist, so ist auch $\bar{x}$ ein zulässiger Parameter, und die Gleichung der gegebenen Fläche F^m in bezug auf diesen Parameter lautet

$$y = y(x(\bar{x})) = \bar{y}(\bar{x}) = \bar{y}.$$

Die Tatsache, daß die Fläche F^m im Raume R_y^n in einer von den verschiedenen zulässigen Parameterdarstellungen unabhängiger Weise gegeben ist, findet ihren Ausdruck darin, daß die darstellende Funktion $y(x)$ beim Übergang von einem zulässigen Parameter x zu einem anderen $\bar{x}$ gemäß dem Gesetz der *Invarianz* transformiert wird: man erhält $\bar{y}(\bar{x})$ aus $y(x)$ einfach durch Substitution von $x = x(\bar{x})$, und umgekehrt ist $y(x) = \bar{y}(\bar{x}(x))$.

Setzt man $x \sim \bar{x}$, falls diesen Punkten zweier Parameterdarstellungen derselbe Flächenpunkt $y(x) = \bar{y}(\bar{x})$ entspricht, also falls

[1] Falls diese Eineindeutigkeit nicht im ganzen ursprünglichen Parametergebiet G_x^m gilt, so kann man dieses Parametergebiet durch ein Teilgebiet ersetzen, wofür die Eineindeutigkeit in Kraft ist, was unter den Voraussetzungen 1° und 2° möglich ist.

$\bar{x} = \bar{x}(x)$, so ist diese Relation eine Äquivalenz, deren Äquivalenzklassen

$$(x, \bar{x}, \bar{\bar{x}}, \ldots)$$

umkehrbar eindeutig den Flächenpunkten

$$y = y(x) = \bar{y}(\bar{x}) = \bar{\bar{y}}(\bar{\bar{x}}) = \ldots$$

entsprechen.

Nach der Definition des Differentials ist $d\bar{x} = \bar{x}'(x)\,dx$, $dx = x'(\bar{x})\,d\bar{x}$. Die Parameterdifferentiale $dx = h$ und $d\bar{x} = \bar{h}$ transformieren sich hiernach gemäß den Formeln

$$\bar{h} = \frac{d\bar{x}}{dx} h, \qquad h = \frac{dx}{d\bar{x}} \bar{h}.$$

Das ist das Transformationsgesetz der *Kontravarianz.*

Dem Parameterdifferential $dx = h$ entspricht auf der Fläche der *Tangentialvektor*

$$k = dy = y'(x)\,dx = y'(x)\,h.$$

Nach der Kettenregel ist

$$y'(x) = \bar{y}'(\bar{x})\,\bar{x}'(x), \qquad \bar{y}'(\bar{x}) = y'(x)\,x'(\bar{x}),$$

folglich

$$k = dy = y'(x)\,h = \bar{y}'(\bar{x})\,\bar{x}'(x)\,h = \bar{y}'(\bar{x})\,\bar{h} = d\bar{y} = \bar{k}.$$

Diese Regel besagt, daß der Ableitungsoperator $y'(x) = A(x)$, der auch als Vektor des linearen mn-dimensionalen Operatorenraumes aufgefaßt werden kann, bei einer zulässigen Parametertransformation nach dem Gesetz der *Kovarianz,*

$$\bar{A} = A\frac{dx}{d\bar{x}}, \qquad A = \bar{A}\frac{d\bar{x}}{dx},$$

transformiert wird.

Wirkt ein kovarianter Operator auf einen kontravarianten Vektor, so entsteht eine Invariante, wie oben aus der Invarianz der Flächentangente $k = dy = d\bar{y} = \bar{k}$ zu sehen ist. Aus dieser Invarianz folgt, daß auch die Gesamtheit der Tangentialvektoren im Punkte $y = y(x) = \bar{y}(\bar{x})$, der sogenannte *Tangentialraum*

$$y'(x)\,R_x^m = \bar{y}'(\bar{x})\,R_{\bar{x}}^{\bar{m}},$$

in diesem Flächenpunkt invariant, somit ein wohlbestimmter, von der Parameterwahl unabhängiger m-dimensionaler Unterraum des Einbettungsraumes R_y^n ist. Die m-dimensionale Hyperbene

$$E_y^m(x) = y(x) + y'(x)\,R_x^m$$

heißt die *Tangentialebene* der Fläche im Punkte $y = y(x)$.

Zu den Begriffen der Invarianz, Kontravarianz und Kovarianz werden wir später ausführlicher und von einem allgemeineren Standpunkt aus zurückkehren.

1.3. Die Fläche als m-dimensionale Mannigfaltigkeit. Gemäß den Definitionen von 1.1 und 1.2 ist das Flächenstück F^m mit dem Parametergebiet G_x^m (und mit $\overline{G}_{\bar{x}}^m, \ldots$) homöomorph (topologisch äquivalent). Erklärt man die „offenen Punktmengen" oder „Umgebungen" H^m auf F^m als die Bilder der offenen Punktmengen H_x^m in G_x^m, so erfüllt F^m die Axiome eines *Hausdorffschen Raumes*[1].

Überdies aber ist F^m eine *m-dimensionale Mannigfaltigkeit,* denn es gilt (außer A und B) das hierfür maßgebende Axiom:

C. Es gibt eine Überdeckungsmenge (H^m) von F^m, so daß jede dieser Umgebungen H^m, $\overline{H}^m, \ldots$ (bzw.) mit einem offenen Gebiet $H_x^m, \overline{H}_{\bar{x}}^m, \ldots$ der Parameterräume R_x^m, $\overline{R}_{\bar{x}}^m, \ldots$ homöomorph ist. Dabei gilt für ein nichtleeres Durchschnittsgebiet $H^m \cap \overline{H}^m$ (usw.), daß die Äquivalenzbeziehung $x \sim \bar{x}$, bei der die Parameterwerte denselben Bildpunkt p auf $H^m \cap \overline{H}^m$ haben, topologisch ist.

Falls insbesondere die Äquivalenzrelationen $x = x(\bar{x})$ (usw.) stetig differenzierbar und die Ableitungen $x'(\bar{x})$ regulär sind (was oben vorausgesetzt wurde), so ist F^m eine „stetig differenzierbare" oder „reguläre" Mannigfaltigkeit. Diese Eigenschaft gestattet, den Begriff einer stetig differenzierbaren Vektorfunktion auf F^m einzuführen. Eine solche spezielle Invariante ist die Funktion $y = y(x)$, durch welche die Mannigfaltigkeit F^m als ein im Vektorraum R_y^n *eingebettetes* Flächenstück definiert wurde.

1.4. Allgemeine Definition einer Fläche. Die obigen Überlegungen beruhen auf der besonders einfachen Annahme, daß das Flächenstück F^m in seiner vollen Ausdehnung eine eindeutige Parameterabbildung $G_x^m \longleftrightarrow F^m$ gestattet. Mit einer so speziellen Voraussetzung kommt man in der Theorie der Flächen nicht weit. In der Flächentheorie interessiert man sich nicht nur für die lokalen Eigenschaften einer Fläche; geht man aber zur Untersuchung eines solchen Gebildes im Großen über, so komplizieren sich die Verhältnisse. So läßt sich z. B. eine zweidimensionale Fläche in R_y^3 im allgemeinen nicht in ihrer vollen Ausdehnung auf ein Gebiet $G_x^2 \subset R_x^2$ homöomorph abbilden. Um hier weiter zu kommen kann man, nach dem klassischen Vorgang von Gauß, die Fläche zusammensetzen aus nebeneinanderliegenden Elementarflächenstücken, welche die obige Homöomorphieeigenschaft C besitzen (Triangulierung der Fläche), oder allgemeiner: man überdeckt

---

[1] F^m kann überdeckt werden mit einer Umgebungsmenge (H^m), so daß:

A. (Axiom eines topologischen Raumes.) Die Vereinigungsmenge beliebig vieler und der Durchschnitt endlich vieler Umgebungen H^m ist wieder eine Umgebung H^m.

B. (Trennungsaxiom.) Zwei verschiedene Punkte p der Fläche haben zwei punktfremde Umgebungen H^m.

die Fläche mit einem System von Umgebungen H^m, so daß jedes H^m die Eigenschaft C hat.

Um diesen letzten Gesichtspunkt zu einer exakten Definition einer m-dimensionalen Fläche F^m im Raume R^n_y zu gestalten, empfiehlt es sich, die Fläche zunächst independent (unabhängig von der Einbettung) zu erklären, und zwar als einen Hausdorffschen Raum (Axiome A, B) mit der Parametrisierungseigenschaft C. Nachdem F^m so als eine m-dimensionale Mannigfaltigkeit definiert ist, geschieht ihre Einbettung durch eine stetige (bzw. differenzierbare) Abbildung der Flächenpunkte $p = (x, \bar{x}, \ldots)$ in den Vektorraum R^n_y.

Im folgenden werden wir uns der Hauptsache nach zunächst (§§ 2, 3) zu den lokalen Eigenschaften einer Kurve oder Fläche halten, und es genügt daher die Untersuchung relativ zu einem fest gewählten Parameter x vorzunehmen. Erst in § 4 werden wir, im Anschluß an die obige allgemeine Definition einer Fläche, auf die in 1.2 kurz angeschnittene Frage der Parametertransformationen näher zurückkommen.

1.5. Metrisierung des Einbettungsraumes. Die obigen Definitionen haben keine Metrisierung des Einbettungsraumes oder der Parameterräume vorausgesetzt. Wir führen jetzt in den Einbettungsraum R^n_y eine *Metrik* ein, mittels einer reellen bilinearen symmetrischen und positiv definiten metrischen Grundform (y_1, y_2), wodurch auch in jedem Tangentialraum der Fläche eine euklidische Metrik induziert wird. Die Aufgabe der von Gauß begründeten differentialgeometrischen Einbettungstheorie besteht in der Untersuchung der Eigenschaften von Kurven und Flächen relativ zu einem euklidischen Einbettungsraum.

In bezug auf die Dimension m $(1 \leqq m \leqq n-1)$ werden wir uns auf die extremen Fälle $m = 1$ und $m = n - 1$ beschränken. Der Fall $m = 1$ ergibt die von den Frenetschen Differentialgleichungen beherrschte Kurventheorie, während der Fall $m = n - 1$ eine Verallgemeinerung der den speziellen Dimensionen $m = 2$, $n = 3$ entsprechenden klassischen Gaußschen Flächentheorie ist.

§ 2. Kurventheorie

2.1. Die Bogenlänge. Wir betrachten einen regulären Kurvenbogen $y = y(x)$ des euklidischen Raumes R^n_y. In diesem 1-dimensionalen Fall können wir als Parameterraum die reelle Zahlenachse benutzen, und der Bogen ist somit definiert durch eine eindeutige Abbildung

$$y = y(\xi)$$

des Zahlenintervalls $\alpha < \xi < \beta$ in den Raum R^n_y, so daß $y(\xi)$ in diesem Intervall stetig differenzierbar und die Ableitung regulär ist.

Die Ableitung kann im vorliegenden Fall in üblicher Weise als der Grenzwert

$$y'(\xi) = \lim_{\Delta\xi \to 0} \frac{y(\xi + \Delta\xi) - y(\xi)}{\Delta\xi}$$

dargestellt werden, der somit für $\alpha < \xi < \beta$ stetig und von Null verschieden ist.

Dem Teilintervall $\xi_0\,\xi$ entspricht ein Teilbogen mit der *Bogenlänge*

$$\int_{\xi_0}^{\xi} |y'(\xi)|\, d\xi = \sigma(\xi).$$

Aus $\sigma'(\xi) = |y'(\xi)| > 0$ folgt, daß $\sigma(\xi)$ eine monoton wachsende Funktion ist, die offenbar in bezug auf ξ gleich oft wie die Funktion $y(\xi)$ stetig differenzierbar ist. Die Transformation

$$\sigma = \sigma(\xi), \qquad \xi = \xi(\sigma)$$

ist somit zulässig, und man kann die Bogenlänge σ als Parameter benutzen, was gewisse Vorteile bietet, weil

$$\frac{dy}{d\sigma} = \frac{dy}{d\xi}\,\frac{d\xi}{d\sigma} = \frac{y'(\xi)}{|y'(\xi)|}$$

und folglich identisch

$$\left|\frac{dy}{d\sigma}\right| = 1, \qquad |dy| = d\sigma.$$

2.2. Das begleitende *n*-Bein. Für die weitere Untersuchung soll jetzt angenommen werden, daß die Parameterdarstellung $y = y(\xi)$ folgenden spezielleren Bedingungen genügt:

1°. *Die $n+1$ ersten Ableitungen der Funktion $y(\xi)$ existieren im Intervall $\alpha < \xi < \beta$.*

2°. *Die n ersten Ableitungen sind für jedes ξ dieses Intervalls linear unabhängig.*

Ist dann

$$\bar{\xi} = \bar{\xi}(\xi), \qquad \xi = \xi(\bar{\xi})$$

eine zulässige Parametertransformation, die überdies $(n+1)$-mal differenzierbar ist, wie es z. B. für $\bar{\xi} = \sigma(\xi)$ der Fall ist, so sind die obigen Voraussetzungen auch in bezug auf den Parameter $\bar{\xi}$ erfüllt. Betreffs der zweiten Voraussetzung folgt dies daraus, daß die p-te Ableitung $(p = 1, \ldots, n+1)$ von y in bezug auf den einen Parameter eine lineare Kombination der p ersten Ableitungen in bezug auf den anderen Parameter ist.

Aus dem zuletzt erwähnten Umstand ergibt sich ferner, daß die p ersten Ableitungen in jedem Punkt $y = y(\xi)$ des Kurvenbogens einen

p-dimensionalen Unterraum $S_y^p(\xi)$ aufspannen, der von der Wahl des Parameters unabhängig ist. Das ist der *p-dimensionale Schmiegungsraum* und $y(\xi) + S_y^p(\xi)$ die *p-dimensionale Schmiegungsebene* der Kurve im Punkte $y(\xi)$; für $p = 1$ hat man es mit der Tangente der Kurve im betreffenden Punkt zu tun.

Man orthogonalisiere nun die linear unabhängigen Ableitungen

$$y'(\xi), \ldots, y^{(n)}(\xi)$$

in dieser Reihenfolge vermittels des Schmidtschen Orthogonalisierungsverfahrens, in bezug auf die in 1.5 festgelegte euklidische Grundform (y_1, y_2). Es wird mit den in I.4.4 benutzten Bezeichnungen

$$\begin{aligned} y^{(p)}(\xi) &= \lambda_{p1}(\xi)\, e_1(\xi) + \cdots + \lambda_{pp}(\xi)\, e_p(\xi), \\ e_p(\xi) &= \mu_{p1}(\xi)\, y'(\xi) + \cdots + \mu_{pp}(\xi)\, y^{(p)}(\xi). \end{aligned} \tag{2.1}$$

Hier ist $\lambda_{pp}(\xi)\, \mu_{pp}(\xi) \equiv 1$. Sämtliche Koeffizienten λ_{ij} und μ_{ij} sind bei gegebenem Parameter eindeutig bestimmt, wenn man das Vorzeichen von λ_{pp} fixiert; wir nehmen z. B. $\lambda_{pp}(\xi) > 0$.

Die p ersten orthonormierten Einheitsvektoren $e_1(\xi), \ldots, e_p(\xi)$ erzeugen den Schmiegungsraum $S_y^p(\xi)$ im Punkte $y(\xi)$. Weil dieser Raum invariant ist, so folgt hieraus, daß auch das orthogonale Koordinatensystem

$$e_1(\xi), \ldots, e_n(\xi)$$

in jedem Punkt des Kurvenbogens unabhängig von der Parameterwahl eindeutig bestimmt ist. Dies ist das *begleitende n-Bein* der Kurve; e_1 ist die Einheitstangente, e_2 die erste oder die Hauptnormale, e_3 die zweite oder die Binormale, usw.

Nimmt man insbesondere die Bogenlänge σ als Parameter, was im folgenden geschehen wird, ohne das Argument σ auszuschreiben, so folgt aus den Identitäten

$$(y', y') = 1, \qquad (y', y'') = 0,$$

daß $e_1 = y'$, $e_2 = y''/|y''|$. In dem Schmidtschen Orthogonalisierungsschema ist somit für diesen Parameter σ

$$\lambda_{11} = 1, \qquad \lambda_{21} = 0, \qquad \lambda_{22} = |y''|.$$

2.3. Die Formeln von Frenet. Da die Existenz der Ableitung $y^{(n+1)}$ vorausgesetzt wurde, so existieren gemäß dem Schmidtschen Orthogonalisierungsschema nicht nur die Ableitungen $e_1', \ldots, e_{n-1}'$, sondern auch e_n'. Für jedes σ des Intervalls $\alpha < \sigma < \beta$ existiert somit eine eindeutig bestimmte lineare Transformation $A(\sigma) = A$ des Raumes R_y^n, so daß für $p = 1, \ldots, n$

$$e_p' = A\, e_p. \tag{2.2}$$

A heißt der *Frenetsche Operator* und die entsprechende Matrix (α_p^q)

$$\alpha_p^q = (e'_p, e_q) = (A\, e_p, e_q)$$

in bezug auf das n-Bein im Punkte σ die *Frenetsche Matrix* des Kurvenbogens in diesem Punkt.

Um die Eigenschaften dieser Transformation bzw. Matrix zu untersuchen, betrachten wir die durch die n Gleichungen

$$e_p(\sigma) = T(\sigma)\, e_p^0 \qquad (e_p^0 = e_p(\sigma_0),\ \alpha < \sigma_0 < \beta) \tag{2.3}$$

bestimmte orthogonale Transformation $T(\sigma) = T$, wo $T(\sigma_0) = I$ die identische Transformation ist. Mittels dieser Transformation erhält man aus

$$e'_p = T'\, e_p^0 = T'\, T^{-1}\, e_p$$

für den Frenetschen Operator die Darstellung

$$A = T'\, T^{-1} = T'\, T^*,$$

wo $T' = dT/d\sigma$ ist und T^* die zu T adjungierte Transformation bezeichnet.

Hieraus ersieht man, daß A *schiefsymmetrisch* ist. In der Tat folgt aus der Identität $T\, T^{-1} = T\, T^* = I$ mittels Differentiation nach σ

$$0 = T'\, T^* + T(T^*)' = T'\, T^* + T(T')^* = A + A^*,$$

was die schiefe Symmetrie von A ausdrückt. Folglich ist auch die Matrix des Operators A in bezug auf jedes orthonormierte Koordinatensystem, insbesondere auch in bezug auf das n-Bein im Punkte σ, schiefsymmetrisch:

$$\alpha_p^q + \alpha_q^p = 0. \tag{2.4}$$

Bedenkt man ferner, daß der Einheitsvektor e_p gemäß dem Schmidtschen Orthogonalisierungsschema eine lineare Kombination der p ersten Ableitungen von y ist und die Ableitung $y^{(p)}$ umgekehrt eine lineare Kombination von $e_1, \ldots, e_p$, so folgt hieraus, daß $\alpha_p^q = (e'_p, e_q) = (A\, e_p, e_q) = 0$ für $q > p + 1$ und somit wegen (2.4) auch für $q < p - 1$. Setzt man also $\alpha_p^{p+1} = \varkappa_p$ $(p = 1, \ldots, n-1)$, so wird

$$\begin{aligned} &\alpha_p^{p+1} = \varkappa_p, \qquad \alpha_{p+1}^p = -\varkappa_p, \\ &\alpha_p^q = 0 \qquad (q \neq p+1, p-1). \end{aligned} \tag{2.5}$$

Die Frenetsche Matrix (α_p^q) ist hiernach eine „schiefsymmetrische Jacobische Matrix" und die Frenetschen Gln. (2.2) lauten, ausgeschrieben in bezug auf das n-Bein $e_1, \ldots, e_n$ im Punkte σ,

$$\begin{aligned} e'_1 &= \varkappa_1\, e_2, \\ e'_p &= -\varkappa_{p-1}\, e_{p-1} + \varkappa_p\, e_{p+1} \qquad (p = 2, \ldots, n-1), \\ e'_n &= -\varkappa_{n-1}\, e_{n-1}. \end{aligned} \tag{2.2'}$$

Die $n-1$ Größen $\varkappa_p = \varkappa_p(\sigma)$ heißen die *Krümmungen* der Kurve $y = y(\sigma)$ im Punkte σ; $\varkappa_1$ ist die erste oder Hauptkrümmung, $\varkappa_2$ die zweite oder Torsion usw. Als Funktionen der Bogenlänge σ sind sie in jedem Punkte des Kurvenbogens eindeutig bestimmt bis auf das Vorzeichen, das von der Orientierung der Einheitsvektoren e_p abhängt. Aus dem Schmidtschen Orthogonalisierungsschema (2.1) und den Frenetschen Formeln (2.2′) erhält man für diese Krümmungen den Ausdruck

$$\varkappa_p = \frac{\lambda_{(p+1)(p+1)}}{\lambda_{pp}}, \tag{2.6}$$

so daß $\varkappa_p > 0$, falls in den Gln. (2.1) $\lambda_{pp} > 0$ angenommen wird (vgl. 2.6 Aufgabe 1). Mit Hilfe dieser Formeln kann man auch die Krümmungen leicht aus den Ableitungen der Funktion $y(\sigma)$ direkt berechnen (vgl. 2.6 Aufgabe 2).

2.4. Integration der Frenetschen Gleichungen. Aus (2.1) und (2.6) ist zu sehen, daß $\varkappa_p(\sigma)$ in dem gegebenen Intervall $(n-p)$-mal differenzierbar ist, falls die Kurve $y = y(\sigma)$ den Bedingungen 1° und 2° von 2.2 genügt. Wir zeigen jetzt umgekehrt:

Falls $\varkappa_p(\sigma)$ $(p = 1, \ldots, n-1)$ in dem Intervall $\alpha < \sigma < \beta$ erklärte (positive) und je $(n-p)$-mal differenzierbare Funktionen sind, so existiert in dem euklidischen Raum R_y^n ein den Bedingungen 1° und 2° von 2.2 genügender Kurvenbogen $y = y(\sigma)$ mit dem Bogenelement $d\sigma$ und den vorgegebenen Krümmungen $\varkappa_p$.

Diese Kurve ist bis auf eine Translation und Orthogonaltransformation des Raumes R_y^n, also bis auf die Lage in diesem Raum, eindeutig bestimmt.

Gesetzt, es existiere in R_y^n ein Kurvenbogen mit den behaupteten Eigenschaften, so genügt sein n-Bein den Frenetschen Gln. (2.2′). Der Operator A hat in bezug auf das n-Bein im Punkte σ die vorgegebene Frenetsche Matrix (2.5) und ist hierdurch für jedes σ des Intervalls $\alpha < \sigma < \beta$ als schiefsymmetrische Transformation des Raumes R_y^n eindeutig bestimmt. Führt man ferner mittels (2.3) die Orthogonaltransformation T ein, so wird $A = T' T^{-1}$, und T genügt somit in dem n^2-dimensionalen Operatorenraum der linearen Differentialgleichung

$$T' = A\,T, \tag{2.7}$$

mit dem Anfangsoperator $T(\sigma_0) = I$.

Es fragt sich also zunächst, ob eine solche Orthogonaltransformation bei gegebenem schiefsymmetrischen A existiert. Aus der Theorie der Differentialgleichungen wissen wir, daß die obige Gleichung, allein auf Grund der Stetigkeit des Operators A, eine einzige Lösung $T = T(\sigma)$ hat, mit $T(\sigma_0) = I$. Ferner folgt aus der schiefen Symmetrie von A, daß diese Lösung eine Orthogonaltransformation ist, denn es ist $(T^*)' = (T')^* = T^*A^* = -T^*A$, somit

$$(T^* T)' = (T^*)' T + T^* T' = -T^* A T + T^* A T = 0,$$

folglich (für $\alpha < \sigma < \beta$) $T^* T = T^*(\sigma_0)\, T(\sigma_0) = I$, also $T^* = T^{-1}$, und T in der Tat orthogonal. Sind also in (2.3) die Anfangsvektoren $e_p(\sigma_0) = e_p^0$ orthonormiert, so definieren diese Gleichungen eindeutig für jedes σ des betrachteten Intervalls ein orthonormiertes n-Bein $e_p = e_p(\sigma)$ der hypothetischen Lösungskurve unseres Problems.

Insbesondere muß $y'(\sigma) = e_1(\sigma)$ sein, und

$$y(\sigma) = y_0 + \int_{\sigma_0}^{\sigma} e_1(\sigma)\, d\sigma \qquad (y(\sigma_0) = y_0) \tag{2.8}$$

ist die einzige mögliche Kurve der verlangten Art, die durch den Punkt y_0 mit dem n-Bein $e_1^0, \ldots, e_n^0$ geht.

Dieser durch die vorgegebenen Funktionen $\varkappa_p$, den Punkt y_0 und das n-Bein e_p^0 eindeutig bestimmte Kurvenbogen hat in der Tat alle verlangten Eigenschaften.

Erstens folgt aus (2.8), daß $|y'(\sigma)| = |e_1(\sigma)| = 1$. Der Parameter σ ist also die Bogenlänge der konstruierten Kurve.

Ferner existieren wegen der $(n - p)$-maligen Differenzierbarkeit der Funktion $\varkappa_p$ die Ableitungen $y' = e_1$, $y'' = e_1' = A\, e_1 = \varkappa_1 e_2$, $y''' = \varkappa_1' e_2 + \varkappa_1 e_2' = \varkappa_1' e_2 + \varkappa_1 A\, e_2 = -\varkappa_1^2 e_1 + \varkappa_1' e_2 + \varkappa_1 \varkappa_2 e_3$ und allgemein für $p = 2, \ldots, n$

$$y^{(p)} = \lambda_{p1} e_1 + \cdots + \lambda_{pp} e_p,$$

mit

$$\lambda_{pp} = \varkappa_1 \ldots \varkappa_{p-1} (> 0);$$

sogar die Ableitung $y^{(n+1)}$ existiert. Aus dem Ausdruck für $y^{(p)}$ ist zu sehen, daß die Ableitungen $y', \ldots, y^{(n)}$ linear unabhängig sind und daß das oben konstruierte orthonormierte System $e_1, \ldots, e_n$ aus diesen Ableitungen vermittels des Schmidtschen Orthogonalisierungsverfahrens hervorgeht. Die Vektoren e_p bilden also das n-Bein der konstruierten Kurve im Punkte σ.

Schließlich folgt aus dem obigen Ausdruck für λ_{pp} bei Beachtung der Formel (2.6), daß die konstruierte Kurve die vorgegebenen Funktionen $\varkappa_1, \ldots, \varkappa_{n-1}$ als Krümmungen in jedem Punkt des Intervalls $\alpha < \sigma < \beta$ hat.

Auch die Behauptung bezüglich der Eindeutigkeit der konstruierten Kurve ergibt sich aus der Konstruktion. Denn ist $y = \bar{y}(\sigma)$ eine zweite Lösung, die durch den Punkt $\bar{y}(\sigma_0) = \bar{y}_0$ mit dem n-Bein $\bar{e}_1^0, \ldots, \bar{e}_n^0$ geht, so existiert eine eindeutige Orthogonaltransformation T_0, so daß $T_0\, \bar{e}_p^0 = e_p^0$, und es ist dann

$$y = y^*(\sigma) = y_0 + T_0(\bar{y}(\sigma) - \bar{y}_0)$$

eine Kurve, die durch den Punkt $y^*(\sigma_0) = y_0$ mit dem n-Bein $e_1^0, \ldots, e_n^0$ geht und in jedem Punkt σ des gegebenen Intervalls dieselben Krümmungen wie $y = \bar{y}(\sigma)$ und also auch wie die konstruierte Kurve $y = y(\sigma)$ hat. Dann ist aber nach obigem identisch $y^*(\sigma) \equiv y(\sigma)$, womit alles bewiesen ist.

2.5. Ausartung der Kurve. Bei den obigen Betrachtungen wurde vorausgesetzt, daß die n ersten Ableitungen der Funktion $y(\xi)$ in jedem Punkte eines gewissen Parameterintervalls linear unabhängig sind.

Man nehme jetzt an, daß diese Unabhängigkeit nur für die $l \, (< n)$ ersten Ableitungen zutrifft, während für $y^{(l+1)}(\xi)$ in diesem Intervall die lineare Relation

$$y^{(l+1)}(\xi) = \sum_{i=1}^{l} \lambda_i(\xi)\, y^{(i)}(\xi)$$

mit stetigen Koeffizienten λ_i besteht.

Für ein festes ξ_0 des Parameterintervalls erzeugen die linear unabhängigen Ableitungen $y'(\xi_0), \ldots, y^{(l)}(\xi_0)$ einen l-dimensionalen Unterraum U_y^l des Raumes R_y^n. In diesem hat U_y^l ein orthogonales Komplement der Dimension $n - l$; es sei a ein beliebiger Vektor dieses Komplementes.

Mit dem konstanten Vektor a bilden wir die Funktionen

$$\zeta_i(\xi) = \left(y^{(i)}(\xi),\, a\right) \qquad (i = 1, \ldots, l).$$

Diese l Funktionen genügen nun dem ebenso viele Gleichungen enthaltenden Normalsystem von linearen Differentialgleichungen

$$z_i'(\xi) = z_{i+1}(\xi) \qquad (i = 1, \ldots, l-1), \qquad z_l'(\xi) = \sum_{i=1}^{l} \lambda_i(\xi)\, z_i(\xi),$$

und dieses wird auch von den identisch verschwindenden Funktionen $z_i(\xi) \equiv 0$ befriedigt. Für $\xi = \xi_0$ ist aber

$$\zeta_i(\xi_0) = \left(y^{(i)}(\xi_0),\, a\right) = 0 \qquad (i = 1, \ldots, l),$$

und es müssen somit, gemäß dem schon vielfach benutzten Eindeutigkeitssatz, diese zwei Lösungssysteme überhaupt identisch sein.

Hiernach ist im ganzen Parameterintervall $\zeta_i(\xi) = 0$, insbesondere

$$\zeta_1(\xi) = \left(y'(\xi),\, a\right) = 0,$$

und

$$\int_{\xi_0}^{\xi} \zeta_1(\xi)\, d\xi = \left(y(\xi) - y(\xi_0)\,,\, a\right) = 0.$$

Da diese Gleichung für jedes a aus dem Orthogonalkomplement von U_y^l und jedes ξ des Parameterintervalls besteht, so ist der ganze Kurvenbogen zu diesem Komplement orthogonal und liegt somit in der

l-dimensionalen Hyperebene $y(\xi_0) + U_y^l$. Verschiebt man die Kurve parallel um den Vektor $-y(\xi_0)$, so liegt sie im Unterraum U_y^l, wo die oben entwickelte Kurventheorie auf sie angewendet werden kann.

2.6. Aufgaben. 1. Man beweise die Formel (2.6),

$$\varkappa_p = \frac{\lambda_{(p+1)(p+1)}}{\lambda_{pp}}.$$

2. Man zeige, daß die Krümmung $\varkappa_p = \varkappa_p(\sigma)$ der Kurve $y = y(\sigma)$ sich aus

$$\varkappa_p^2 = \frac{\Delta_{(p+1)(p+1)}\,\Delta_{(p-1)(p-1)}}{\Delta_{pp}^2} \qquad (p = 1, \ldots, n-1)$$

berechnen läßt, wo $\Delta_{00} = 1$ und für $p \geqq 1$

$$\Delta_{pp} = \begin{vmatrix} (y', y') \ldots & (y', y^{(p)}) \\ \vdots & \vdots \\ (y^{(p)}, y') \ldots & (y^{(p)}, y^{(p)}) \end{vmatrix}.$$

Anleitung. Gemäß der Aufgabe 16 in I.6.11, wo $z_p = y^{(p)}$ zu setzen ist, hat man für $p = 1, \ldots, n$

$$\lambda_{11}^2 \ldots \lambda_{pp}^2 = \Delta_{pp}.$$

3. Man bestimme die bis auf eine euklidische Bewegung eindeutig bestimmte Kurve des Raumes R_y^n, deren Krümmungen $\varkappa_1, \ldots, \varkappa_{n-1}$ konstante (positive) Zahlen sind.

Anleitung. Es sei T der durch die Gln. (2.3) definierte orthogonale Operator und $\sigma_0 = 0$. Da die Matrix (2.5) des Frenetschen Operators A in bezug auf das n-Bein $e_1, \ldots, e_n$ gemäß Voraussetzung von der Bogenlänge σ unabhängig ist, so ergibt die Integration der Differentialgleichung (2.7) vermittels der Picardschen Methode der sukzessiven Approximationen (vgl. IV.1.10 Aufgaben 1—2)

$$T = T(\sigma) = \sum_{i=0}^{\infty} \frac{\sigma^i}{i!} A^i \qquad (A^0 = T(0) = I),$$

so daß

$$y'(\sigma) = e_1(\sigma) = T(\sigma)\, e_1(0) = \sum_{i=0}^{\infty} \frac{\sigma^i}{i!} A^i e_1(0) \tag{a}$$

wird.

Wegen der Schiefsymmetrie von A existiert nun gemäß der Aufgabe 13 in I.6.11 eine orthogonale Transformation T_0 und ein festes orthonormiertes System $a_1, \ldots, a_n$, so daß für $p = 1, \ldots, n$

$$e_p(0) = T_0\, a_p, \qquad a_p = T_0^*\, e_p(0)$$

und für $q = 1, \ldots, m = [n/2]$

$$A\, a_{2q-1} = \varrho_q\, a_{2q}, \qquad A\, a_{2q} = -\varrho_q\, a_{2q-1}, \tag{b}$$

wo für ein ungerades $n = 2m + 1$ noch die Achse a_n mit

$$A\, a_n = 0 \tag{b'}$$

hinzukommt. Infolge der speziellen Jacobischen Struktur der Frenetschen Matrix (2.5) sind hier die Zahlen $\varrho_q \neq 0$. Wäre nämlich eine dieser Zahlen $= 0$, so würde aus (b) folgen, daß der Kern des Operators A wenigstens die Dimension 2 hätte. Bezieht man aber diesen Operator auf das Koordinatensystem $e_1(0), \ldots, e_n(0)$, so findet man unmittelbar, daß die Gleichung

$$A\, x = \sum_{i=1}^{n} \xi^i A\, e_i(0) = 0$$

für ein gerades n nur für $x = 0$ und für ein ungerades $n = 2m + 1$ nur für

$$x = \xi^1 \sum_{j=1}^{m} \frac{\varkappa_1 \varkappa_3 \ldots \varkappa_{2j-1}}{\varkappa_2 \varkappa_4 \ldots \varkappa_{2j}} e_{2j+1}(0) \tag{c}$$

besteht; der Kern von A ist somit im ersten Fall von der Dimension 0, im zweiten von der Dimension 1.

Weil die Gleichungen (b) offenbar gegenüber einer orthogonalen Transformation der von a_{2q-1} und a_{2q} aufgespannten Ebene invariant sind, so kann die Transformation T_0 bzw. das Orthogonalsystem $a_1, \ldots, a_n$ in eindeutiger Weise so normiert werden, daß z. B.

$$e_1(0) = T_0\, a_1 = \sum_{q=1}^{m} \lambda_q\, a_{2q} + \lambda\, a_n$$

wird, wo $\lambda = 0$ für ein gerades $n = 2m$. Setzt man dies in (a) ein, so ergibt eine kurze Rechnung auf Grund von (b)

$$y'(\sigma) = -\sum_{q=1}^{m} \lambda_q \big(\sin(\varrho_q \sigma)\, a_{2q-1} - \cos(\varrho_q \sigma)\, a_{2q}\big) + \lambda\, a_n,$$

woraus man die Gleichung der gesuchten Kurve

$$y = \sum_{q=1}^{m} \frac{\lambda_q}{\varrho_q} \big(\cos(\varrho_q \sigma)\, a_{2q-1} + \sin(\varrho_q \sigma)\, a_{2q}\big) + \lambda\, \sigma\, a_n \tag{d}$$

erhält, wenn die Integrationskonstante $y(0)$ passend angenommen wird.

Aus obigem ist zu sehen, daß die Konstanten $\lambda_1, \ldots, \lambda_m$ und (für ein ungerades n) λ der Relation

$$|y'(\sigma)|^2 = \sum_{q=1}^{m} \lambda_q^2 + \lambda^2 = 1 \tag{e}$$

genügen. Andererseits sind die Konstanten $\lambda_q \neq 0$ und für ein ungerades n auch $\lambda \neq 0$, weil, wie aus (d) hervorgeht, die Kurve sonst ausarten würde, was nicht der Fall ist, wenn sämtliche Krümmungen von Null verschieden sind. Ferner folgt aus den Gleichungen (d) und (e), daß die Gleichung (d), den $n-1$ Krümmungen entsprechend, genau $n-1$ unabhängige Parameter enthält. Werden umgekehrt diese Parameter, also die Zahlen $\lambda_q \neq 0$, $\varrho_q \neq 0$ und (für ein ungerades n) $\lambda \neq 0$ in einer der Relation (e) genügender Weise beliebig vorgegeben, so ist σ die Bogenlänge der Kurve, und mit Hilfe der Formeln der Aufgabe 2 erhält man für die Krümmungen der Kurve *konstante* von Null verschiedene Werte, die bis auf das Vorzeichen eindeutig bestimmt sind.

Bemerkung. Die Gleichung (d) zeigt, daß die Kurve für ein gerades $n = 2m$ auf der Sphäre

$$|y| = \sum_{q=1}^{m} \frac{\lambda_q^2}{\varrho_q^2}$$

liegt, während sie sich für ein ungerades $n = 2m+1$ um die durch die Gleichung (c) bestimmte Achse a_n unbeschränkt windet. Für $n = 2$ ist die Kurve ein Kreis, für $n = 3$ eine Schraubenlinie.

4. Man berechne die Krümmungen der Kurve (d) der vorangehenden Aufgabe für $n = 2, 3, 4$.

Anleitung. Zur Berechnung der Determinanten Δ_{pp} der Aufgabe 2 bemerke man, daß infolge der Gleichungen (d) und (e) $(y', y') = 1$ und für $i + j > 2$

$$(y^{(i)}, y^{(j)}) = \sum_{q=1}^{m} \lambda_q^2 \varrho_q^{i+j-2} \cos \frac{(i-j)\pi}{2}.$$

§ 3. Flächentheorie

3.1. Die erste Fundamentalform. Wir beziehen uns auf die in § 1 gegebenen Definitionen und betrachten ein in dem n-dimensionalen euklidischen Raum R_y^n eingebettetes m-dimensionales reguläres Flächenstück F^m, wobei vorläufig nur $1 \leqq m \leqq n-1$ vorausgesetzt wird. Ein solches Flächenstück ist durch eine „zulässige" Parameterdarstellung

$$y = y(x) \qquad (x \in G_x^m,\ y \in R_y^n)$$

definiert (vgl. 1.1 und 1.2).

Der Parameterraum R_x^m wird vermittels des linearen und regulären Operators $y'(x)$ umkehrbar eindeutig auf den m-dimensionalen Tangentialraum der Fläche in dem durch den Ortsparameter x bestimmten Flächenpunkt $y(x)$ abgebildet. Den Vektoren h und k des Parameterraumes entsprechen die Tangenten $y'(x)\,h$ und $y'(x)\,k$, mit dem inneren Produkt

$$G(x)\,h\,k \equiv \big(y'(x)\,h,\ y'(x)\,k\big). \tag{3.1}$$

Das ist die von Gauß eingeführte *erste Fundamentalform* der Flächentheorie, welche die Inhalts- und Winkelmessung auf der Fläche bestimmt. An jedem Ort x des Parametergebietes G_x^m ist sie eine reelle bilineare symmetrische und positiv definite Funktion der Parametervektoren h und k.

Die Tangente $dy = y'(x)\,dx = y'(x)\,h$ hat die Länge

$$|dy| = |y'(x)\,h| = \sqrt{G(x)\,h\,h},$$

und der von den Tangentialvektoren $y'(x)\,h$ und $y'(x)\,k$ eingeschlossene Winkel ϑ wird bis auf das Vorzeichen durch

$$\cos\vartheta = \frac{(y'(x)\,h,\ y'(x)\,k)}{|y'(x)\,h|\,|y'(x)\,k|} = \frac{G(x)\,h\,k}{\sqrt{G(x)\,h\,h\,G(x)\,k\,k}}$$

bestimmt.

Allgemeiner gilt folgendes: Einem am Orte x von den linear unabhängigen Parametervektoren $h_1, \ldots, h_d$ $(1 \leqq d \leqq m \leqq n-1)$ aufgespannten d-dimensionalen Simplex entspricht vermittels des regulären Operators $y'(x)$ im Tangentialraum $y'(x)\,R_x^m$ ein in dem Flächenpunkt $y(x)$ von den linear unabhängigen Tangenten $y'(x)\,h_1, \ldots, y'(x)\,h_d$ aufgespanntes Simplex, das gemäß I.6.10 den Inhalt

$$\frac{1}{d!}\sqrt{\det\big(G(x)\,h_i\,h_j\big)}$$

hat, wo

$$\det\big(G(x)\,h_i\,h_j\big) = \begin{vmatrix} G(x)\,h_1\,h_1 \ldots G(x)\,h_1\,h_d \\ \vdots \qquad\qquad \vdots \\ G(x)\,h_d\,h_1 \ldots G(x)\,h_d\,h_d \end{vmatrix}.$$

In der Kurventheorie empfiehlt es sich die Bogenlänge der Kurve als Parameter zu benutzen, wodurch das Parameterintervall und der Kurvenbogen isometrisch aufeinander bezogen werden. Dem entspricht in der Flächentheorie, daß man an jedem Ort x des Gebietes G_x^m die erste Fundamentalform als metrische Grundform benutzt, wodurch der lineare Parameterraum für ein festes x euklidisch mit dem inneren Produkt

$$(h, k)_x = G(x)\,h\,k$$

wird. In dieser Metrik gibt $y'(x)$ somit eine orthogonale Abbildung des Parameterraumes R_x^m auf den Tangentialraum $y'(x)\,R_x^m$.

Führt man im Parameterraum R_x^m ein affines Koordinatensystem $a_1, \ldots, a_m$ ein und schreibt man die Differentiale

$$h = d_1 x = \sum_{i=1}^{m} d_1\xi^i a_i, \qquad k = d_2 x = \sum_{j=1}^{m} d_2\xi^j a_j,$$

so ergibt sich die übliche Koordinatenform der ersten Grundform:

$$G(x)\,d_1 x\,d_2 x = \sum_{i,j=1}^{m} g_{ij}(x)\,d_1\xi^i\,d_2\xi^j, \tag{3.1'}$$

wo

$$g_{ij}(x) = G(x)\, a_i\, a_j \qquad (g_{ij} = g_{ji}).$$

3.2. Die Einheitsnormale. Von jetzt an wollen wir uns *auf den Fall* $m = n - 1$ einschränken $(m \geqq 2)$.

Unter dieser Voraussetzung besitzt die durch die Gleichung

$$E_y^m(x) = y(x) + y'(x)\, R_x^m \tag{3.2}$$

definierte m-dimensionale Tangentialebene der Fläche im Punkte $y = y(x)$ ein wohlbestimmtes eindimensionales orthogonales Komplement: das ist die *Normale* der Fläche im Punkte $y = y(x)$. Mit diesem Punkt als Anfangspunkt kann man zwei entgegengesetzte Einheitsnormalen (Normalen der Länge 1) abtragen. Für das folgende ist es wichtig, die Orientierung dieser Normale festzulegen. Dies kann durch das Schmidtsche Orthogonalisierungsverfahren folgendermaßen geschehen.

Man gehe von einem Punkt $y = y(x)$ aus, bestimme hier die Tangentialebene (3.2) und fixiere einen willkürlichen Vektor $y = a \neq 0$, der diese Ebene schneidet. Projiziert man diesen Vektor, der im folgenden *konstant* gehalten werden soll, auf die Tangentialebene $E_y^m(x)$ und ist die Projektion gleich $p = p(x)$, so kann man die eine Einheitsnormale $e = e(x)$ im Punkte x durch

$$e(x) = \frac{a - p(x)}{|a - p(x)|} \qquad (|a - p(x)| > 0)$$

festlegen; die andere ist $-e(x)$. Wegen der Stetigkeit der Ableitung $y'(x)$ bewegt sich die Tangentialebene bei einer stetigen Verrückung des Punktes x stetig, und daher ist auch die Projektion $p = p(x)$ eine stetige Funktion des Ortes. Die Bedingung $|a - p(x)| > 0$ ist also in der Nähe des Anfangspunktes x erfüllt, und die obige Formel bestimmt daher $e(x)$ eindeutig als eine stetige Funktion von x.

Eine genaue analytische Begründung dieses anschaulichen Schlusses ist mit Hilfe des Schmidtschen Orthogonalisierungsverfahrens leicht zu geben (vgl. 3.8 Aufgabe 1). Ferner sieht man ein, daß, falls $y(x)$ mehrmals, etwa q-mal differenzierbar ist, dann die Projektion $p(x)$, und damit auch die Normale $e(x)$, $(q - 1)$-mal differenzierbar ist.

Im folgenden wollen wir in einem beliebigen Punkt des Flächenstückes $y = y(x)$ eine bestimmte Richtung der Einheitsnormale als die „positive" festlegen. Nach obigem ist dann die positive Richtung der Normale auf dem ganzen Flächenstück durch stetige Fortsetzung definiert.

3.3. Die zweite Fundamentalform. Fortan wollen wir annehmen, daß die Funktion $y(x)$ in dem Gebiet G_x^m $(m = n - 1)$ *zweimal stetig* *differenzierbar* ist. Nach obigem ist somit die Normale $e(x)$ einmal stetig differenzierbar.

In jedem Punkt $y = y(x)$ der Fläche spannen der Tangentialraum und die positive Einheitsnormale den ganzen Einbettungsraum R_y^n auf. Folglich kann für jedes Paar von Parameterdifferentialen h, k der Vektor $y''(x)\,h\,k$ in eindeutiger Weise in zwei orthogonale Komponenten, die tangentiale und die normale, zerlegt werden.

Die erste Komponente behandeln wir später. Die zweite Komponente ist die orthogonale Projektion des Vektors $y''(x)\,h\,k$ auf die positive Einheitsnormale $e(x)$, somit gleich

$$\big(y''(x)\,h\,k\,,\,e(x)\big)\,e(x) = L(x)\,h\,k\,e(x).$$

Hier ist

$$L(x)\,h\,k \equiv \big(y''(x)\,h\,k\,,\,e(x)\big) \tag{3.3}$$

die von Gauß eingeführte *zweite Fundamentalform* der Flächentheorie. Sie ist, wie die erste Fundamentalform, eine reelle bilineare und, wegen der Symmetrie der zweiten Ableitung, symmetrische Funktion der Parameterdifferentiale h und k.

3.4. Der Operator $\Gamma(x)$ und die Ableitungsformel von Gauß. Wir untersuchen jetzt die tangentiale Komponente des Vektors $y''(x)\,h\,k$, also die orthogonale Projektion dieses Vektors auf den Tangentialraum $y'(x)\,R_x^m$ der Fläche.

Nach obigem ist diese Projektion einerseits gleich der Differenz

$$y''(x)\,h\,k - L(x)\,h\,k\,e(x),$$

woraus zu sehen ist, daß sie linear und symmetrisch von den Parameterdifferentialen h und k abhängt.

Andererseits hat sie, als Vektor des Tangentialraumes, ein eindeutiges Urbild im Parameterraum, das ebenfalls an dem gegebenen Ort x eine bilineare und symmetrische Funktion von h und k sein wird und daher mit

$$\Gamma(x)\,h\,k = \Gamma(x)\,k\,h$$

bezeichnet werden kann. Hiernach ist die betrachtete tangentiale Komponente von $y''(x)\,h\,k$ gleich

$$y'(x)\,\Gamma(x)\,h\,k.$$

Der Vergleich beider Ausdrücke ergibt die *Ableitungsformel von Gauß*,

$$y''(x)\,h\,k = y'(x)\,\Gamma(x)\,h\,k + L(x)\,h\,k\,e(x), \tag{3.4}$$

wodurch die Zerlegung des zweiten Differentials von $y(x)$ in eine tangentiale und eine normale Komponente vollzogen ist.

3.5. Abhängigkeit des Operators $\Gamma(x)$ von $G(x)$. Der bilineare symmetrische Operator $\Gamma(x)$ läßt sich aus der ersten Fundamentalform $G(x)\,h\,k$ allein berechnen.

Um dies einzusehen beachte man, daß die Einheitsnormale $e(x)$ zu jeder Tangente $y'(x)\,l$ senkrecht steht, woraus vermittels der obigen Ableitungsformel folgt, daß

$$\left(y''(x)\,h\,k,\ y'(x)\,l\right) = \left(y'(x)\,\Gamma(x)\,h\,k,\ y'(x)\,l\right),$$

folglich

$$G(x)\,l\,\Gamma(x)\,h\,k = \left(y''(x)\,h\,k,\ y'(x)\,l\right).$$

Andererseits ist, wenn wir der Kürze wegen den festen Ort x unbezeichnet lassen und die Symmetrie des zweiten Differentials beachten,

$$\begin{aligned}(y''\,h\,k,\ y'\,l) &= G'\,h\,k\,l - (y'\,k,\ y''\,h\,l)\\ &= G'\,h\,k\,l - (y''\,l\,h,\ y'\,k)\\ &= G'\,h\,k\,l - G'\,l\,h\,k + (y''\,k\,l,\ y'\,h)\\ &= G'\,h\,k\,l - G'\,l\,h\,k + G'\,k\,l\,h - (y''\,h\,k,\ y'\,l),\end{aligned}$$

somit

$$2(y''\,h\,k,\ y'\,l) = G'\,h\,k\,l + G'\,k\,l\,h - G'\,l\,h\,k$$

und

$$G(x)\,l\,\Gamma(x)\,h\,k = \frac{1}{2}\left(G'(x)\,h\,k\,l + G'(x)\,k\,l\,h - G'(x)\,l\,h\,k\right). \qquad (3.5)$$

Da der Operator $G(x)$ nicht ausgeartet ist und die Gl. (3.5) für ein beliebiges festes Vektorenpaar h, k für jeden Parametervektor l gilt, so bestimmt sie den Vektor $\Gamma(x)\,h\,k$ eindeutig. Zur expliziten Berechnung dieses Vektors kann man z. B. den Parameterraum an dem Ort x vermittels $G(x)\,h\,k$ als metrische Grundform euklidisch metrisieren, und ein in bezug auf diese Metrik orthonormiertes Koordinatensystem $a_1(x), \ldots, a_{n-1}(x)$ konstruieren. Sind dann $\Gamma^i(x)\,h\,k$ die Komponenten von $\Gamma(x)\,h\,k$ in diesem Koordinatensystem, so wird für $i = 1, \ldots, n-1$

$$\Gamma^i\,h\,k = G\,a_i\,\Gamma\,h\,k = \frac{1}{2}\left(G'\,h\,k\,a_i + G'\,k\,a_i\,h - G'\,a_i\,h\,k\right).$$

Drückt man auch h und k in Koordinaten aus,

$$h = \sum_{s=1}^{n-1} \xi_1^s\,a_s, \qquad k = \sum_{t=1}^{n-1} \xi_2^t\,a_t,$$

und setzt man die Koordinatendarstellung (3.1′) für G ein, so findet man

$$\Gamma^i\,h\,k = \sum_{s,t=1}^{n-1} \xi_1^s\,\xi_2^t\,\Gamma^i\,a_s\,a_t,$$

und es wird

$$\Gamma^i a_s a_t = \frac{1}{2}\left(\frac{\partial g_{ti}}{\partial \xi^s} + \frac{\partial g_{is}}{\partial \xi^t} - \frac{\partial g_{st}}{\partial \xi^i}\right) = \left[\begin{matrix} s\,t \\ i \end{matrix}\right]. \tag{3.6}$$

Das sind die *Dreiindizessymbole von Christoffel.*

3.6. Der Operator $\Lambda(x)$ und die Ableitungsformel von Weingarten. Es wurde oben bemerkt, daß die Existenz und Stetigkeit der Ableitung $y''(x)$ die stetige Differenzierbarkeit der Einheitsnormale $e(x)$ impliziert. Zur Bestimmung der Ableitung $e'(x)$ gehen wir von der Identität

$$(e(x), e(x)) = 1$$

aus und erhalten hieraus durch Differentiation mit dem Differential $dx = h$ die Gleichung

$$(e(x), e'(x)h) = 0.$$

Diese Identität besagt, daß $e'(x)\,h$ für jedes h des Parameterraumes zu $e(x)$ senkrecht steht, somit in dem Tangentialraum $y'(x)\,R^m_x$ liegt. Folglich hat dieser Vektor im Parameterraum ein eindeutiges Urbild, das ebenfalls linear von h abhängen wird, also mit

$$-\Lambda(x)\,h$$

bezeichnet werden kann. Hiernach ist

$$e'(x)h = -y'(x)\Lambda(x)\,h. \tag{3.7}$$

Das ist die *Ableitungsformel von Weingarten.* In Verbindung mit der Gaußschen Ableitungsformel spielt sie in der Flächentheorie eine Rolle, die mit derjenigen der Frenetschen Formeln in der Kurventheorie analog ist.

Der Operator $\Lambda(x)$ definiert an jedem Ort x eine lineare Selbstabbildung des Parameterraumes. Um den Zusammenhang dieses Operators mit den Fundamentalformen G und L zu finden, gehen wir von der für jedes x des Gebietes G^m_x und jeden Parametervektor k bestehenden Gleichung

$$(y'(x)k, e(x)) = 0$$

aus. Differenziert man diese Identität nach x mit dem Differential $dx = h$, so wird

$$(y''(x)hk\,, e(x)) + (y'(x)k\,, e'(x)h) = 0.$$

Hier ist das erste Glied links gemäß der Definition der zweiten Fundamentalform gleich $L(x)\,h\,k$, während die Weingartensche Formel für das zweite Glied

$$-(y'(x)k, y'(x)\Lambda(x)h) = -G(x)k\Lambda(x)h$$

ergibt. Folglich ist

$$G(x)k\Lambda(x)h = L(x)hk, \tag{3.8}$$

eine Gleichung, die für ein beliebiges festes h und jedes k des Parameterraumes besteht, und somit den Vektor $\Lambda(x)\,h$ eindeutig bestimmt.

Das in der vorangehenden Nummer eingeführte, in bezug auf $G(x)\,h\,k$ orthonormierte Koordinatensystem $a_1(x), \ldots, a_{n-1}(x)$ wählt man im vorliegenden Fall am natürlichsten als Hauptachsensystem der Form $L(x)\,h\,k$ in bezug auf $G(x)\,h\,k$. Gemäß dem in I.6.8 Gesagten ist dann

$$\Lambda(x)\,a_i(x) = \varkappa_i(x)\,a_i(x) \qquad (i = 1, \ldots, n-1),$$

wo $\varkappa_i(x)$ die Eigenwerte der infolge (3.8) in bezug auf $G(x)\,h\,k$ selbstadjungierten linearen Transformation $\Lambda(x)$ bezeichnen. Für

$$h = \sum_{i=1}^{n-1} \xi^i\,a_i(x)$$

ist somit

$$\Lambda(x)\,h = \sum_{i=1}^{n-1} \varkappa_i(x)\,\xi^i\,a_i(x).$$

Auf die Größen $\varkappa_i(x)$ kommen wir sogleich in einem anderen Zusammenhang zurück.

3.7. Die Hauptkrümmungen. Wir untersuchen im folgenden die Krümmung einer Flächenkurve

$$y = y(x(\sigma)) \equiv \overline{y}(\sigma),$$

welche durch einen Punkt $y(x) = y(x(\sigma))$ der Fläche geht. Hierbei ist σ die Bogenlänge der Flächenkurve; von dem Urbild $x = x(\sigma)$ im Parameterraum setzen wir zweimalige stetige Differenzierbarkeit voraus.

Bei dieser Parameterwahl wird die Einheitstangente

$$e_1(\sigma) = e_1 = \overline{y}' = y'(x)\,x',$$

somit

$$e_1' = y''(x)\,x'\,x' + y'(x)\,x''.$$

Gemäß den Frenetschen Formeln ist andererseits

$$e_1' = \varkappa\,e_2,$$

wo $e_2 = e_2(\sigma)$ die Hauptnormale und $\varkappa = \varkappa(\sigma)$ die Hauptkrümmung $\pm|\overline{y}''(\sigma)|$ der Flächenkurve bezeichnet.

In der Kurventheorie haben wir die Hauptnormale in der Richtung von $\overline{y}''(\sigma)$ genommen, so daß $\varkappa(\sigma)$ stets positiv ausfällt. In dem vorliegenden Zusammenhang wird die Orientierung anders vorgenommen, nämlich so, daß der von $e_2(\sigma)$ und der bereits festgelegten positiven Einheitsnormale $e(x)$ der Fläche eingeschlossene Winkel einen Betrag $\vartheta = \vartheta(\sigma) \leqq \pi/2$ hat, somit $\cos\vartheta \geqq 0$ wird.

Aus den obigen Gleichungen folgt nun wegen $\cos\vartheta = (e_2, e)$

$$\varkappa \cos\vartheta = (\varkappa e_2, e) = (e_1', e) = (y''(x)\, x'\, x', e) + (y'(x)\, x'', e).$$

Hier verschwindet das zweite Glied rechts, während das erste gemäß der Definition der zweiten Fundamentalform gleich $L(x)\, x'\, x'$ ist. Es wird somit

$$\varkappa(\sigma) \cos\vartheta(\sigma) = L(x(\sigma))\, x'(\sigma)\, x'(\sigma). \tag{3.9}$$

Diese *Formel von Meusnier* zeigt, daß die Krümmung $\varkappa$ bei der obigen Normierung der Hauptnormale e_2 das Vorzeichen von $L(x)\, x'\, x'$ hat und im übrigen nur von der Tangentialrichtung $e_1 = y'(x)\, x'$ und dem Winkel ϑ abhängt. Hierbei können wir uns auf den Fall $\vartheta = 0$ beschränken, wo es sich um „Normalschnitte" handelt, deren Schmiegungsebene die Normale der Fläche im betreffenden Punkte enthält.

Um die Abhängigkeit der Krümmung

$$\varkappa = L(x)\, x'\, x'$$

solcher Normalschnitte von der Tangentialrichtung besser zu übersehen, empfiehlt es sich, am betreffenden Ort x den Parameterraum wieder vermittels der ersten Fundamentalform zu metrisieren (vgl. 3.1), um die in der vorangehenden Nummer eingeführten Hauptachsen $a_1(x), \ldots, a_{n-1}(x)$ der zweiten Fundamentalform als Koordinatensystem benutzen zu können. Ist dann

$$x' = \sum_{i=1}^{n-1} \xi^i a_i(x),$$

wo jetzt

$$|x'| = \sqrt{G(x)\, x'\, x'} = |y'(x)\, x'| = |\bar{y}'| = 1,$$

folglich $\sum_{i=1}^{n-1} (\xi^i)^2 = 1$, so wird

$$\varkappa = L(x)\, x'\, x' = \sum_{i=1}^{n-1} L(x)\, a_i(x)\, a_i(x)\, (\xi^i)^2 = \sum_{i=1}^{n-1} \varkappa_i(x)\, (\xi^i)^2, \tag{3.10}$$

wo $\varkappa_i(x)$ die früher eingeführten Eigenwerte der Transformation $\Lambda(x)$ sind.

Gemäß dieser *Formel von Euler* sind die Eigenwerte

$$\varkappa_i(x) = G(x)\, a_i(x)\, \Lambda(x)\, a_i(x) = L(x)\, a_i(x)\, a_i(x)$$

die Krümmungen in den Richtungen

$$e_i(x) = y'(x)\, a_i(x) \qquad (i = 1, \ldots, n-1),$$

welche in dem Flächenpunkt $y(x)$ ein orthonormiertes System des Tangentialraumes bilden. Man nennt diese Richtungen die *Hauptkrümmungsrichtungen* und die Größen $\varkappa_i(x)$ die *Hauptkrümmungen* der Fläche im Punkte $y(x)$; in Verbindung mit der Einheitsnormale $e(x)$ bilden die Hauptkrümmungsrichtungen ein orthonormiertes Koordinatensystem

$$e(x),\, e_1(x),\, \ldots,\, e_{n-1}(x)$$

des Einbettungsraumes R_y^n; man nennt dieses Koordinatensystem das *n-Bein* der Fläche im Punkte $y(x)$.

Neben den Hauptkrümmungen $\varkappa_i(x)$ spielen die elementarsymmetrischen Polynome dieser Größen, insbesondere die *Gaußsche Krümmung*

$$K(x) \equiv \varkappa_1(x) \ldots \varkappa_{n-1}(x) = \prod_{i=1}^{n-1} G(x)\, a_i(x)\, \Lambda(x)\, a_i(x)$$

der Fläche im Punkte $y(x)$ eine zentrale Rolle bei Untersuchung der „inneren“ (von der Einbettung in einem umgebenden $(m+1)$-dimensionalen Raum unabhängigen) Geometrie der Fläche.

Die Gaußsche Krümmung verschwindet dann und nur dann, wenn eine der Hauptkrümmungen gleich Null ist.

3.8. Aufgaben. 1. Man beweise, daß die Projektion $p(x)$ eines festen Vektors $y = a$ auf der Tangentialebene einer regulären m-dimensionalen Fläche $y = y(x)$ im Raume R_y^n $(m < n)$ $(q-1)$-mal stetig differenzierbar ist, falls $y(x)$ q-mal stetig differenzierbar ist.

Anleitung. Sei h_i $(i = 1, \ldots, m)$ ein (konstantes) linear unabhängiges Vektorensystem. Im Punkte x orthonormiere man die Tangentialvektoren $y'(x)\, h_i$ durch das Schmidtsche Verfahren:

$$y_1(x) = \frac{y'(x)\, h_1}{|y'(x)\, h_1|}, \qquad y_i(x) = \frac{y'(x)\, h_i - p_i(x)}{|y'(x)\, h_i - p_i(x)|} \qquad (i = 2, \ldots, m),$$

wo

$$p_i(x) = \sum_{j=1}^{i-1} \big(y'(x)\, h_i,\, y_j(x)\big)\, y_j(x).$$

Hieraus ist die behauptete Differenzierbarkeitseigenschaft für $y_1(x)$, $p_2(x)$, $y_2(x), \ldots, p_m(x)$, $y_m(x)$ zu sehen, und die Behauptung ergibt sich aus

$$p(x) = \sum_{i=1}^{m} \big(a,\, y_i(x)\big)\, y_i(x).$$

2. Man beweise: Ein reguläres m-dimensionales Flächenstück in einem euklidischen Raum der Dimension $m + 1 = n$, das lauter *Flachpunkte* hat, so daß der zweite Fundamentaloperator identisch verschwindet, ist ein m-dimensionaler Unterraum (oder ein m-dimensionales Stück) des Einbettungsraumes.

Anleitung. Aus der Weingartenschen Formel (3.7) folgt

$$e'(x)\, h = -\, y'(x)\, \Lambda(x)\, h \equiv 0;$$

denn wegen $G(x)\,k\,\Lambda(x)\,h = L(x)\,h\,k = 0$ ist $\Lambda(x)\,h = 0$. Somit ist $e(x) \equiv e_0$ konstant und

$$L(x)h\,k = \left(y''(x)h\,k,\, e_0\right) \equiv 0,$$

woraus zunächst $\left(y'(x)\,k,\, e_0\right) = \text{const.} = 0$ und dann

$$\left(y(x) - y(x_0),\, e_0\right) \equiv 0$$

folgt.

3. Man beweise: Eine Sphäre

$$\left(y(x),\, y(x)\right) = \varrho^2$$

hat lauter *Nabelpunkte*, wo alle Hauptkrümmungen gleich sind.

Anleitung. Es ist $\left(y'(x)\,h,\, y(x)\right) = 0$, also $y(x) = \lambda\, e(x)$, $\lambda^2 = \varrho^2$, $\lambda = \pm\varrho$. Wir nehmen z. B.

$$y(x) = -\varrho\, e(x).$$

Aus der Weingartenschen Ableitungsformel folgt

$$y'(x)h = -\varrho\, e'(x)h = \varrho\, y'(x)\,\Lambda(x)h = y'(x)\left(\varrho\,\Lambda(x)h\right),$$

somit

$$\Lambda(x)h = \frac{1}{\varrho}\,h = \varkappa\, h.$$

Alle Hauptkrümmungen sind gleich $1/\varrho$, jeder Punkt somit ein Nabelpunkt.

Umgekehrt läßt sich zeigen, daß eine solche Fläche stets eine Sphäre ist (vgl. 6.3 Aufgabe 2).

§ 4. Vektoren und Tensoren

4.1. Parametertransformationen. Bevor wir die Differentialgeometrie weiter entwickeln, soll der Transformationscharakter der bisher eingeführten Größen beim Übergang von einem Parameter x zu einem anderen untersucht werden. Dabei soll die Fläche F^m, im Sinne der Ausführungen von § 1, als eine stetig differenzierbare (reguläre) m-dimensionale Mannigfaltigkeit erklärt sein, so daß wir von ihrer Einbettung in dem Raum R_y^n absehen können. Um einen Punkt p von F^m grenzen wir ein Flächenstück G_p^m ab, welches zu einem Parametergebiet $G_x^m \subset R_x^m$ homöomorph ist, und führen hier weitere zulässige Parameter $\bar{x}, \bar{\bar{x}}, \ldots$ ein. Der Vektor- und Tensorkalkül beschäftigt sich mit den einfachsten Arten von Transformationen, welche Größen, die auf der Mannigfaltigkeit F^m gegeben sind, bei einem Parametertausch erfahren können[1].

4.2. Invarianten. Die von diesem Standpunkt einfachsten Gebilde sind diejenigen, welche in G_p^m *eindeutig* definiert sind. Die „Re-

[1] R. Nevanlinna [*8*].

präsentanten" $F(x), \bar{F}(\bar{x}), \ldots$ einer solchen Größe $F(p)$ in den verschiedenen zulässigen Parametergebieten gehen auseinander durch das Gesetz der *Invarianz* hervor:

$$\bar{F}(\bar{x}) = F(x(\bar{x})), \quad F(x) = \bar{F}(\bar{x}(x)).$$

Liegt der Wertevorrat von F insbesondere in der Menge der reellen Zahlen oder, allgemeiner, in einem linearen Raum, so heißt eine solche Invariante F auch ein *Skalar*.

4.3. Kontravariante Vektoren. In der Umgebung G_p^m der Mannigfaltigkeit F^m betrachte man einen Punkt $p = (x, \bar{x}, \ldots)$. Sei ferner $dx = h$ ein Differential, d. h. ein Vektor im Raum R_x^m; man bilde hierzu die entsprechenden Differentiale $d\bar{x} = \bar{h} = \frac{d\bar{x}}{dx} h$ usw. Die Äquivalenzklasse

$$dp = (h, \bar{h}, \ldots)$$

definiert ein *Differential* oder einen *kontravarianten Vektor* im Punkte p der Mannigfaltigkeit.

Ein solcher Vektor ist hiernach bestimmt durch das Paar $\{p, dp\}$, wo dp eine Klasse von Vektoren $h \in R_x^m$, $\bar{h} \in \bar{R}_{\bar{x}}^m, \ldots$ ist, welche nach dem Gesetz der *Kontravarianz*

$$\bar{h} = \frac{d\bar{x}}{dx} h, \quad h = \frac{dx}{d\bar{x}} \bar{h}$$

zusammenhängen; die Ableitungen sind hierbei im Punkte $p = (x, \bar{x}, \ldots)$ zu nehmen.

Die Menge aller Vektoren dp im festen Punkt p bilden einen m-dimensionalen linearen Raum T_{dp}^m, falls man die Addition von zwei Vektoren $d_1 p = (h_1, \bar{h}_1, \ldots)$ und $d_2 p = (h_2, \bar{h}_2, \ldots)$ sowie die Multiplikation von $dp = (h, \bar{h}, \ldots)$ mit einer reellen Zahl λ durch die Gleichungen

$$d_1 p + d_2 p = (h_1 + h_2, \bar{h}_1 + \bar{h}_2, \ldots), \quad \lambda\, dp = (\lambda h, \lambda \bar{h}, \ldots)$$

erklärt. T_{dp}^m ist der *Tangentialraum* der Fläche im „Berührungspunkt" p.

Repräsentant eines kontravarianten Vektors $\{p, dp\}$ im Parametergebiet G_x^m ist das Paar $\{x, dx\}$ oder auch derjenige Vektor des affinen Raumes R_x^m, der x als Anfangspunkt und $x + dx$ als Endpunkt hat (vgl. I.1.5). Diese letzte Deutung entspricht der elementaren geometrischen Anschauung eines „Vektors auf einer Fläche".

Zu der *Bezeichnung* sei noch folgendes bemerkt. Da ein Punkt $p = (x, \bar{x}, \ldots)$ durch jeden seiner Repräsentanten eindeutig bestimmt ist und dasselbe für ein Differential $dp = (dx, d\bar{x}, \ldots)$ gilt, so kann man den Punkt und das Differential auch durch Repräsentanten x bzw. dx in einem beliebigen der zulässigen Parameterräume R_x^m

bezeichnen. Sprechen wir also im folgenden etwa von einem kontravarianten Vektor h schlechthin, so ist damit die ganze Äquivalenzklasse $(h, \bar{h}, \ldots)$ gemeint[1].

Sei (p) eine Punktmenge auf der Fläche. Wenn jedem Punkt von (p) ein kontravarianter Vektor $dp = h = h(p)$ zugeordnet ist, so heißt die Menge $(h(p))$ ein kontravariantes *Vektorfeld* (kürzer ein kontravarianter Vektor) auf (p). Die Begriffe: Stetigkeit, Differenzierbarkeit usw. eines solchen Feldes werden in einleuchtender Weise definiert, relativ zu den Repräsentanten $h(x)$, $\bar{h}(\bar{x}), \ldots$ von $h(p)$ in den zulässigen Ortsparametern $x, \bar{x}, \ldots$ von p.

4.4. Kovarianten. Es sei jetzt im Punkte $p = (x, \bar{x}, \ldots)$ eine Klasse von *linearen Operatoren* $A, \bar{A}, \ldots$ der Parameterräume $R_x^m, \bar{R}_{\bar{x}}^m, \ldots$ gegeben, die sich gemäß dem Gesetz der *Kovarianz* transformieren, d. h.

$$\bar{A} = A \frac{dx}{d\bar{x}}, \qquad A = \bar{A} \frac{d\bar{x}}{dx},$$

wo die Ableitungen im Punkte p zu nehmen sind. Der Wertevorrat des invarianten Differentials

$$A\,dp = (A\,dx, \bar{A}\,d\bar{x}, \ldots)$$

liegt dabei in einem beliebig vorgegebenen, etwa n-dimensionalen linearen Raum. Wir nennen einen solchen Operator A eine *Kovariante* im Punkte p der Mannigfaltigkeit. Man sieht:

Falls eine Kovariante auf einen kontravarianten Vektor operiert, so entsteht eine Invariante.

Diese Tatsache kann umgekehrt als Definition einer Kovariante angenommen werden. Denn ist für *jeden* kontravarianten Vektor h die Größe $A\,h$ invariant, so gilt, wegen $\bar{h} = \frac{d\bar{x}}{dx} h$, $A\,h = \bar{A}\,\bar{h} = \bar{A} \frac{d\bar{x}}{dx} h$ und daher $A = \bar{A} \frac{d\bar{x}}{dx}$, d. h. A ist kovariant. Umgekehrt folgt aus den Definitionen der Invarianz und Kovarianz das Transformationsgesetz der Kontravarianz.

4.5. Kovariante Vektoren. Sei A kovariant und h kontravariant. Wegen der Invarianz des Differentials $A\,h$ kann die Kovariante A

[1] Zur Unterscheidung der zulässigen Parameter x kann man auch eine Indexmenge (i) benutzen. Ein Punkt x auf F^m ist dann durch die Äquivalenzklasse (x_i) definiert. Entsprechend ist ein kontravarianter Vektor h im Punkte x gegeben durch eine Klasse (h_i), wobei $h_i \in R_{x_i}^m$ und das Gesetz der Kontravarianz erfüllt ist: sind i und j zwei Indizes der Menge (i), so ist

$$h_i = \frac{d x_i}{d x_j} h_j.$$

als ein Vektor eines mn-dimensionalen Operatorenraumes aufgefaßt werden (vgl. I.3.5).

Besondere Beachtung verdient der Fall $n = 1$, wo die Invariante $A\,h$ als eine reelle Zahl angenommen werden kann. Es ist dann

$$A = a^*$$

ein im Tangentialraum $T = T^m_{dp}$ erklärter linearer Operator, also ein Vektor des zu T *dualen*, ebenfalls m-dimensionalen Raumes T^*. Wegen der Kovarianz von a^*,

$$\bar{a}^* = a^* \frac{dx}{d\bar{x}}, \qquad a^* = \bar{a}^* \frac{d\bar{x}}{dx},$$

nennt man a^* einen *kovarianten Vektor*.

Wenn a^* ein kovarianter und b ein kontravarianter Vektor ist, so ist der Ausdruck $a^*\,b$ eine reelle Invariante, die in den beiden Argumenten $a^* \in T^*$ und $b \in T$ linear ist. Hierbei kann man, wie oben, a^* als einen in T erklärten linearen Operator aus T^* auffassen, oder (dual) b als einen in T^* erklärten linearen Operator aus T. Gemäß der angenommenen Schreibweise steht in der invarianten Bilinearform das „kontravariante Argument" b rechts vom „Operator" a^* und das „kovariante Argument" a^* links vom „Operator" b.

4.6. Gradient. Das einfachste Beispiel eines kovarianten Vektors ist die Ableitung, der *Gradient* a^* einer reellen Invariante F, mit den Repräsentanten

$$a^* = \frac{dF}{dx}, \qquad \bar{a}^* = \frac{d\bar{F}}{d\bar{x}}, \ldots .$$

Umgekehrt ist ein kovarianter Vektor a^* in G^m_p nicht immer ein Gradient, d. h. Ableitung einer Invariante F. Hierzu muß a^* der Integrabilitätsbedingung genügen, d. h. es soll in der Umgebung G^m_p notwendig

$$\operatorname{rot} a^* = \wedge \frac{da^*}{dx} = 0$$

sein (vgl. III.3.3).

Es ist auf Grund der obigen Fragestellung klar, daß diese Bedingung *invariant* (unabhängig von der Wahl des zulässigen Parameters x) ist. Dies kann auch direkt bestätigt werden. Führt man nämlich eine zweimal differenzierbare Parametertransformation $x \longleftrightarrow \bar{x}$ aus, so gilt für ein kovariantes A und ein kontravariantes h die Invarianz

$$A\,h = \bar{A}\,\bar{h},$$

wobei $\bar{h} = \frac{d\bar{x}}{dx} h$. Differenziert man hier, entsprechend einem Differential $dx = k$, $d\bar{x} = \bar{k} = \frac{d\bar{x}}{dx} k$, so wird

$$d(A\,h) = (dA)\,h = \frac{dA}{dx} k\,h = d(\bar{A}\,\bar{h}) = (d\bar{A})\,\bar{h} + \bar{A}\,(d\bar{h})$$

$$= \frac{d\bar{A}}{d\bar{x}} \bar{k}\,\bar{h} + \bar{A} \frac{d^2\bar{x}}{dx^2} k\,h.$$

Durch Vertauschung von h und k und Subtraktion ergibt sich wegen der Symmetrie des bilinearen Operators $d^2\bar{x}/dx^2$

$$\frac{dA}{dx} k\,h - \frac{dA}{dx} h\,k = \frac{d\bar{A}}{d\bar{x}} \bar{k}\,\bar{h} - \frac{d\bar{A}}{d\bar{x}} \bar{h}\,\bar{k},$$

d. h. die Bilinearform

$$\wedge \frac{dA}{dx} h\,k = \wedge \frac{d\bar{A}}{d\bar{x}} \bar{h}\,\bar{k}$$

ist invariant und dasselbe gilt also auch für die Gleichung $\wedge\, dA/dx = 0$.

4.7. Tensoren. Für den bilinearen Operator $B = \wedge\, dA/dx$ ist die Form $B\,h\,k$ invariant, sofern die Vektoren h, k kontravariant sind. Durch diese Eigenschaft ist $\operatorname{rot} A$ definiert als ein kovarianter *Tensor* der Stufe 2. Damit kommen wir zu dem allgemeinen Begriff eines Tensors.

Wir betrachten eine im Punkte p der Mannigfaltigkeit F^m erklärte $(\alpha + \beta)$-fach lineare reelle Form, welche von α kontravarianten Vektoren $h_1, \ldots, h_\alpha$ und β kovarianten Vektoren $k_1^*, \ldots, k_\beta^*$ linear abhängt. Ein solcher multilinearer Operator soll mit A bezeichnet werden. Wir schreiben, in Analogie mit dem obigen, die kontravarianten Argumente rechts, die kovarianten links. Da die Form im Punkte $p = (x, \bar{x}, \ldots)$ eindeutig, unabhängig von der Wahl des Parameters, gegeben ist, so ist also die multilineare Form

$$k_\beta^* \ldots k_1^*\, A\, h_1 \ldots h_\alpha$$

eine Invariante (ein Skalar).

Unter dieser Bedingung heißt der Operator A ein *α-fach kovarianter und β-fach kontravarianter Tensor* im Punkte p. Die Summe $\alpha + \beta$ gibt die *Stufe* des Tensors an. Ein Vektor ist also ein Tensor der Stufe 1.

Den Tensor A bezeichnen wir gelegentlich auch durch $\overset{\beta}{\underset{\alpha}{A}}$, wobei der Oberindex die Stufe seiner Kontravarianz, der Unterindex die Stufe seiner Kovarianz angibt. Eine etwas ausführlichere Bezeichnung ist

$$\underbrace{\circ \cdots \circ}_{\beta} \overset{\beta}{\underset{\alpha}{A}} \overbrace{\circ \cdots \circ}^{\alpha},$$

mit α kontravarianten „Leerstellen" rechts und β kovarianten Leerstellen links. Wird diese Leerform mit α kontravarianten und β kovarianten Vektoren „gesättigt", so entsteht die obige invariante multilineare Form, die wir auch schreiben können:

$$\underset{1}{h^\beta}\dots\underset{1}{h^1}\,\overset{\beta\,1}{\underset{\alpha}{A}}\,\overset{1}{h_1}\dots\overset{1}{h_\alpha}.$$

Bei der gesättigten Form ist die Summe der Oberindizes dieselbe wie die Summe der Unterindizes; beide sind gleich der Stufe $\alpha+\beta$ des Tensors.

Das Transformationsgesetz der Repräsentanten $A, \bar{A}, \dots$ eines Tensors für die verschiedenen Parameter des Punktes $p=(x,\bar{x},\dots)$ ergibt sich aus der Invarianz

$$\underset{1}{\bar{h}^\beta}\dots\underset{1}{\bar{h}^1}\,\overset{\beta\,1}{\underset{\alpha}{\bar{A}}}\,\overset{1}{\bar{h}_1}\dots\overset{1}{\bar{h}_\alpha}=\underset{1}{h^\beta}\dots\underset{1}{h^1}\,\overset{\beta\,1}{\underset{\alpha}{A}}\,\overset{1}{h_1}\dots\overset{1}{h_\alpha},$$

wo

$$\overset{1}{\bar{h}_i}=\frac{d\bar{x}}{dx}\overset{1}{h_i},\qquad \underset{1}{\bar{h}^j}=\underset{1}{h^j}\frac{dx}{d\bar{x}}.$$

Unter Benutzung von Leerstellen schreibt sich dieses Gesetz:

$$\underbrace{\circ\frac{dx}{d\bar{x}}\cdots\circ\frac{dx}{d\bar{x}}}_{\beta}\,\overset{\beta}{\underset{\alpha}{\bar{A}}}\,\overbrace{\frac{d\bar{x}}{dx}\circ\cdots\frac{d\bar{x}}{dx}\circ}^{\alpha}=\underbrace{\circ\cdots\circ}_{\beta}\overset{\beta}{\underset{\alpha}{A}}\overbrace{\circ\cdots\circ}^{\alpha}.$$

Den tensoriellen Charakter des Operators A könnte man umgekehrt durch dieses Transformationsgesetz seiner Repräsentanten definieren.

4.8. Transformation der Komponenten. In dem üblichen Tensorkalkül wird die Transformationsregel eines Tensors mit Hilfe seiner Komponenten gegeben, die man erhält, indem man in den Parameterräumen je ein Koordinatensystem wählt. Diese Regeln ergeben sich unmittelbar aus der obigen koordinatenfreien Definition eines Tensors.

Wie üblich, wollen wir dabei die kontravarianten Komponenten durch obere, die kovarianten durch untere Indizes angeben. Ferner werden die Summenzeichen weggelassen, wenn die Summation gemäß einem Index erfolgt, der sowohl oben wie unten vorkommt (Regel von Einstein).

Es seien $a_1,\dots,a_m$ und $\bar{a}_1,\dots,\bar{a}_m$ zwei lineare Koordinatensysteme der Parameterräume R^m_x bzw. $\bar{R}^m_{\bar{x}}$ und

$$dx=d\xi^i a_i,\qquad d\bar{x}=d\bar{\xi}^j\bar{a}_j.$$

zwei einander entsprechende Parameterdifferentiale, somit

$$d\bar{x}=\frac{d\bar{x}}{dx}dx,\qquad dx=\frac{dx}{d\bar{x}}d\bar{x}.$$

Es ist dann

$$d\bar{x} = \frac{\partial \bar{\xi}^j}{\partial \xi^i} d\xi^i \bar{a}_j = d\xi^i \frac{d\bar{x}}{dx} a_i,$$

folglich

$$\frac{d\bar{x}}{dx} a_i = \frac{\partial \bar{\xi}^j}{\partial \xi^i} \bar{a}_j, \qquad \frac{dx}{d\bar{x}} \bar{a}_j = \frac{\partial \xi^i}{\partial \bar{\xi}^j} a_i.$$

Sei nun l ein beliebiger kontravarianter Vektor im Punkte $(x, \bar{x}, \ldots)$ mit den Repräsentanten

$$l = \lambda^i a_i, \qquad \bar{l} = \bar{\lambda}^j \bar{a}_j$$

in den Parameterräumen R^m_x und $\bar{R}^m_{\bar{x}}$. Nach obigem ist dann

$$\bar{l} = \frac{d\bar{x}}{dx} l = \lambda^i \frac{d\bar{x}}{dx} a_i = \lambda^i \frac{\partial \bar{\xi}^j}{\partial \xi^i} \bar{a}_j = \bar{\lambda}^j \bar{a}_j,$$

somit

$$\bar{\lambda}^j = \frac{\partial \bar{\xi}^j}{\partial \xi^i} \lambda^i, \qquad \lambda^i = \frac{\partial \xi^i}{\partial \bar{\xi}^j} \bar{\lambda}^j.$$

Das sind die üblichen Transformationsformeln für den kontravarianten Vektor $l = (\lambda^1, \ldots, \lambda^m)$. Umgekehrt erhält man aus dieser Komponentendarstellung das koordinatenfreie Gesetz der Kontravarianz:

$$\bar{l} = \bar{\lambda}^j \bar{a}_j = \frac{\partial \bar{\xi}^j}{\partial \xi^i} \lambda^i \bar{a}_j = \lambda^i \frac{\partial \bar{\xi}^j}{\partial \xi^i} \bar{a}_j = \lambda^i \frac{d\bar{x}}{dx} a_i = \frac{d\bar{x}}{dx} l.$$

Sei zweitens l^* ein kovarianter Vektor im Punkte $(x, \bar{x}, \ldots)$. Sein Repräsentant l^* im Raume R^m_x ist ein linearer Operator. Für ein $l = \lambda^i a_i$ dieses Raumes ist also

$$l^* l = \lambda^i l^* a_i = a^{*i} \lambda_i = \lambda^i \lambda_i,$$

wo $a^{*i} = \lambda^i$ und $\lambda_i = l^* a_i$ gesetzt worden ist. Die Linearformen $a^{*i} = \lambda^i \, (i = 1, \ldots, m)$ bilden die zu dem Koordinatensystem a_i duale Basis, und λ_i sind die Koordinaten des Vektors l^* in diesem dualen System. Wegen

$$\bar{l}^* = l^* \frac{dx}{d\bar{x}}$$

ergibt sich

$$\bar{\lambda}_j = \bar{l}^* \bar{a}_j = l^* \frac{dx}{d\bar{x}} \bar{a}_j = l^* \frac{\partial \xi^i}{\partial \bar{\xi}^j} a_i = \frac{\partial \xi^i}{\partial \bar{\xi}^j} l^* a_i = \frac{\partial \xi^i}{\partial \bar{\xi}^j} \lambda_i.$$

Das Gesetz der Kovarianz des Vektors $l^* = (\lambda_1, \ldots, \lambda_m)$ lautet demnach

$$\bar{\lambda}_j = \frac{\partial \xi^i}{\partial \bar{\xi}^j} \lambda_i, \qquad \lambda_i = \frac{\partial \bar{\xi}^j}{\partial \xi^i} \bar{\lambda}_j.$$

Sei schließlich $\overset{\beta}{\underset{\alpha}{A}}$ ein allgemeiner gemischter Tensor von der Stufe $\alpha + \beta$ im Punkte $(x, \bar{x}, \ldots)$ der m-dimensionalen Mannigfaltigkeit F^m. Mit den obigen Bezeichnungen hat die invariante multilineare Form

$$l^\beta \ldots l^1 \overset{\beta}{\underset{\alpha}{A}} l_1 \ldots l_\alpha$$

im Parameterraum R_x^m den Repräsentanten

$$a^{*j_\beta} \lambda^\beta_{j_\beta} \ldots a^{*j_1} \lambda^1_{j_1} \overset{\beta}{\underset{\alpha}{A}} \lambda^{i_1}_1 a_{i_1} \ldots \lambda^{i_\alpha}_\alpha a_{i_\alpha},$$

wo die Größen

$$A^{j_1 \ldots j_\beta}_{i_1 \ldots i_\alpha} = a^{*j_\beta} \ldots a^{*j_1} \overset{\beta}{\underset{\alpha}{A}} a_{i_1} \ldots a_{i_\alpha}$$

die $m^{\alpha+\beta}$ Komponenten des Repräsentanten $\overset{\beta}{\underset{\alpha}{A}}$ sind.

Aus der Invarianz der obigen multilinearen Form ergeben sich, bei Beachtung der Transformationsformeln für kontra- und kovariante Vektorkomponenten, für die Komponenten des Tensors $\overset{\beta}{\underset{\alpha}{A}}$ die üblichen Transformationsformeln

$$\bar{A}^{k_1 \ldots k_\beta}_{h_1 \ldots h_\alpha} = \frac{\partial \bar{\xi}^{k_\beta}}{\partial \xi^{j_\beta}} \cdots \frac{\partial \bar{\xi}^{k_1}}{\partial \xi^{j_1}} A^{j_1 \ldots j_\beta}_{i_1 \ldots i_\alpha} \frac{\partial \xi^{i_1}}{\partial \bar{\xi}^{h_1}} \cdots \frac{\partial \xi^{i_\alpha}}{\partial \bar{\xi}^{h_\alpha}}.$$

Aus der koordinatenfreien Tensordefinition folgt ohne weiteres, daß die Transformationsformeln für die Komponenten der Form nach invariant, von der Wahl der Koordinatensysteme unabhängig, sind. Wird der Tensorbegriff an Hand der Formeln für die Komponenten erklärt, so fordert diese Invarianz eine nachträgliche Verifikation.

4.9. Tensoralgebra. Sind $\overset{\beta}{\underset{\alpha}{A}}$ und $\overset{\beta}{\underset{\alpha}{B}}$ zwei Tensoren gleicher Stufe, so ist die Summe der gesättigten Leerformen

$$\underbrace{\circ \cdots \circ}_{\beta} \overset{\beta}{\underset{\alpha}{A}} \overbrace{\circ \cdots \circ}^{\alpha} + \underbrace{\circ \cdots \circ}_{\beta} \overset{\beta}{\underset{\alpha}{B}} \overbrace{\circ \cdots \circ}^{\alpha}$$

eine reelle Invariante. Bezeichnet man diese Form

$$\underbrace{\circ \cdots \circ}_{\beta} \overset{\beta}{\underset{\alpha}{C}} \overbrace{\circ \cdots \circ}^{\alpha},$$

so ist $\overset{\beta}{\underset{\alpha}{C}}$ ein α-fach kovarianter und β-fach kontravarianter Tensor, den man als die Summe von $\overset{\beta}{\underset{\alpha}{A}}$ und $\overset{\beta}{\underset{\alpha}{B}}$

$$\overset{\beta}{\underset{\alpha}{C}} = \overset{\beta}{\underset{\alpha}{A}} + \overset{\beta}{\underset{\alpha}{B}} = \overset{\beta}{\underset{\alpha}{B}} + \overset{\beta}{\underset{\alpha}{A}}$$

definiert. Entsprechend erklärt man das Produkt $\lambda \overset{\beta}{\underset{\alpha}{A}}$ (λ reell).

Mit diesen Definitionen bilden sämtliche α-fach kovarianten und β-fach kontravarianten Tensoren im Punkte p der m-dimensionalen Mannigfaltigkeit F^m einen linearen Vektorraum der Dimension $m^{\alpha+\beta}$. Für $\alpha = 0, \beta = 1$ und $\alpha = 1, \beta = 0$ ist dieser Raum der Tangentialraum T bzw. dessen dualer Raum T^* im Punkte $p \in F^m$.

Außer den obigen linearen Operationen kann man auch ein kommutatives, assoziatives und distributives *Tensorprodukt*

$$\overset{\beta}{\underset{\alpha}{A}} \overset{\delta}{\underset{\gamma}{B}} = \overset{\beta+\delta}{\underset{\alpha+\gamma}{C}}$$

einführen, und zwar als denjenigen Tensor, dessen gesättigte Leerform gleich dem Produkt der entsprechenden Leerformen der Faktoren sind.

Sind die Faktoren insbesondere *alternierend*, so wird das Tensorprodukt im allgemeinen nicht mehr diese Eigenschaft besitzen. Der *alternierende Teil* des gesättigten Produktes

$$\wedge \left(\overset{\beta}{\underset{\alpha}{A}} \overset{\delta}{\underset{\gamma}{B}} \right) = \wedge \overset{\beta+\delta}{\underset{\alpha+\gamma}{C}}$$

ist das *äußere Produkt von Graßmann-Cartan* der Tensoren $\overset{\beta}{\underset{\alpha}{A}}$ und $\overset{\delta}{\underset{\gamma}{B}}$.

4.10. Verjüngung. Einem Tensor $\overset{\beta}{\underset{\alpha}{A}}$, wo $\alpha, \beta \geqq 1$, kann man einen Tensor $\overset{\beta-1}{\underset{\alpha-1}{A}}$ zuordnen durch den Prozeß der *Verjüngung*, die koordinatenfrei folgendermaßen erklärt werden kann.

Betrachten wir zunächst den einfachsten Fall $\alpha = \beta = 1$, also einen „gemischten" Tensor $A = \overset{1}{\underset{1}{A}}$ der Stufe 2. In der entsprechenden invarianten Leerform $\circ \overset{1}{\underset{1}{A}} \circ$ sättige man nur die eine Leerstelle, z. B. die kontravariante (rechts) durch einen kontravarianten Vektor $\overset{1}{h} = h \in T$. Der „halbgesättigte" Ausdruck $\overset{1}{\underset{1}{A}} \overset{1}{h} = A\,h$ definiert dann A als eine lineare Transformation des Tangentialraumes T in sich, denn das Differential $A\,h$ ist wegen der Invarianz der „vollgesättigten" Bilinearform $k^*(A\,h) = k^*\,A\,h$ (k^* ein Vektor des Raumes T^*) wieder ein kontravarianter Vektor.

Faßt man A derart als eine lineare Selbstabbildung des Tangentialraumes $T = T^m_{dp}$ auf, so kann man dieser Transformation nach der Aufgabe 4 in I.5.7 mittels einer beliebigen nicht identisch verschwindenden reellen alternierenden Form $D\,h_1 \ldots h_m$ ($h_i \in T$) eine reelle Zahl α zuordnen, nämlich die *Spur* von A

$$\alpha = \operatorname{Sp} A = \frac{1}{D\,h_1 \ldots h_m} \sum_{i=1}^{m} D\,h_1 \ldots h_{i-1} \left(\overset{1}{\underset{1}{A}}\, h_i \right) h_{i+1} \ldots h_m .$$

Diese Zahl ist von der Wahl der Hilfsform D und der Vektoren $h_i \in T$ unabhängig. Die Konstruktion kann man für jeden Repräsentanten

$A, \overline{A}, \ldots$ des Tensors wiederholen. Die entsprechenden Spuren sind alle *gleich*:

$$\operatorname{Sp} A = \operatorname{Sp} \overline{A}.$$

Der Beweis dieser Invarianz ist eine leichte Folgerung aus der Definition der Spur nach der Aufgabe 4 in I.5.7 (vgl. 4.20 Aufgabe 1).

In dieser Spurbildung besteht der Prozeß der Verjüngung, wodurch also dem Tensor $\underset{1}{\overset{1}{A}}$ der Stufe 2 eine reelle Invariante $\operatorname{Sp} A$ (ein „Tensor der Stufe 0") zugeordnet wird.

Die Verjüngung eines beliebigen gemischten Tensors $\underset{\alpha}{\overset{\beta}{A}}$ bietet jetzt keine Schwierigkeit. Dieser Prozeß besteht in der Elimination von je einem Argument rechts und links in der Form $\underbrace{\circ \cdots \circ}_{\beta} \underset{\alpha}{\overset{\beta}{A}} \overbrace{\circ \cdots \circ}^{\alpha}$, z. B. demjenigen mit der Ordnungsnummer i rechts bzw. j links. Zu diesem Zweck betrachtet man den Ausdruck

$$\underbrace{\circ \cdots \circ \underset{1}{h^j} \circ \cdots \circ}_{\beta} \underset{\alpha}{\overset{\beta}{A}} \overbrace{\circ \cdots \circ \overset{1}{h_i} \circ \cdots \circ}^{\alpha},$$

der nur $\alpha + \beta - 2$ Leerstellen hat. Diese invariante Form erklärt, so lange man jene $\alpha + \beta - 2$ Stellen mit *festen* Vektoren sättigt, $\underset{\alpha}{\overset{\beta}{A}}$ als einen gemischten Tensor $\underset{1}{\overset{1}{B}} = \underset{\alpha}{\overset{\beta}{A}}$ der Stufe 2, mit den zwei linearen Argumenten $\underset{1}{h^j}$ und $\overset{1}{h_i}$. Verjüngt man nun $\underset{1}{\overset{1}{B}}$, so ergibt sich als Resultat eine invariante $(\alpha + \beta - 2)$-fache Form $\underbrace{\circ \cdots \circ}_{\beta - 1} \underset{\alpha - 1}{\overset{\beta - 1}{A}} \overbrace{\circ \cdots \circ}^{\alpha - 1}$, und $\underset{\alpha - 1}{\overset{\beta - 1}{A}}$ ist der gesuchte verjüngte Tensor der Stufe $\alpha + \beta - 2$.

4.11. Der Rotor. Wir haben in 4.6 gesehen, daß wenn $A = A(p) = \underset{1}{A}$ ein in einem Flächenstück $G_p^m \subset F^m$ definiertes differenzierbares kovariantes Vektorfeld ist und die Äquivalenzrelationen, welche die Punkte $p = (x, \overline{x}, \ldots)$ von G_p^m bestimmen, zweimal differenzierbar sind, dann die Form

$$\wedge \frac{dA}{dx} h k = \frac{1}{2} \left(\frac{dA}{dx} h k - \frac{dA}{dx} k h \right),$$

wo h und k beliebige kontravariante Vektoren sind, invariant ist. Der bilineare Operator $\operatorname{rot} A = \wedge \, dA/dx$ ist also ein kovarianter Tensor zweiter Stufe.

Entsprechendes gilt für den Rotor eines kovarianten Tensors $A = \underset{q}{A}$ der Stufe q. Setzt man nämlich $\bar{h}_i = \frac{d\bar{x}}{dx} h_i \ (i = 1, \ldots, q+1)$, wo $h_1, \ldots, h_{q+1}$ kontravariante Vektoren sind, so ist

$$A\, h_1 \ldots \hat{h}_i \ldots h_{q+1} = \bar{A}\, \bar{h}_1 \ldots \hat{\bar{h}}_i \ldots \bar{h}_{q+1},$$

und durch Differentiation mit dem Differential $dx = h_i$ erhält man

$$\frac{dA}{dx} h_i h_1 \ldots \hat{h}_i \ldots h_{q+1}$$

$$= \frac{d\bar{A}}{d\bar{x}} \bar{h}_i \bar{h}_1 \ldots \hat{\bar{h}}_i \ldots \bar{h}_{q+1}$$

$$+ \sum_{\substack{j=1 \\ j \neq i}}^{q+1} \bar{A}\, \bar{h}_1 \ldots \bar{h}_{j-1} \left(\frac{d^2 \bar{x}}{dx^2} h_i h_j \right) \bar{h}_{j+1} \ldots \hat{\bar{h}}_i \ldots \bar{h}_{q+1}.$$

Nach Multiplikation mit $(-1)^{i-1}/(q+1)$ und Summation über $i = 1, \ldots, q+1$, ergibt sich mit Rücksicht auf die Symmetrie des Operators $d^2\bar{x}/dx^2$

$$\operatorname{rot} A\, h_1 \ldots h_{q+1} = \wedge \frac{dA}{dx} h_1 \ldots h_{q+1} = \operatorname{rot} \bar{A}\, \bar{h}_1 \ldots \bar{h}_{q+1},$$

was die behauptete Kovarianz des Operators $\operatorname{rot} A = \wedge\, dA/dx$ ausdrückt.

Hieraus folgt insbesondere, daß die Stokessche Formel gegenüber Parametertransformationen invariant ist.

4.12. Der metrische Fundamentaltensor. Unterziehen und Heben der Indizes. Nach der Definition des metrischen symmetrischen Fundamentaloperators $G(p) = (G(x), \bar{G}(\bar{x}), \ldots)$ ist der Ausdruck $G(x)\, h\, k$ invariant:

$$G h k = G \frac{dx}{d\bar{x}} \bar{h} \frac{dx}{d\bar{x}} \bar{k} = \bar{G} \bar{h} \bar{k},$$

wobei h und k beliebige kontravariante Vektoren sind. Der Operator G ist also ein (symmetrischer) kovarianter Tensor zweiter Stufe: $G = \underset{2}{G}$.

Hieraus folgt insbesondere, daß der Ausdruck

$$h^* = G h = \underset{2}{G} \overset{1}{h}$$

ein kovarianter Vektor $h^* = \underset{1}{h}$ ist. Umgekehrt kann man, infolge des Satzes von Fréchet-Riesz, einem beliebigen kovarianten Vektor $\underset{1}{h}$ einen eindeutig bestimmten kontravarianten Vektor $\overset{1}{h}$ zuordnen, so daß für jeden kontravarianten Vektor $\overset{1}{k}$

$$\underset{1}{h} \overset{1}{k} = \underset{2}{G} \overset{1}{h} \overset{1}{k}$$

gilt. Die dualen, vermöge des Tensors G einander eineindeutig zugeordneten Vektoren $\underset{1}{h}$, $\overset{1}{h}$ nennt man zueinander *konjugiert*; man spricht auch von der „kovarianten bzw. kontravarianten Komponente" $\left(\underset{1}{h} \text{ bzw. } \overset{1}{h}\right)$ eines Vektors h. Der Übergang von der einen Komponente zu der anderen entspricht in der üblichen Tensorrechnung dem Prozeß des „Hebens" bzw. des „Unterziehens" der Indizes.

Man kann in der Gleichung $\underset{1}{h} = G\overset{1}{h}$ auch G als eine lineare Transformation auffassen, welche den „kontravarianten" Parameterraum in den dualen „kovarianten" Parameterraum abbildet. Diese Transformation ist regulär, es existiert also die reziproke Transformation G^{-1}, und man hat $\overset{1}{h} = G^{-1}\underset{1}{h}$.

4.13. Volumenmetrik. Im Punkte $p = (x, \bar{x}, \ldots)$ der Mannigfaltigkeit F^m betrachten wir m Tangentialvektoren $d_i p = (h_i, \bar{h}_i, \ldots)$ $(i = 1, \ldots, m)$. Um das Volumen dv des von diesen Vektoren aufgespannten Simplexes $(d_1 p, \ldots, d_m p)$ zu definieren nehme man, bei festem p, eine beliebige reelle nichtausgeartete alternierende Grundform $dv = D(p)\, d_1 p \ldots d_m p$. Da die Differentiale $d_i p$ kontravariant sind und das Volumen invariant sein soll,

$$D(x)\, h_1 \ldots h_m = \bar{D}(\bar{x})\, \bar{h}_1 \ldots \bar{h}_m ,$$

ist der Operator $D(p) = \left(D(x), \bar{D}(\bar{x}), \ldots\right)$ hierdurch als ein kovarianter Tensor der Stufe m definiert. Das Volumenelement dv ist gemäß dieser Definition mit einem Vorzeichen versehen, entsprechend der Orientierung des Simplexes $(d_1 p, \ldots, d_m p)$.

Das Differential dv ist von dem arbiträren alternierenden Tensor $D(p)$ abhängig, und nur bis auf einen willkürlichen reellen Faktor $\varrho(p)$ eindeutig bestimmt. Um diesen Normierungsfaktor so festzulegen, daß die Volumenmetrik im Punkte p mit der durch den Fundamentaltensor $G(p)$ bestimmten Längenmetrik euklidisch verknüpft wird, geht man nach I.6.10 folgendermaßen vor.

Die Determinante $\det\left(G(x)\, h_i\, k_j\right)$, wo h_i, k_j $(i, j = 1, \ldots, m)$ Repräsentanten von $2m$ Tangentialvektoren sind, ist sowohl in den Differentialen h_i als in den Differentialen k_j alternierend und nichtausgeartet. Für $k_j = h_j$ ist diese Determinante nichtnegativ, und sie verschwindet dann und nur dann, wenn die Vektoren $h_1, \ldots, h_m$ linear abhängig sind. Der Betrag des „lokal euklidischen" Volumenelementes ist dann (vgl. I.6.10) durch den Ausdruck

$$|h_1, \ldots, h_m| = \frac{1}{m!} \sqrt{\det\left(G(x)\, h_i\, h_j\right)} \geqq 0$$

invariant definiert.

Ist nun $D(p) = (D(x), \overline{D}(\overline{x}), \ldots)$ ein beliebiger kovarianter alternierender (nichtausgearteter) Tensor der Stufe m, so normiert man das Volumenelement dv lokal euklidisch durch die Festsetzung

$$dv = \varrho(p) D(p) d_1 p \ldots d_m p,$$

wo $\varrho(p)$ (>0) für linear unabhängige $d_i p$ gleich

$$\varrho(p) = \frac{|d_1 p, \ldots, d_m p|}{|D(p) d_1 p \ldots d_m p|}$$

ist. Bezeichnet man

$$\varepsilon(p) = \frac{D(p) d_1 p \ldots d_m p}{|D(p) d_1 p \ldots d_m p|},$$

so kann man dv auch in der Form

$$dv = \frac{\varepsilon(p)}{m!} \sqrt{\det(G(p) d_i p \, d_j p)}$$

schreiben.

Ist die Mannigfaltigkeit F^m vermöge einer Abbildung $y = y(x)$ in einem euklidischen Raum R^n_y eingebettet und definiert man, wie es in diesem Kapitel geschehen ist, den Fundamentaltensor $G(x)$ nach Gauß durch $G(x) h k = (y'(x) h, y'(x) k)$, so stimmt das normierte Volumenelement $|dv|$ mit dem im Raume R^n_y gemessenen euklidischen Volumen des tangentialen Simplexes $(d_1 y, \ldots, d_m y)$ überein, wobei $d_i y = y'(x) d_i x$.

Die obigen Ausführungen lassen sich ohne Modifikationen wiederholen, falls man die Betrachtung auf einen q-dimensionalen Unterraum U^q des Tangentialraumes T^m_{dp} einschränkt $(1 \leqq q \leqq m)$.

4.14. Die zweite Fundamentalform. Wir kommen zu der Frage des Transformationscharakters der übrigen Fundamentalgrößen der Gaußschen Flächentheorie; die Mannigfaltigkeit F^m wird also im folgenden als eine durch die Abbildung $y = y(p)$ definierte m-dimensionale, in einem Raum R^n_y der Dimension $n = m + 1$ eingebettete Fläche gegeben.

Die zweite Fundamentalform hat im Parameterraum R^m_x den Repräsentanten (vgl. (3.3))

$$L(x) h k = (y''(x) h k, e(x)),$$

wo $e(x)$ der Repräsentant der (invarianten) Einheitsnormale ist.

Aus der Invarianz $\frac{d\overline{y}}{d\overline{x}} \overline{k} = \frac{dy}{dx} k$, wonach

$$\frac{d\overline{y}}{d\overline{x}} \frac{d\overline{x}}{dx} k = \frac{dy}{dx} k,$$

folgt durch Differentiation mit dem Differential $dx = h$

$$\frac{d^2\overline{y}}{d\overline{x}^2} \frac{d\overline{x}}{dx} h \frac{d\overline{x}}{dx} k + \frac{d\overline{y}}{d\overline{x}} \frac{d^2\overline{x}}{dx^2} h k = \frac{d^2 y}{dx^2} h k,$$

also

$$\frac{d^2\bar{y}}{d\bar{x}^2}\bar{h}\bar{k} = \left(\frac{d^2 y}{d x^2} - \frac{d\bar{y}}{d\bar{x}}\frac{d^2\bar{x}}{d x^2}\right) h k,$$
$$\frac{d^2 y}{d x^2} h k = \left(\frac{d^2\bar{y}}{d\bar{x}^2} - \frac{d y}{d x}\frac{d^2 x}{d\bar{x}^2}\right)\bar{h}\bar{k}. \tag{4.1}$$

Wäre in diesen Transformationsformeln das zweite Glied rechts gleich Null, so würde $d^2 y/d x^2$ als Operator eine Kovariante zweiter Stufe sein. Dies ist jedoch nur dann der Fall, wenn die Beziehung $x \longleftrightarrow \bar{x}$ linear ist. Die zweite Ableitung $d^2 y/d x^2$ der Invariante y ist somit keine Kovariante.

Aus den obigen Transformationsformeln folgt aber bei Beachtung der Invarianz $e(x) = \bar{e}(\bar{x})$

$$L h k = \left(\frac{d^2 y}{d x^2} h k, e\right) = \left(\frac{d^2\bar{y}}{d\bar{x}^2}\bar{h}\bar{k}, \bar{e}\right) - \left(\frac{d y}{d x}\frac{d^2 x}{d\bar{x}^2}\bar{h}\bar{k}, e\right),$$

und weil das zweite Glied rechts verschwindet, so wird

$$L h k = \bar{L}\bar{h}\bar{k}.$$

Es ist somit auch der zweite Fundamentaloperator L ein kovarianter Tensor zweiter Stufe: $L = \underset{2}{L}$.

4.15. Die Operatoren $\Gamma(x)$ und $\Lambda(x)$. Um das Transformationsgesetz des Christoffel-Operators Γ zu ermitteln, gehen wir von der definierenden Formel (3.5) aus:

$$G(x)\, l\Gamma(x)\, h k = \frac{1}{2}\left(G'(x)\, h k l + G'(x)\, k l h - G'(x)\, l h k\right).$$

Differenziert man die Invarianz

$$G k l = \bar{G}\bar{k}\bar{l} = \bar{G}\frac{d\bar{x}}{d x} k \frac{d\bar{x}}{d x} l$$

mit dem Differential $d x = h$, so wird

$$\frac{dG}{dx} h k l = \frac{d\bar{G}}{d\bar{x}}\frac{d\bar{x}}{d x} h \frac{d\bar{x}}{d x} k \frac{d\bar{x}}{d x} l + \bar{G}\frac{d^2\bar{x}}{d x^2} h k \frac{d\bar{x}}{d x} l + \bar{G}\frac{d\bar{x}}{d x} k \frac{d^2\bar{x}}{d x^2} h l,$$

somit

$$\frac{dG}{dx} h k l = \frac{d\bar{G}}{d\bar{x}}\bar{h}\bar{k}\bar{l} + \bar{G}\bar{l}\frac{d^2\bar{x}}{d x^2} h k + \bar{G}\bar{k}\frac{d^2\bar{x}}{d x^2} h l.$$

Gemäß der obigen Formel für $G l \Gamma h k$ wird also

$$G l \Gamma h k = \bar{G}\bar{l}\bar{\Gamma}\bar{h}\bar{k} + \bar{G}\bar{l}\frac{d^2\bar{x}}{d x^2} h k,$$

oder wegen $G l \Gamma h k = \bar{G}\bar{l}\frac{d\bar{x}}{d x}\Gamma h k$

$$\bar{G}\bar{l}\left(\bar{\Gamma}\bar{h}\bar{k} - \frac{d\bar{x}}{d x}\Gamma h k + \frac{d^2\bar{x}}{d x^2} h k\right) = 0.$$

Da dies für jedes $\bar{l}$ gilt, so muß

$$\bar{\Gamma}\,\bar{h}\,\bar{k} = \left(\frac{d\bar{x}}{dx}\Gamma - \frac{d^2\bar{x}}{dx^2}\right) h\,k \tag{4.2}$$

sein.

Wie in der Transformationsformel (4.1) der zweiten Ableitung d^2y/dx^2 tritt auch hier rechts ein „Störungsglied" auf: der Operator Γ ist keine Kovariante. Auf die Ähnlichkeit dieser beiden Transformationen kommen wir sogleich zurück.

Der Operator Λ wurde durch die beiden Fundamentaloperatoren G und L vermittels der Formel (3.8),

$$G(x)\,k\,\Lambda(x)\,h = L(x)\,h\,k,$$

eindeutig bestimmt. Hieraus folgt

$$\bar{G}\,\bar{k}\,\bar{\Lambda}\,\bar{h} = \bar{L}\,\bar{h}\,\bar{k} = L\,h\,k = G\,k\,\Lambda\,h = \bar{G}\,\bar{k}\frac{d\bar{x}}{dx}\Lambda\,h,$$

also

$$\bar{G}\,\bar{k}\left(\bar{\Lambda}\,\bar{h} - \frac{d\bar{x}}{dx}\Lambda\,h\right) = 0,$$

woraus sich für Λ die Transformationsformel

$$\bar{\Lambda}\,\bar{h} = \frac{d\bar{x}}{dx}\Lambda\,h$$

ergibt. Mit einem kontravarianten Vektor $\overset{1}{h}$ und einem kovarianten Vektor $\underset{1}{h}$ ist hiernach

$$\underset{1}{h}\,\Lambda\,\overset{1}{h}$$

invariant und reell: Λ ist ein gemischter Tensor zweiter Stufe: $\Lambda = \overset{1}{\underset{1}{\Lambda}}$.

4.16. Invarianz der Hauptkrümmungen. Die Hauptkrümmungsrichtungen $e_1, \ldots, e_{n-1}$ und die entsprechenden Hauptkrümmungen $\varkappa_1, \ldots, \varkappa_{n-1}$ der Fläche in einem Flächenpunkt $p = (x, \bar{x}, \ldots)$ sind schon infolge ihrer geometrischen Bedeutung invariante Größen. Dies kann auch auf Grund der obigen Transformationsformeln verifiziert werden. Denn ist e_j einer dieser Einheitsvektoren und $\varkappa_j$ die zugehörige Hauptkrümmung, so ist im Parameterraum R_x^m, falls dieser im Punkte x vermittels der ersten Fundamentalform metrisiert wird,

$$e_j(x) = y'(x)\,a_j(x)$$

und

$$\Lambda(x)\,a_j(x) = \varkappa_j(x)\,a_j(x) \qquad (|a_j(x)| \equiv 1)$$

(vgl. 3.6—7). Geht man vermittels der Abbildung $\bar{x} = \bar{x}(x)$, $x = x(\bar{x})$ zum Parameterraum $\bar{R}_{\bar{x}}^m$ über und setzt man $\frac{d\bar{x}}{dx}a_j = \bar{a}_j$, so folgt aus der Transformationsformel des Operators Λ

$$\bar{\Lambda}\bar{a}_j = \frac{d\bar{x}}{dx}\Lambda a_j = \varkappa_j \frac{d\bar{x}}{dx} a_j = \varkappa_j \bar{a}_j,$$

woraus zu sehen ist, daß sich die Eigenvektoren a_j des linearen Operators Λ kontravariant transformieren und die Eigenwerte $\varkappa_j$ invariant bleiben. Dann ist aber auch

$$\bar{e}_j = \frac{d\bar{y}}{d\bar{x}}\bar{a}_j = \frac{dy}{dx} a_j = e_j$$

invariant.

Umgekehrt hätte man aus der Invarianz von e_j und $\varkappa_j$ die Kontravarianz von a_j und das Transformationsgesetz für Λ herleiten können.

Infolge der Invarianz der Hauptkrümmungen $\varkappa_j$ sind deren elementarsymmetrische Polynome, insbesondere also die Gaußsche Krümmung

$$K(p) = \varkappa_1(p) \ldots \varkappa_{n-1}(p),$$

ebenfalls invariant.

4.17. Kovariante Ableitung. Wir kehren zu den oben hergeleiteten Transformationsformeln (4.1) und (4.2) der zweiten Ableitung d^2y/dx^2 und des Operators Γ zurück.

Für d^2y/dx^2 gilt nach (4.1)

$$\frac{d^2\bar{y}}{d\bar{x}^2}\bar{h}\bar{k} = \frac{d^2y}{dx^2}hk - \frac{d\bar{y}}{d\bar{x}}\frac{d^2\bar{x}}{dx^2}hk,$$

und aus der Transformationsformel (4.2) für Γ folgt, wenn man auf beiden Seiten den Operator $d\bar{y}/d\bar{x}$ anwendet,

$$\frac{d\bar{y}}{d\bar{x}}\bar{\Gamma}\bar{h}\bar{k} = \frac{dy}{dx}\Gamma hk - \frac{d\bar{y}}{d\bar{x}}\frac{d^2\bar{x}}{dx^2}hk.$$

Die Subtraktion dieser Gleichungen ergibt somit die Invarianz

$$\left(\frac{d^2\bar{y}}{d\bar{x}^2} - \frac{d\bar{y}}{d\bar{x}}\bar{\Gamma}\right)\bar{h}\bar{k} = \left(\frac{d^2y}{dx^2} - \frac{dy}{dx}\Gamma\right)hk,$$

die auch direkt aus der Gaußschen Ableitungsformel (3.4),

$$y''(x)\,hk - y'(x)\,\Gamma(x)\,hk = L(x)\,hk\,e(x),$$

bei Beachtung der Invarianz der rechten Seite folgt. Hiernach ist der Operator

$$\frac{d^2y}{dx^2} - \frac{dy}{dx}\Gamma$$

eine Kovariante zweiter Stufe.

Dies gilt nicht nur für den Ableitungsoperator dy/dx, sondern für *jeden* einfach kovarianten Operator A auf der Mannigfaltigkeit F^m.

In der Tat ist, falls k den Repräsentant eines kontravarianten Vektors im Parameterraum R_x^m bezeichnet,

$$A k = \bar{A} \bar{k} = \bar{A} \frac{d \bar{x}}{d x} k,$$

woraus durch Differentiation mit dem Differential $d x = h$

$$\frac{d A}{d x} h k = \frac{d \bar{A}}{d \bar{x}} \frac{d \bar{x}}{d x} h \frac{d \bar{x}}{d x} k + \bar{A} \frac{d^2 \bar{x}}{d x^2} h k = \frac{d \bar{A}}{d \bar{x}} \bar{h} \bar{k} + \bar{A} \frac{d^2 \bar{x}}{d x^2} h k$$

folgt.

Andererseits ergibt sich aus der Transformationsformel (4.2) für Γ

$$A \Gamma h k = \bar{A} \bar{\Gamma} \bar{h} \bar{k} + \bar{A} \frac{d^2 \bar{x}}{d x^2} h k,$$

woraus durch Subtraktion die behauptete Invarianz

$$\left(\frac{d \bar{A}}{d \bar{x}} - \bar{A} \bar{\Gamma}\right) \bar{h} \bar{k} = \left(\frac{d A}{d x} - A \Gamma\right) h k$$

folgt.

Wir bezeichnen den kovarianten Operator zweiter Stufe

$$'A \equiv A' - A \Gamma \tag{4.3}$$

als die *kovariante Ableitung* $'A = {}'A(x)$ *der Kovariante* A (in bezug auf einen Operator Γ mit dem Transformationsgesetz (4.2)).

Wenn A insbesondere ein kovariantes Vektorfeld $l^* = l^*(x)$ ist, so ist

$$'(l^*) h k = ((l^*)' - l^* \Gamma) h k$$

eine reelle Invariante. Der Operator $'(l^*)$ ist also ein kovarianter Tensor zweiter Stufe.

In entsprechender Weise kann man die kovariante Ableitung eines kontravarianten Vektorfeldes erklären. Ist nämlich $k = k(x)$ der Repräsentant eines solchen Feldes, so wird mit einem kovarianten Vektor l^*

$$l^* k = \bar{l}^* \bar{k} = l^* \frac{d x}{d \bar{x}} \bar{k}.$$

Differenziert man diese Gleichung mit dem Differential $d x = h$, so wird

$$l^* \frac{d k}{d x} h = l^* \frac{d^2 x}{d \bar{x}^2} \bar{h} \bar{k} + \bar{l}^* \frac{d \bar{k}}{d \bar{x}} \bar{h}.$$

Andererseits ist gemäß der Transformationsformel (4.2) für Γ

$$l^* \Gamma k h = \bar{l}^* \bar{\Gamma} \bar{k} \bar{h} - l^* \frac{d^2 x}{d \bar{x}^2} \bar{k} \bar{h},$$

und die Addition dieser Gleichungen ergibt die Invarianz

$$l^* \left(\frac{d k}{d x} + \Gamma k\right) h = \bar{l}^* \left(\frac{d \bar{k}}{d \bar{x}} + \bar{\Gamma} \bar{k}\right) \bar{h},$$

wonach der Operator $'k = 'k(x)$, die durch

$$'k \equiv k' + \Gamma k \tag{4.4}$$

definierte *kovariante Ableitung des kontravarianten Vektors k,* ein gemischter Tensor zweiter Stufe ist.

Die kovariante Ableitung einer Invariante ist definitionsgemäß gleich der gewöhnlichen Ableitung.

Die obigen Definitionen lassen sich auf Tensoren beliebiger Stufe verallgemeinern, worauf wir in der Aufgabe 1 in 7.7 zurückkommen werden.

So sind z. B. die kovarianten Ableitungen der Tensoren G und L kovariante Tensoren dritter Stufe und die entsprechenden Linearformen

$$'G(x)\,h\,k\,l = G'(x)\,h\,k\,l - G(x)\,k\,\Gamma(x)\,h\,l - G(x)\,l\,\Gamma(x)\,h\,k,$$
$$'L(x)\,h\,k\,l = L'(x)\,h\,k\,l - L(x)\,k\,\Gamma(x)\,h\,l - L(x)\,l\,\Gamma(x)\,h\,k$$

reelle invariante Formen, wo übrigens die erste infolge (3.5) identisch verschwindet. Der zweite ist, wie wir in 6.1 sehen werden, nicht nur in k und l, sondern auch in h und k symmetrisch.

Als zweites Beispiel betrachten wir den gemischten Tensor zweiter Stufe Λ. Aus dem Transformationsgesetz dieses Operators, wonach für jedes kontravariante k und kovariante l^*

$$l^* \Lambda k = \bar{l}^* \bar{\Lambda} \bar{k} = l^* \frac{dx}{d\bar{x}} \bar{\Lambda} \frac{d\bar{x}}{dx} k,$$

folgt vermittels Differentiation mit dem Differential $dx = h$

$$l^* \frac{d\Lambda}{dx} h k = l^* \frac{d^2 x}{d\bar{x}^2} \bar{h} \bar{\Lambda} \bar{k} + \bar{l}^* \frac{d\bar{\Lambda}}{d\bar{x}} \bar{h} \bar{k} + \bar{l}^* \bar{\Lambda} \frac{d^2 \bar{x}}{dx^2} h k.$$

Andererseits ist nach (4.2)

$$l^* \Gamma h \Lambda k = -l^* \frac{d^2 x}{d\bar{x}^2} \bar{h} \bar{\Lambda} \bar{k} + \bar{l}^* \bar{\Gamma} \bar{h} \bar{\Lambda} \bar{k},$$

$$-l^* \Lambda \Gamma h k = -l^* \bar{\Lambda} \frac{d^2 \bar{x}}{dx^2} h k - \bar{l}^* \bar{\Lambda} \bar{\Gamma} \bar{h} \bar{k},$$

und die Addition dieser drei Gleichungen ergibt die Invarianz der Form

$$l^* {'\Lambda}(x)\,h\,k = l^* \Lambda'(x)\,h\,k + l^* \Gamma(x)\,h\,\Lambda(x)\,k - l^* \Lambda(x)\,\Gamma(x)\,h\,k,$$

wo die kovariante Ableitung

$$\circ\, {'\Lambda} \circ \circ \equiv \circ\, \Lambda' \circ \circ + \circ\, \Gamma \circ \Lambda \circ - \circ\, \Lambda \Gamma \circ \circ$$

ein zweifach kovarianter und einfach kontravariante Tensor dritter Stufe ist. Auch dieser Operator ist in den kontravarianten Argumenten h und k symmetrisch.

Man verifiziert leicht, daß die obigen koordinatenfreien Definitionen der kovarianten Differentiation nach Einführung von Koordinaten mit den üblichen Definitionen übereinstimmen.

4.18. Die Divergenz. Es sei $\overset{1}{u}(p) = u(p)$ ein kontravariantes Vektorfeld, das auf einem Flächenstück $G_p^m \subset F^m$ differenzierbar ist. Wie in 4.13, nehmen wir eine reelle, differenzierbare, alternierende und invariante Grundform $D(p)\, d_1 p \ldots d_m p$ zur Hilfe, wobei die Differentiale $d_i p$ in dem Tangentialraum $T = T_{dp}^m$ variieren. Wegen der Kontravarianz von $u(p)$ ist die alternierende Differentialform

$$D(p)\, u(p)\, d_1 p \ldots d_{m-1} p$$

der Stufe $m - 1$ eine Invariante. Daraus folgt, daß ihr Rotor

$$\operatorname{rot}(D(p)\, u(p))\, d_1 p \ldots d_m p$$

eine invariante alternierende Differentialform der Stufe m ist. Im Anschluß an die Definition der Divergenz (vgl. III.2.9) erklären wir nun diese Größe als die Rotordichte

$$\operatorname{div} u(p) \equiv m \frac{\operatorname{rot}(D(p)\, u(p))\, d_1 p \ldots d_m p}{D(p)\, d_1 p \ldots d_m p}.$$

Gemäß dieser Definition ist $\operatorname{div} u$ als ein *Skalar* gegeben.

Speziell kann man die Grundform D mittels der metrischen Grundform G nach 4.13 „lokal euklidisch" wählen.

Mittels der erweiterten Definition des Operators rot (vgl. III.2.6) kommt man auch zu einer Erweiterung von $\operatorname{div} u$, die nicht notwendig die Differenzierbarkeit von u voraussetzt.

4.19. Der Laplace-Operator. Falls das differenzierbare Vektorfeld kovariant ist, $\underset{1}{u}(p) = u^*(p)$, so läßt sich das Verfahren von 4.18 nicht direkt zur Bildung der Divergenz verwenden. Ist aber die Mannigfaltigkeit F^m durch einen Gaußschen Tensor $G(p)$ metrisiert, so kann man nach dem Vorgang von 4.12 den Index heben und das gegebene Feld u^* durch das durch die Gleichung

$$u^*(p) = G(p)\, u(p), \qquad u(p) = G^{-1}(p)\, u^*(p)$$

eindeutig bestimmte duale kontravariante Feld $u(p)$ ersetzen. Man definiert dann

$$\operatorname{div} u^*(p) \equiv \operatorname{div} u(p) = \operatorname{div}\left(G^{-1}(p)\, u^*(p)\right).$$

Dieses Verfahren kann zur Definition des *Laplaceschen Differentialoperators* benutzt werden. Sei $f(p)$ eine reelle zweimal differenzierbare Invariante. Der Gradient dieser Größe, der durch die Repräsentantenklasse

$$\frac{df}{dx}$$

als ein kovarianter Vektor definiert ist, hat nach der obigen Definition eine wohlbestimmte Divergenz, und diese Größe

$$\Delta f \equiv \operatorname{div} \frac{df}{dx}$$

wird als der verallgemeinerte Laplace-Operator (Beltrami-Operator) von f erklärt. Nach dieser Definition ist Δf eine Invariante (vgl. hierzu die Aufgabe 3 in 4.20).

Durch die erweiterte Definition des Rotors und der Divergenz kann der Operator Δ auch ohne der Voraussetzung der zweimaligen Differenzierbarkeit von f erklärt werden.

4.20. Aufgaben. 1. Man beweise die Invarianz der Spur für einen gemischten Tensor $\overset{1}{\underset{1}{A}}$ zweiter Stufe.

Anleitung. Deutet man $A = \overset{1}{\underset{1}{A}}$ als eine lineare Transformation des Tangentialraumes T, so ist ihre Spur definiert durch (vgl. I.5.7 Aufgabe 4):

$$\operatorname{Sp} A = \frac{1}{D h_1 \ldots h_m} \sum_{i=1}^{m} D h_1 \ldots h_{i-1} A h_i h_{i+1} \ldots h_m ;$$

dieser Ausdruck ist unabhängig sowohl von den Vektoren $h_1, \ldots, h_m$ als von der Wahl der reellen nichtausgearteten alternierenden Form D. Wir wählen $h_1, \ldots, h_m$ kontravariant und setzen D beliebig fest.

Um die Spur $\operatorname{Sp} \bar{A}$ zu bilden, bemerke man zunächst, daß A dem Transformationsgesetz $\bar{A} \bar{h} = \frac{d\bar{x}}{dx} A h$ genügt (h ein kontravarianter Vektor). Zur Bildung der Spur von $\bar{A}$ benutzen wir, was erlaubt ist, die nichtausgeartete alternierende Form

$$\bar{D} \bar{h}_1 \ldots \bar{h}_m \equiv D \frac{dx}{d\bar{x}} \bar{h}_1 \ldots \frac{dx}{d\bar{x}} \bar{h}_m = D h_1 \ldots h_m .$$

Damit wird

$$\operatorname{Sp} \bar{A} = \frac{1}{\bar{D} \bar{h}_1 \ldots \bar{h}_m} \sum_{i=1}^{m} \bar{D} \bar{h}_1 \ldots \bar{h}_{i-1} \bar{A} \bar{h}_i \bar{h}_{i+1} \ldots \bar{h}_m$$

$$= \frac{1}{D h_1 \ldots h_m} \sum_{i=1}^{m} \bar{D} \frac{d\bar{x}}{dx} h_1 \ldots \frac{d\bar{x}}{dx} h_{i-1} \frac{d\bar{x}}{dx} (A h_i) \frac{d\bar{x}}{dx} h_{i+1} \ldots \frac{d\bar{x}}{dx} h_m$$

$$= \frac{1}{D h_1 \ldots h_m} \sum_{i=1}^{m} D h_1 \ldots h_{i-1} A h_i h_{i+1} \ldots h_m = \operatorname{Sp} A .$$

2. Man zeige, daß die kovariante Ableitung des ersten Fundamentaltensors verschwindet:

$$'G(x) \equiv 0 .$$

3. Man zeige, daß

$$\Delta f \equiv \operatorname{div} \frac{df}{dx}$$

gegenüber Parametertransformationen invariant ist.

§ 5. Integration der Ableitungsformeln

5.1. Problemstellung. Wir kehren zu der Flächentheorie und speziell zu den Ableitungsformeln von Gauß und Weingarten zurück. Für eine zweimal differenzierbare m-dimensionale Fläche F^m: $y = y(x)$ $(x \in G_x^m,\ y \in R_y^n,\ n = m + 1)$ gilt nach (3.4) und (3.7) in jedem zulässigen Parameterraum

$$y''(x)\,h\,k = y'(x)\,\Gamma(x)\,h\,k + L(x)\,h\,k\,e(x), \tag{5.1}$$

$$e'(x)\,h = -y'(x)\,\Lambda(x)\,h, \tag{5.2}$$

wo die Operatoren Γ und Λ vermittels der Formeln (vgl. (3.5), (3.8))

$$G(x)\,l\,\Gamma(x)\,h\,k = \frac{1}{2}\left(G'(x)\,h\,k\,l + G'(x)\,k\,l\,h - G'(x)\,l\,h\,k\right), \tag{5.3}$$

$$G(x)\,k\,\Lambda(x)\,h = L(x)\,h\,k \tag{5.4}$$

durch die Gaußschen Fundamentalformen

$$G(x)\,h\,k = \left(y'(x)\,h,\ y'(x)\,k\right), \tag{5.5}$$

$$L(x)\,h\,k = \left(y''(x)\,h\,k,\ e(x)\right) \tag{5.6}$$

eindeutig bestimmt sind; h, k, l bezeichnen Repräsentanten von drei beliebigen kontravarianten Vektoren.

Wie in der Kurventheorie, wollen wir jetzt die Problemstellung umkehren und fragen:

Es seien auf einer m-dimensionalen $(m > 1)$, genügend differenzierbaren Mannigfaltigkeit F^m zwei genügend oft differenzierbare *kovariante und symmetrische Tensoren* G *und* L *zweiter Stufe* vorgegeben, wobei G positiv definit sein soll. Unter welchen zusätzlichen notwendigen und hinreichenden Bedingungen existiert dann in einem euklidischen Raum R_y^n der Dimension $n = m + 1$ ein reguläres m-dimensionales Flächenstück mit den vorgegebenen Fundamentaltensoren G und L?

Daß gewisse zusätzliche Integrabilitätsbedingungen nötig sind, ist auf Grund der im Kapitel IV gegebenen Theorie der Differentialgleichungen klar, da jetzt $m > 1$, und es sich also um ein System partieller Differentialgleichungen handelt. Wir werden im folgenden diese notwendigen und hinreichenden Bedingungen aufstellen, die Ableitungsformeln integrieren und zeigen, daß die gesuchte Fläche bis auf eine Translation und eine Orthogonaltransformation des Raumes R_y^n durch G und L eindeutig bestimmt ist.

5.2. Zusammenfassung der Ableitungsformeln. Um direkten Anschluß an den Existenzsatz in IV.2.7 zu erhalten, wollen wir zunächst die Ableitungsformeln in einer einzigen linearen Differentialgleichung zusammenfassen.

Hierzu betrachten wir den linearen Raum R_z^{mn} (der Dimension $m\,n = m\,(m+1)$) sämtlicher linearer Operatoren z, welche die m-dimensionale Mannigfaltigkeit F^m in den Raum R_y^n abbilden, und bilden den Produktraum $R_z^{mn} \times R_y^n$, dessen Elemente aus allen geordneten Vektorenpaaren

$$u = [z, y]$$

bestehen. Hierbei ist

$$u_1 = [z_1, y_1] = [z_2, y_2] = u_2$$

genau dann, wenn $z_1 = z_2$ und $y_1 = y_2$, ferner

$$u_1 + u_2 = [z_1 + z_2, y_1 + y_2]$$

und

$$\lambda u = [\lambda z, \lambda y].$$

Mit diesen Definitionen der linearen Relationen ist der Produktraum linear und seine Dimension gleich $m\,n + n = (n-1)\,n + n = n^2$ (vgl. I.1.6 Aufgaben 6—7); wir bezeichnen ihn daher mit $R_u^{n^2}$.

Gesetzt, es existiere auf F^m eine Invariante $y(p)$ mit den vorgegebenen Fundamentaltensoren $G(p)$ und $L(p)$, die wir jetzt *zweimal stetig differenzierbar* annehmen, so seien $y'(x) \equiv z(x)$ und $e(x)$ die Repräsentanten der Ableitung $y'(p)$, die eine Kovariante ist, und der invarianten Einheitsnormale $e(p)$ im Parametergebiet G_x^m der Mannigfaltigkeit F^m. Dann erfüllt die Vektorfunktion

$$u(x) \equiv [z(x), e(x)] \tag{5.7}$$

gemäß den Ableitungsformeln (5.1) und (5.2) die Differentialgleichung

$$\begin{aligned} u'(x)\,h &= [z'(x)\,h, e'(x)\,h] \\ &= [z(x)\,\Gamma(x)\,h + e(x)\,L(x)\,h\,, -z(x)\,\Lambda(x)\,h]. \end{aligned}$$

Hier ist die rechte Seite für jedes $x \in G_x^m$ linear sowohl in h wie in u, und $u = u(x)$ genügt somit der linearen Differentialgleichung

$$du = B(x)\,dx\,u, \tag{5.8}$$

wo

$$B(x)\,h\,u = B(x)\,h[z, y] \equiv [z\,\Gamma(x)\,h + y\,L(x)\,h\,, -z\,\Lambda(x)\,h]. \tag{5.9}$$

Da ferner die vorgegebenen Tensoren G und L zweimal stetig differenzierbar sind, so sind auf Grund der Formeln (5.3) und (5.4) die Operatoren Γ und Λ und daher auch der bilineare Operator B einmal stetig differenzierbar.

Ist umgekehrt $u(x)$ eine Lösung der Differentialgleichung (5.8), so ist sie zweimal differenzierbar, und dasselbe gilt für die aus (5.7) eindeutig bestimmten Größen $z(x)$ und $e(x)$, die gemäß der Definition von $B(x)$ dann den Ableitungsformeln

$$z'(x)\,h = z(x)\,\Gamma(x)\,h + e(x)\,L(x)\,h, \qquad e'(x)\,h = -z(x)\,\Lambda(x)\,h \tag{5.10}$$

genügen.

Die Integration der Ableitungsformeln (5.1) und (5.2) ist hiermit auf die Lösung der obigen linearen Differentialgleichung (5.8) für $u = u(x)$ zurückgeführt.

Für die Integration liefert der Existenzsatz in IV.2.7 notwendige und hinreichende Bedingungen, die sich vermittels der Definition des Operators B auf die Operatoren Γ, Λ und L, also schließlich auf G und L beziehen. Auf diese Integrabilitätsbedingungen kommen wir später zurück und entnehmen in diesem Zusammenhang aus dem Existenzsatz folgendes:

Falls die Integrabilitätsbedingungen im Gebiet G_x^m bestehen, so hat die Differentialgleichung (5.8) für $u = u(x)$ eine und nur eine stetig differenzierbare Lösung

$$u(x) \equiv [z(x), e(x)],$$

die an einem beliebig vorgegebenen Ort $x_0 \in G_x^m$ einen beliebig vorgegebenen Wert $u(x_0) = u_0 = [z_0, e_0]$ annimmt.

Auf den linearen Operator z und den Vektor e übertragen bedeutet dies, daß die Ableitungsgleichungen (5.10) dann Lösungen $z(x)$ und $e(x)$ haben, die eindeutig bestimmt sind, wenn man den linearen Operator $z(x_0) = z_0$ und den Vektor $e(x_0) = e_0$ beliebig vorschreibt.

5.3. Konstruktion der Fläche aus $z(x)$ und $e(x)$. Falls eine Fläche auf der Mannigfaltigkeit F^m existiert, mit der Ableitung $y'(x) = z(x)$ und der Einheitsnormale $e(x)$ im Parametergebiet G_x^m, so muß für jedes x im Gebiet G_x^m und für jedes h des Raumes R_x^m

$$\tilde{\zeta}(x)\,h \equiv \big(z(x)\,h,\, e(x)\big) = 0, \qquad \tilde{\varepsilon}(x) \equiv \big(e(x),\, e(x)\big) = 1 \tag{5.11}$$

sein. Da die erste Fundamentalform der Fläche vorgegeben und gleich $G(x)\,h\,k$ ist, so muß ferner

$$\tilde{G}(x)\,h\,k \equiv \big(z(x)\,h,\, z(x)\,k\big) = G(x)\,h\,k \tag{5.11'}$$

sein. Wegen

$$\begin{aligned}\big(y''(x)\,h\,k,\, e(x)\big) &= \big(z'(x)\,h\,k,\, e(x)\big)\\ &= \big(z(x)\,\Gamma(x)\,h\,k + e(x)\,L(x)\,h\,k\,,\, e(x)\big) = L(x)\,h\,k\end{aligned}$$

hat die Fläche dann auch die vorgegebene zweite Fundamentalform.

Hiernach müssen der Anfangsoperator $z(x_0) = z_0$ und der Anfangsvektor $e(x_0) = e_0$ so angenommen werden, daß

$$(e_0, e_0) = 1, \qquad (z_0 h, e_0) = 0, \qquad (z_0 h, z_0 k) = G(x_0) h k. \qquad (5.12)$$

Diesen Anfangsbedingungen genügt man, wenn zunächst für e_0 ein beliebiger Einheitsvektor des euklidischen Raumes R_y^n genommen wird und dann für z_0 ein beliebiger Operator, der den mit $G(x_0) h k$ metrisierten Parameterraum R_x^m auf den m-dimensionalen zu e_0 orthogonalen Unterraum des Raumes R_y^n orthogonal abbildet $(n = m + 1)$.

Wir behaupten, daß die Größen $\tilde{\zeta}(x)$, $\tilde{\varepsilon}(x)$ und $\tilde{G}(x)$ dann den obigen Identitäten (5.11) und (5.11') nicht nur für $x = x_0$, sondern für jedes $x \in G_x^m$ genügen.

In der Tat ist nach den Ableitungsformeln (5.10)

$$\begin{aligned} \tilde{G}' h k l &= (z' h k, z l) + (z k, z' h l) \\ &= \tilde{G} l \Gamma h k + \tilde{G} k \Gamma h l + L h k \tilde{\zeta} l + L h l \tilde{\zeta} k, \\ \tilde{\zeta}' h k &= (z' h k, e) + (z k, e' h) \\ &= \tilde{\zeta} \Gamma h k + L h k \tilde{\varepsilon} - \tilde{G} k \Lambda h, \\ \tilde{\varepsilon}' h &= 2(e' h, e) = -2 \tilde{\zeta} \Lambda h. \end{aligned}$$

Genau demselben System linearer Differentialgleichungen genügen aber auch die Funktionen $G(x) h k$, $\zeta(x) h \equiv 0$, $\varepsilon(x) \equiv 1$. Denn gemäß den Gln. (5.3) und (5.4), welche die Operatoren Γ und Λ bestimmen, ist

$$G' h k l = G l \Gamma h k + G k \Gamma h l, \qquad L h k - G k \Lambda h = 0,$$

somit

$$\begin{aligned} G' h k l &= G l \Gamma h k + G k \Gamma h l + L h k \zeta l + L h l \zeta k, \\ \zeta' h k &= \zeta \Gamma h k + L h k \varepsilon - G k \Lambda h, \\ \varepsilon' h &= -2 \zeta \Lambda h. \end{aligned}$$

Dieses System kann nun, genau wie in 5.2, in einer einzigen linearen Differentialgleichung zusammengefaßt werden, wenn man zu dem Produktraum der reellen ε-Achse, des zu R_x^m dualen ζ-Raumes und des Raumes der symmetrischen Tensoren G übergeht. In diesem Produktraum erhält man als Äquivalent des obigen Systems eine einzige lineare Differentialgleichung für die Größe $[\tilde{\varepsilon}(x), \tilde{\zeta}(x), \tilde{G}(x)]$ bzw. für $[\varepsilon(x), \zeta(x), G(x)]$, worauf der Existenzsatz in IV.2.7 angewandt werden kann.

Aus diesem Satz folgt nun insbesondere die *Eindeutigkeit* der Lösung bei vorgegebenem Anfangswert in x_0. Da nun gemäß der Wahl von e_0 und z_0

$$\tilde{G}(x_0) = G(x_0), \qquad \tilde{\zeta}(x_0) = \zeta(x_0) = 0, \qquad \tilde{\varepsilon}(x_0) = \varepsilon(x_0) = 1,$$

so ist überhaupt in G_x^m

$$(z(x)\,h,\, z(x)\,k) = G(x)\,h\,k, \qquad (z(x)\,h,\, e(x)) = 0, \qquad (e(x),\, e(x)) = 1,$$

und die Behauptung ist bewiesen. Wie schon erwähnt, ist dann auch

$$(z'(x)\,h\,k,\, e(x)) = L(x)\,h\,k.$$

Die Konstruktion einer Fläche $y = y(x)$ mit den vorgegebenen Fundamentalformen bietet nunmehr keine Schwierigkeiten. Es gilt nur noch die einfache Differentialgleichung

$$y'(x)\,h = z(x)\,h \tag{5.13}$$

zu integrieren.

Wegen der Symmetrie der Operatoren Γ und L ist

$$z'\,h\,k = z\,\Gamma\,h\,k + e\,L\,h\,k = z'\,k\,h,$$

und die Integrabilitätsbedingung ist somit erfüllt. Da $z(x)$ zweimal stetig differenzierbar war, so folgt aus der allgemeinen Theorie (vgl. III.3.3), daß die Gl. (5.13) eine dreimal stetig differenzierbare Lösung $y(x)$ hat, die eindeutig bestimmt ist, wenn der Punkt $y(x_0) = y_0$ in R_y^n beliebig vorgegeben wird.

Nach obigem ist dann für jedes $h \in R_x^m$

$$(y'\,h,\, e) = (z\,h,\, e) = 0, \qquad (e,\, e) = 1,$$

und $e = e(x)$ ist somit die Einheitsnormale der Fläche $y = y(x)$ mit den vorgegebenen Fundamentalformen

$$G\,h\,k = (z\,h,\, z\,k) = (y'\,h,\, y'\,k),$$
$$L\,h\,k = (z'\,h\,k,\, e) = (y''\,h\,k,\, e).$$

Man bemerke, daß diese Fläche wegen der Regularität des Operators $z(x_0) = z_0$ jedenfalls in einer genügend kleinen Umgebung des Punktes $y_0 = y(x_0)$ regulär ist.

Die obige Betrachtung wurde auf ein Gebiet G_x^m eines bestimmten Parameterraumes R_x^m beschränkt. Zu der invarianten Fläche $y = y(p)$ auf der m-dimensionalen Mannigfaltigkeit F^m kommt man, wenn für jede zulässige Parametertransformation $x = x(\bar{x})$, $\bar{x} = \bar{x}(x)$, gemäß dem Gesetz der Invarianz, $\bar{y}(\bar{x})$ und $\bar{e}(\bar{x})$ durch

$$\bar{y}(\bar{x}) = y(x(\bar{x})), \qquad \bar{e}(\bar{x}) = e(x(\bar{x}))$$

definiert werden. Da G und L als kovariante Tensoren zweiter Stufe gegeben wurden, so bestehen dann die Beziehungen

$$(y'(x)\,h,\, y'(x)\,k) = G(x)\,h\,k, \qquad (y''(x)\,h\,k,\, e(x)) = L(x)\,h\,k,$$

wie auch man den Parameter x annimmt.

5.4. Diskussion der Eindeutigkeit. Wir verweisen auf das in 3.6—7 Gesagte und bezeichnen mit

$$\varkappa_i = \varkappa_i(x_0) \qquad (i = 1, \ldots, n-1)$$

die Eigenwerte der linearen Transformation $\Lambda(x_0)$ und mit $a_i = a_i(x_0)$ die entsprechenden orthonormierten Eigenvektoren in bezug auf $G(x_0)\,h\,k$ als metrische Grundform. Das sind also Größen, die durch die vorgegebenen Fundamentalformen

$$G(x)\,h\,k, \qquad L(x)\,h\,k = G(x)\,k\,\Lambda(x)\,h$$

eindeutig bestimmt sind.

Der Anfangsoperator $z_0 = y'(x_0)$ bildet die Eigenvektoren a_i auf die Hauptkrümmungsrichtungen

$$e_i = e_i(x_0) = z_0\,a_i \qquad (i = 1, \ldots, n-1)$$

der konstruierten Fläche im Punkte $y_0 = y(x_0)$, und die Eigenwerte $\varkappa_i$ sind die Hauptkrümmungen in diesen Richtungen. Mit der beliebig vorgegebenen Einheitsnormale $e_0 = e(x_0)$ bilden diese Hauptkrümmungsrichtungen im Punkte y_0 ein orthonormiertes Koordinatensystem

$$e_0, e_1, \ldots, e_{n-1},$$

das n-Bein der konstruierten Fläche in diesem Punkte.

Werden nun, außer der Einheitsnormale e_0, auch die Hauptkrümmungsrichtungen $e_1, \ldots, e_{n-1}$ in einer den irgendwie geordneten Eigenwerten $\varkappa_i$ entsprechenden Reihenfolge beliebig vorgegeben, so ist der Anfangsoperator z_0 hierdurch eindeutig bestimmt; denn es existiert eine einzige lineare Abbildung z_0 von R_x^m in das Orthogonalkomplement von e_0, so daß $z_0\,a_i = e_i$ für $i = 1, \ldots, n-1$.

Fixiert man noch den Punkt $y_0 = y(x_0)$ beliebig, so sind die Lösungen der integrierten Differentialgleichungen eindeutig und somit auch die in der vorangehenden Nummer konstruierte Fläche durch y_0 und durch das hier vorgegebene n-Bein eindeutig bestimmt. Hieraus folgt:

Eine Fläche ist durch ihre Fundamentaltensoren G und L bis auf eine Translation und eine Orthogonaltransformation des Einbettungsraumes eindeutig bestimmt.

5.5. Die Hauptsätze der Flächentheorie. Es sollen noch die Integrabilitätsbedingungen für die Ableitungsformeln (5.10):

$$z'(x)\,h = z(x)\,\Gamma(x)\,h + e(x)\,L(x)\,h, \qquad e'(x)\,h = -z(x)\,\Lambda(x)\,h$$

oder für die mit diesem System äquivalente lineare Differentialgleichung (5.8):

$$u'(x)\,h = B(x)\,h\,u(x)$$

aufgestellt werden. Hierbei variiert $u = u(x)$ in dem n^2-dimensionalen Produktraum $R_u^{n^2} = R_z^{mn} \times R_y^n$, und der bilineare Operator $B(x)$ ist durch (5.9):

$$B(x)\,h\,u = B(x)\,h[z, y] \equiv [z\Gamma(x)\,h + y\,L(x)\,h\,,\ -z\Lambda(x)\,h]$$

in G_x^m definiert. Werden die Fundamentaltensoren G und L, wie oben, zweimal stetig differenzierbar angenommen, so sind Γ und Λ, folglich auch B in G_x^m einmal stetig differenzierbar.

Der Existenzsatz in IV.2.7 besagt dann folgendes:

Notwendig und hinreichend, damit die lineare Differentialgleichung (5.8) eine Lösung besitze, die durch den im beliebigen Punkt x_0 des Gebietes G_x^m beliebig vorgegebenen Anfangswert

$$u_0 = [z_0, e_0]$$

eindeutig bestimmt wird, ist, daß die Gleichung

$$R(x)\,h\,k\,u$$

$$\equiv \frac{1}{2}\big((B'(x)\,h\,k - B(x)\,h\,B(x)\,k) - (B'(x)\,k\,h - B(x)\,k\,B(x)\,h)\big)\,u = 0 \qquad (5.14)$$

in G_x^m für jedes Vektorenpaar $h,\ k$ des Raumes R_x^m und jedes u des Produktraumes $R_u^{n^2}$ erfüllt ist.

Hier ist gemäß der Definition (5.9) des linearen Operators B

$$B'\,h\,k\,u = [z\Gamma'\,h\,k + y\,L'\,h\,k\,,\ -z\Lambda'\,h\,k]$$

und

$$B\,h\,B\,k\,u = [z\Gamma\,k\,\Gamma\,h + y\,L\,k\,\Gamma\,h - z\Lambda\,k\,L\,h\,,\ -z\Gamma\,k\,\Lambda\,h - y\,L\,k\,\Lambda\,h].$$

Soll also die Integrabilitätsbedingung für *jedes* u, d. h. für jeden linearen Operator $z \in R_z^{mn}$ und jeden Vektor $y \in R_y^n$ bestehen, so muß

$$\Gamma'\,h\,k\,l - \Gamma\,k\,\Gamma\,h\,l + \Lambda\,k\,L\,h\,l - \Gamma'\,k\,h\,l + \Gamma\,h\,\Gamma\,k\,l - \Lambda\,h\,L\,k\,l = 0, \qquad (5.15\,\mathrm{a})$$

$$L'\,h\,k\,l - L\,k\,\Gamma\,h\,l - L'\,k\,h\,l + L\,h\,\Gamma\,k\,l = 0, \qquad (5.15\,\mathrm{b})$$

$$\Gamma\,k\,\Lambda\,h - \Lambda'\,h\,k - \Gamma\,h\,\Lambda\,k + \Lambda'\,k\,h = 0, \qquad (5.15\,\mathrm{c})$$

$$L\,k\,\Lambda\,h - L\,h\,\Lambda\,k = 0 \qquad (5.15\,\mathrm{d})$$

sein, wobei $h,\ k,\ l$ Repräsentanten beliebiger kontravarianter Vektoren sind.

Bevor wir zur Analyse dieser Integrabilitätsbedingungen übergehen, wollen wir direkt auf Grund der Ableitungsformeln (5.1) und (5.2) zeigen, daß sie jedenfalls notwendig sind.

Falls unser Problem bei zweimaliger stetiger Differenzierbarkeit der vorgegebenen Tensoren G und L lösbar ist, so wird $z(x)$ zweimal und $y(x)$ somit dreimal stetig differenzierbar sein. Aus der Gaußschen Ableitungsformel (5.1):

$$y''(x)\,k\,l = y'(x)\,\Gamma(x)\,k\,l + L(x)\,k\,l\,e(x)$$

folgt dann durch Differentiation mit dem Parameterdifferential $d\,x = h$

$$y'''\,h\,k\,l = y''\,h\,\Gamma\,k\,l + y'\,\Gamma'\,h\,k\,l + L\,k\,l\,e'\,h + L'\,h\,k\,l\,e,$$

woraus sich bei Beachtung der beiden Ableitungsformeln folgende Zerlegung von $y'''\,h\,k\,l$ in eine tangentiale und normale Komponente ergibt:

$$y'''\,h\,k\,l = y'(\Gamma'\,h\,k\,l + \Gamma\,h\,\Gamma\,k\,l - \Lambda\,h\,L\,k\,l) + (L\,h\,\Gamma\,k\,l + L'\,h\,k\,l)\,e.$$

Hier ist die linke Seite symmetrisch in h und k, folglich auch die rechte. Da ferner $y'(x)$ regulär ist, so ergeben sich hieraus die obigen Gln. (5.15a) und (5.15b).

Differenziert man dann die Weingartensche Ableitungsformel (5.2):

$$e'(x)\,k = -y'(x)\,\Lambda(x)\,k,$$

so wird

$$e''\,h\,k = -y''\,h\,\Lambda\,k - y'\,\Lambda'\,h\,k,$$

woraus bei Beachtung der Gaußschen Ableitungsformel (5.1)

$$e''\,h\,k = -y'(\Gamma\,h\,\Lambda\,k + \Lambda'\,h\,k) - L\,h\,\Lambda\,k\,e$$

folgt. Hier sind wiederum beide Seiten in h und k symmetrisch, woraus die Gln. (5.15c) und (5.15d) hervorgehen.

Den Tensoren G und L, welche vermittels der Formeln (5.3) und (5.4) die Operatoren Γ und Λ definieren, werden nach obigem scheinbar vier Integrabilitätsbedingungen auferlegt. Sollen diese Bedingungen kompatibel und unser Problem überhaupt lösbar sein, so müssen sich diese auf höchstens zwei unabhängige Bedingungen reduzieren. Das ist in der Tat der Fall.

Zunächst ist nach der Formel (5.4)

$$L\,h\,\Lambda\,k = G\,\Lambda\,k\,\Lambda\,h,$$

und die Bedingung (5.15d) ist infolge der vorausgesetzten Symmetrie des Tensors G ohne weiteres erfüllt.

Gemäß derselben Formel (5.4) ist

$$G\,l\,\Lambda\,k = L\,k\,l,$$

woraus durch Differentiation

$$G\,l\,\Lambda'\,h\,k = L'\,h\,k\,l - G'\,h\,l\,\Lambda\,k = L'\,h\,k\,l - G'\,h\,\Lambda\,k\,l$$

folgt. Ferner ergibt die Formel (5.3), mit $\Lambda\,k$ statt k,

$$G\,l\,\Gamma\,h\,\Lambda\,k = \frac{1}{2}\,(G'\,h\,\Lambda\,k\,l + G'\,\Lambda\,k\,l\,h - G'\,l\,h\,\Lambda\,k),$$

und durch Addition dieser Gleichungen wird

$$G\,l\,(\Lambda' h\,k + \Gamma h\,\Lambda\,k) = L' h\,k\,l - \frac{1}{2}(G' h\,\Lambda\,k\,l + G' l\,h\,\Lambda\,k - G' \Lambda\,k\,l\,h).$$

Hier ist der Subtrahend rechts gemäß den Formeln (5.3) und (5.4) gleich

$$G\,\Lambda\,k\,\Gamma h\,l = L\,k\,\Gamma h\,l,$$

somit

$$G\,l(\Lambda' h\,k + \Gamma h\,\Lambda\,k) = L' h\,k\,l - L\,k\,\Gamma h\,l.$$

Diese Beziehung zeigt unmittelbar, daß die Gln. (5.15b) und (5.15c) äquivalent sind.

Hiernach reduzieren sich die notwendigen und hinreichenden Integrabilitätsbedingungen auf zwei, nämlich

$$\Gamma'(x)\,h\,k\,l + \Gamma(x)\,h\,\Gamma(x)\,k\,l - \Gamma'(x)\,k\,h\,l - \Gamma(x)\,k\,\Gamma(x)\,h\,l$$
$$= L(x)\,k\,l\,\Lambda(x)\,h - L(x)\,h\,l\,\Lambda(x)\,k, \quad (5.16\,\mathrm{a})$$

$$L'(x)\,h\,k\,l - L(x)\,k\,\Gamma(x)\,h\,l = L'(x)\,k\,h\,l - L(x)\,h\,\Gamma(x)\,k\,l. \quad (5.16\,\mathrm{b})$$

Das sind die Fundamentalgleichungen der Flächentheorie. Die erste ist die *Formel von Gauß-Codazzi*, die zweite die *Formel von Codazzi-Mainardi*.

§ 6. Theorema egregium

6.1. Die Krümmungstensoren. Wir analysieren näher die Fundamentalgleichungen (5.16a) und (5.16b), und machen den Anfang mit der Formel (5.16b), wo wir jetzt h_1, h_2, h_3 statt h, k, l schreiben. Subtrahiert man beiderseits

$$L(x)\,h_3\,\Gamma(x)\,h_1\,h_2 = L(x)\,h_3\,\Gamma(x)\,h_2\,h_1,$$

so kann diese Gleichung unter Benutzung kovarianter Ableitungen kurz

$$'L(x)\,h_1\,h_2\,h_3 = {}'L(x)\,h_2\,h_1\,h_3 \quad (6.1)$$

geschrieben werden. Da die reelle Form links

$$'L(x)\,h_1\,h_2\,h_3 = L'(x)\,h_1\,h_2\,h_3 - L(x)\,h_2\,\Gamma(x)\,h_1\,h_3 - L(x)\,h_3\,\Gamma(x)\,h_1\,h_2$$

offenbar auch in h_2 und h_3 symmetrisch ist, so ist die Gleichung von Codazzi-Mainardi mit folgender Aussage äquivalent:

Die kovariante Ableitung des zweiten Fundamentaltensors L ist *symmetrisch.*

Wir gehen zu der Formel (5.16a) über, und schreiben sie kurz

$$R(x)\,h_1\,h_2\,h_3 = L(x)\,h_2\,h_3\,\Lambda(x)\,h_1 - L(x)\,h_1\,h_3\,\Lambda(x)\,h_2, \quad (6.2)$$

wo

$$R(x)\,h_1\,h_2\,h_3 \equiv 2 \wedge \left(\Gamma'(x)\,h_1\,h_2 + \Gamma(x)\,h_1\,\Gamma(x)\,h_2\right)h_3. \quad (6.3)$$

Aus den Transformationsformeln für L und Λ folgt unmittelbar, daß der Operator

$$R(x) \equiv \overset{1}{\underset{3}{R}}(x)$$

ein dreifach kovarianter und einfach kontravarianter Tensor vierter Stufe ist; das ist der *gemischte Riemannsche Krümmungstensor.*

Man bemerke, daß dieser Tensor durch den ersten Fundamentaltensor G allein eindeutig bestimmt ist. Der Ausdruck (6.3) von $\overset{1}{\underset{3}{R}}$ enthält nämlich nur die Operatoren Γ und Γ' und diese können auf Grund der Formel (5.3), welche Γ eindeutig bestimmt, aus G, G', G'' berechnet werden.

Wir führen einen vierten beliebigen kontravarianten Vektor h_4 ein. Setzt man dann

$$\underset{4}{R}(x)\, h_1 h_2 h_3 h_4 \equiv G(x)\, h_4 \overset{1}{\underset{3}{R}}(x)\, h_1 h_2 h_3, \tag{6.4}$$

so kann die Formel von Gauß-Codazzi (6.2) infolge der Gleichungen

$$G(x)\, h_4 \Lambda(x)\, h_1 = L(x)\, h_1 h_4, \qquad G(x)\, h_4 \Lambda(x)\, h_2 = L(x)\, h_2 h_4$$

auf die äquivalente Form

$$\underset{4}{R}(x)\, h_1 h_2 h_3 h_4 = L(x)\, h_1 h_4 L(x)\, h_2 h_3 - L(x)\, h_1 h_3 L(x)\, h_2 h_4 \tag{6.5}$$

gebracht werden.

Hier ist $\underset{4}{R}$ gemäß seiner Definition (6.4) ein kovarianter Tensor vierter Stufe, der *kovariante Riemannsche Krümmungstensor.*

Wie $\overset{1}{\underset{3}{R}}$ ist auch $\underset{4}{R}$ durch den ersten Fundamentaltensor G allein eindeutig bestimmt und kann aus G, G', G'' berechnet werden.

Man bemerke ferner, daß die zwei obigen Krümmungstensoren gleichzeitig verschwinden, so daß die Gleichungen

$$\overset{1}{\underset{3}{R}}(x) = 0, \quad \underset{4}{R}(x) = 0$$

äquivalent sind.

Aus der rechten Seite der Formel (6.5) gehen gewisse Symmetrieeigenschaften des Tensors $\underset{4}{R}$ hervor.

Die volle symmetrische Gruppe der 24 Permutationen der Indizes 1, 2, 3, 4 hat als Normalteiler die „Vierergruppe“, die aus der identischen Permutation und den Permutationen

$$(1\ 2)(3\ 4), \qquad (1\ 3)(2\ 4), \qquad (1\ 4)(2\ 3)$$

besteht. Die entsprechende Faktorgruppe ist mit der symmetrischen Permutationsgruppe dreier Elemente isomorph. Man sieht nun unmittelbar ein, daß die Form rechts in (6.5) für die Permutationen der

Vierergruppe *invariant* bleibt und, den Permutationen der Faktorgruppe entsprechend, insgesamt sechs verschiedene Formen annimmt, die sich paarweise in bezug auf das Vorzeichen unterscheiden.

Das oben erwähnte Sachverhältnis, wonach $\underset{4}{R}$ durch G eindeutig bestimmt ist, enthält in Verbindung mit diesen Symmetrieeigenschaften das wesentliche der Formel von Gauß-Codazzi.

6.2. Theorema egregium. Aus der Formel von Gauß-Codazzi (6.5) folgt unter anderem das klassische „Theorema egregium" von Gauß.

Diejenige Nebenklasse der Vierergruppe, deren Permutationen das Vorzeichen von $\underset{4}{R}(x)\,h_1 h_2 h_3 h_4$ ändern, enthält die Permutationen $(1\,2)$, $(1\,2)(1\,2)(3\,4) = (3\,4)$, $(1\,2)(1\,3)(2\,4) = (1\,4\,2\,3)$ und $(1\,2)(1\,4)(2\,3) = (1\,3\,2\,4)$. Hiernach gibt es genau zwei Transpositionen, $(1\,2)$ und $(3\,4)$, die das Vorzeichen der genannten Form ändern. Bei festen h_3 und h_4 ist $\underset{4}{R}(x)\,h_1 h_2 h_3 h_4$ in h_1 und h_2, bei festen h_1 und h_2 in h_3 und h_4 alternierend.

Dieselbe Eigenschaft hat aber auch die Form

$$\underset{4}{C}(x)h_1 h_2 h_3 h_4 \equiv G(x)h_1 h_4 G(x)h_2 h_3 - G(x)h_1 h_3 G(x)h_2 h_4 .$$

Hieraus folgt unmittelbar: Sind a_1, a_2 und ebenfalls a_3, a_4 linear unabhängige Vektoren des Parameterraumes R_x^m, so ist

$$\frac{\underset{4}{R}(x)h_1 h_2 h_3 h_4}{\underset{4}{C}(x)h_1 h_2 h_3 h_4} = \frac{\underset{4}{R}(x)a_1 a_2 a_3 a_4}{\underset{4}{C}(x)a_1 a_2 a_3 a_4}$$

für jedes Vektorenpaar h_1, h_2 des von a_1, a_2 aufgespannten zweidimensionalen Unterraumes und jedes Vektorenpaar h_3, h_4 des von a_3, a_4 aufgespannten Unterraumes. Nimmt man insbesondere $a_1 = a_3 = h$, $a_2 = a_4 = k$, so ist hiernach

$$\frac{\underset{4}{R}(x)h_1 h_2 h_3 h_4}{\underset{4}{C}(x)h_1 h_2 h_3 h_4} = \frac{\underset{4}{R}(x)h\,k\,h\,k}{\underset{4}{C}(x)h\,k\,h\,k},$$

insofern h_1, h_2, h_3, h_4 in dem von h und k aufgespannten zweidimensionalen Unterraum von R_x^m variieren.

Ist nun speziell $m = 2$, $n = 3$, so gilt das obige ohne Einschränkung bezüglich h_1, h_2, h_3, h_4, wie man auch die linear unabhängigen Koordinatenachsen h und k des Parameterraumes R_x^2 annimmt. Man bringe nun $L(x)$ in bezug auf $G(x)$ auf die Hauptachsenform und nehme für h und k die beiden Hauptachsenrichtungen $a_1(x)$ und $a_2(x)$ (vgl. 3.6—7). Dann ist

$$L(x)\,a_i(x)\,a_i(x) = \varkappa_i(x) \qquad (i = 1, 2), \qquad L(x)\,a_1(x)\,a_2(x) = 0,$$

somit gemäß (6.5)

$$\underset{4}{R}(x)h\,k\,h\,k = -\varkappa_1(x)\,\varkappa_2(x),$$

und

$$G(x)\, a_i(x)\, a_i(x) = 1 \qquad (i = 1, 2), \qquad G(x)\, a_1(x)\, a_2(x) = 0,$$

folglich

$$\underset{4}{C}(x)\, h\, k\, h\, k = -1,$$

also

$$K(x) \equiv \varkappa_1(x)\, \varkappa_2(x) = \frac{\underset{4}{R}(x)\, h_1 h_2 h_3 h_4}{\underset{4}{C}(x)\, h_1 h_2 h_3 h_4}$$

$$= \frac{\underset{4}{R}(x)\, h_1 h_2 h_3 h_4}{G(x)\, h_1 h_4\, G(x)\, h_2 h_3 - G(x)\, h_1 h_3\, G(x)\, h_2 h_4}. \tag{6.6}$$

Hier steht links die *Gaußsche Krümmung* der Fläche im Punkte $y(x)$, und rechts ein Ausdruck, der von h_1, h_2, h_3, h_4 nicht abhängt und nach obigem *aus* $G(x)$, $G'(x)$, $G''(x)$ *allein berechnet werden kann.* Damit ist das *Theorema egregium von Gauß* bewiesen.

6.3. Aufgaben. 1. Es sei $\underset{2}{R}\, h_2 h_3$ die aus der Riemannschen Differentialform $h^1 \overset{1}{\underset{3}{R}}\, h_1 h_2 h_3$ durch Verjüngung in bezug auf h^1 und h_1 entstandene Differentialform, ferner $\overset{1}{\underset{1}{R}}\, h_2$ die aus $\underset{2}{R}\, h_2$ durch Heben hervorgehende lineare Transformation, schließlich R der durch Verjüngung von $h^2 \overset{1}{\underset{1}{R}}\, h_2$ entstehende reelle Skalar. $\underset{2}{R}$ bzw. $\overset{1}{\underset{1}{R}}$ ist der sogenannte kovariante bzw. gemischte *Ricci-Tensor*, R die skalare *Riemannsche Krümmung*. Man zeige:

Falls $e_1, \ldots, e_m$ ein beliebiges am Orte x in bezug auf den metrischen Fundamentaltensor orthonormiertes Koordinatensystem bezeichnet, so ist

$$\underset{2}{R}\, h_2 h_3 = \sum_{i=1}^{m} \underset{4}{R}\, h_2 e_i e_i h_3 = \sum_{i=1}^{m} \underset{4}{R}\, h_3 e_i e_i h_2 = \underset{2}{R}\, h_3 h_2,$$

$$\overset{1}{\underset{1}{R}}\, h_2 = \sum_{i=1}^{m} \overset{1}{\underset{3}{R}}\, h_2 e_i e_i,$$

$$R = -\sum_{i=1}^{m} \sum_{j=1}^{m} R\, e_i e_j e_i e_j = \sum_{\substack{i, j=1 \\ i \neq j}}^{m} \varkappa_i \varkappa_j,$$

wo $\varkappa_1, \ldots, \varkappa_m$ die Hauptkrümmungen am Orte x bezeichnen.

2. Man zeige, in Umkehrung der Aufgabe 3 in 3.8, daß eine Fläche mit lauter Nabelpunkten eine Sphäre ist.

Anleitung. Für jedes $x \in G_x^m$ sind sämtliche Hauptkrümmungen gleich, folglich $\Lambda(x)\, h = \varkappa(x)\, h$ und

$$L(x)\, k\, l = G(x)\, k\, \Lambda(x)\, l = \varkappa(x)\, G(x)\, k\, l.$$

Kovariante Differentiation ergibt wegen $'G(x)\,h\,k\,l = 0$

$$'L(x)\,h\,k\,l = \varkappa'(x)\,h\,G(x)\,k\,l,$$

und gemäß der Formel von Codazzi-Mainardi ist somit

$$\varkappa'(x)\,h\,G(x)\,k\,l = \varkappa'(x)\,k\,G(x)\,h\,l.$$

Nimmt man hier für ein beliebiges h die Vektoren k und l so, daß $l = k \neq 0$ und $G(x)\,h\,k = 0$, so wird $\varkappa'(x)\,h \equiv 0$, und $\varkappa$ ist somit von x unabhängig. Die Behauptung ist dann eine unmittelbare Folge der Weingartenschen Formel.

§ 7. Parallelverschiebung

7.1. Definition. In einer Umgebung G^m der m-dimensionalen Mannigfaltigkeit F^m sei ein stückweise regulärer Kurvenbogen $p = p(t)$ gegeben, wobei t in einem Intervall eines eindimensionalen Parameterraumes R_t^1 variiert. In jedem Punkt p dieses Bogens sei ferner ein differenzierbarer *kontravarianter* Vektor $u = u(p) = \overset{1}{u}(p)$ definiert. Dann ist die kovariante Ableitung $'u(p)$ ein gemischter Tensor der Stufe 2. Man sagt, das Vektorfeld $u(p)$ ist längs der Kurve $p = p(t)$ durch *Parallelverschiebung* entstanden, falls jene Ableitung auf der Kurve verschwindet.

Im Parameterraum R_x^m entsprechen den Größen $p = p(t)$ und $u = u(p)$ ein Kurvenbogen $x = x(t)$ bzw. ein kontravariantes Vektorfeld $u = u(x)$. Die Bedingung der Parallelität des Feldes längs $x = x(t)$ lautet also, falls $dx = x'(t)\,dt$,

$$'u\,dx \equiv du + \Gamma\,u\,dx = 0. \tag{7.1}$$

Entsprechend wird die Parallelverschiebung eines differenzierbaren *kovarianten* Vektorfeldes $u = u(p) = \underset{1}{u}(p)$ längs der Kurve $p = p(t)$ definiert. Die kovariante Ableitung $'u(p)$ ist in diesem Fall ein kovarianter Tensor zweiter Stufe, und die Parallelität drückt sich durch die Gleichung

$$'u\,dx \equiv du - u\,\Gamma\,dx = 0 \tag{7.1'}$$

aus. Die linke Seite der letzten Gleichung ist ein kovarianter Vektor.

Die Bedingung für die Parallelität des Vektorfeldes $u(p)$ ist also durch eine, in bezug auf Parametertransformationen invariante, normale und linear homogene Differentialgleichung bestimmt. Ist die Kurve $p = p(t)$ vorgegeben, so läßt sich umgekehrt ein paralleles Vektorfeld durch Integration der definierenden Differentialgleichung längs der Kurve konstruieren. Nach der allgemeinen Theorie der Normalsysteme (vgl. IV.1) ist das Feld eindeutig bestimmt, falls man den Anfangswert $u_0 = u(p_0)$ des Feldvektors in einem beliebig gewählten

Kurvenpunkt $p_0 = p(t_0)$ willkürlich vorschreibt. Die Integration gelingt jedenfalls dann, wenn der Christoffel-Operator $\Gamma(p)$ stetig oder, was damit gleichbedeutend ist, der metrische Fundamentaltensor $G(p)$ einmal stetig differenzierbar ist. In der „Einbettungstheorie" genügt es hierzu die einbettende Abbildung $y = y(x)$ zweimal stetig differenzierbar anzunehmen.

7.2. Der Verschiebungsoperator. Nach der allgemeinen Theorie der linearen homogenen Differentialgleichungen (vgl. IV.2.14) ist der Gl. (7.1) (bzw. (7.1')) eine Schar (T) von regulären linearen Transformationen des Tangentialraumes (bzw. des dualen Tangentialraumes) der Mannigfaltigkeit F^m zugeordnet, mit folgenden Eigenschaften:

1. Jedem orientierten, stückweise differenzierbaren Weg l in einer (hinreichend kleinen) Umgebung der Mannigfaltigkeit F^m entspricht eine wohlbestimmte lineare Transformation $T = T_l$.

2. Für das Produkt $l = l_2 l_1$ von zwei Wegen l_1, l_2 gilt $T_l = T_{l_2} T_{l_1}$.

3. Für den reziproken Weg l^{-1} von l ist $T_l T_{l^{-1}} = T_{l^{-1}} T_l = I$ (die identische Transformation).

4. Verbindet der Weg l die Punkte $p = p_1$ und $p = p_2$ auf der Mannigfaltigkeit, so sind die Vektoren $u_1 = u(p_1)$ und $u_2 = u(p_2)$ des längs l parallelen Feldes $u(p)$ durch die Relationen

$$u_2 = T_l u_1, \qquad u_1 = T_l^{-1} u_2 = T_{l^{-1}} u_2$$

gebunden[1].

Im Parameterraum R_x^m entspricht dem Operator T_l eine Transformation T_l dieses Raumes, und man hat für einen Zuwachs dx des Weges $l = l_x \subset R_x^m$ im Punkte x den Zusammenhang

$$du = T_{dx} u - u = (dT)u = -\Gamma\, dx\, u.$$

Es ist also T im Punkte $x \longleftrightarrow p$ differenzierbar, und die Ableitung $T' = -\Gamma$.

Die Theorie der Parallelität läßt sich umgekehrt am einfachsten auf Grund einer gegebenen Operatorengruppe (T) und der Postulate 1—4 aufbauen[2].

7.3. Metrische Eigenschaften. Da der Christoffel-Operator Γ durch den metrischen Fundamentaltensor G und seine erste Ableitung eindeutig festgelegt ist, so wird der Verschiebungsoperator durch G und seine Ableitungen G', G'' bestimmt. Um diesen Zusammenhang

---

[1] Für den Fall eines kovarianten Feldes $u(p)$ empfiehlt es sich, in Übereinstimmung mit unserer Darstellung der Tensorrechnung, den Operator T_l rechts von dem Argument u zu schreiben: $u_2 = u_1 T_l$ usw.

[2] Vgl. hierzu W. Graeub und R. Nevanlinna [1].

näher zu untersuchen, betrachten wir im Parameterraum R_x^m einen stückweise regulären Bogen $x = x(t)$ und nehmen längs ihm zwei parallele, etwa kontravariante Vektorfelder $u(x)$ und $v(x)$. Dann ist der Ausdruck $G(x)\,u(x)\,v(x)$ eine Invariante, und seine Ableitung also gleich seiner kovarianten Ableitung. Differenziert man ihn längs der Kurve $x = x(t)$, so ergibt sich also

$$(G\,u\,v)'\,d\,x = '(G\,u\,v)\,d\,x = 'G\,d\,x\,u\,v + G('u\,d\,x)\,v + G\,u('v\,d\,x).$$

Hier ist $'G = 0$ (vgl. 4.20 Aufgabe 2), und da wegen der Parallelität $'u = 'v = 0$, so verschwindet der ganze obige Ausdruck. Es folgt hieraus, daß $G\,u\,v$ längs der Kurve $x = x(t)$ konstant ist, und man schließt, daß *der Verschiebungsoperator T_l eine in bezug auf die lokale euklidische Metrik $G(x)$ orthogonale Transformation des Raumes R_x^m ist.*

Wenn nun, wie es in der Gaußschen Theorie der Fall ist, die Mannigfaltigkeit F^m in dem Raum R_y^{m+1} eingebettet ist, so daß die Metrik G von der euklidischen Metrik dieses Raumes induziert wird, so ergibt sich, daß die Parallelverschiebung längs einem Bogen der Einbettungsfläche F^m, welcher zwei Flächenpunkte y_1 und y_2 verbindet, die Tangentialebenen der Fläche in diesen Punkten (euklidisch) orthogonal aufeinander abbildet. Diese Abbildung läßt sich zu einer orthogonalen Transformation des ganzen Raumes R_y^{m+1} durch die Forderung ergänzen, daß die Einheitsnormalen in den Punkten y_1 und y_2 einander entsprechen sollen.

7.4. Geodätische Linien. Wir stellen uns das Problem, die „geradesten“ Linien auf der Mannigfaltigkeit F^m zu bestimmen, d. h. diejenigen Wege, deren Tangenten parallel sind. Schreibt man die Gleichung der gesuchten Linien in der Form $x = x(\tau)$ (τ reell), so hat ein tangentialer Vektor den Ausdruck $u = u(\tau) = \lambda(\tau)\,x'(\tau)$, wo $\lambda(\tau)$ (> 0) ein reeller Multiplikator ist. Soll nun dieser Vektor $u = u(\tau)$ ein paralleles Feld längs $x = x(\tau)$ definieren, so ist nach 7.3 seine Länge in der Metrik $G(x)$ konstant:

$$G\,\lambda\frac{d\,x}{d\,\tau}\,\lambda\frac{d\,x}{d\,\tau} = \lambda^2\left(\frac{d\sigma}{d\,\tau}\right)^2 = \text{const.},$$

wo $d\sigma$ die Länge des Bogendifferentials $d\,x = x'(\tau)\,d\tau$ bezeichnet. Es muß also, bis auf einen *konstanten* Multiplikator, $\lambda = d\tau/d\sigma$ sein, und der parallel zu verschiebende Tangentialvektor wird gleich

$$\lambda\frac{d\,x}{d\,\tau} = \frac{d\,x}{d\,\sigma}$$

sein.

Wählt man nun die Bogenlänge σ des zu bestimmenden Weges als Parameter, so ergibt die Gl. (7.1) der Parallelverschiebung, wenn dort

$u = dx/d\sigma$ eingesetzt wird, als Bedingung für die „geradeste" oder *geodätische Linie* $x = x(\sigma)$:

$$\frac{d^2 x}{d\sigma^2} + \Gamma \frac{dx}{d\sigma} \frac{dx}{d\sigma} = 0. \tag{7.2}$$

Um diese Differentialgleichung zweiter Ordnung zu integrieren, führt man wieder einen beliebigen Parameter τ ein. Man erhält so eine normale Differentialgleichung zweiter Ordnung für die geodätische Linie $x = x(\tau)$, welche sich nach der Theorie der Normalsysteme (vgl. IV.1) integrieren läßt (vgl. 7.7 Aufgabe 5). Durch jeden Punkt x geht eine einparametrige Schar von geradesten Linienbogen, welche eindeutig bestimmt werden, wenn man in jenem Punkt die Richtung der Tangente festlegt.

Die geodätischen Linien sind auch durch die metrische Bedingung charakterisiert, daß sie die kürzesten Verbindungslinien zwischen zwei (hinreichend nahe aneinander liegenden) Punkte der Mannigfaltigkeit sind (vgl. 7.7 Aufgabe 6).

7.5. Integrabilität der Parallelverschiebung. Bis jetzt wurde die Differentialgleichung der Parallelverschiebung eines Vektors $u = u(x)$ längs einem vorgegebenen Weg $x = x(t)$ integriert. Es erhebt sich nun die Frage, unter welchen Bedingungen die partielle Differentialgleichung der Parallelverschiebung eines (etwa kontravarianten) Vektors u,

$$du + \Gamma u\, dx = 0,$$

in einer vollen m-dimensionalen Umgebung der Mannigfaltigkeit F^m integrierbar ist. Das ist dann und nur dann der Fall, wenn der Verschiebungsoperator T_l vom Verlauf der Kurve l, welche ihren festgegebenen Anfangs- und Endpunkt verbindet, unabhängig ist. Hierfür ist nach IV.2.15 notwendig und hinreichend, daß die Beziehung

$$T_\gamma = I$$

für den Rand $\gamma = \partial s^2$ jedes zweidimensionalen Simplexes s^2 auf der Mannigfaltigkeit gilt. Falls Γ stetig differenzierbar (G also zweimal stetig differenzierbar) ist, so ist diese Bedingung damit äquivalent, daß die trilineare Differentialform (vgl. IV.2.7)

$$\wedge\, (\Gamma' h k + \Gamma h \Gamma k) l$$

gleich Null ist, für jedes $h, k, l \in R^m_x$. Der Operator dieser Form ist aber (bis auf einen Faktor 1/2) nichts anderes als der gemischte Riemannsche Krümmungstensor $\underset{3}{\overset{1}{R}}$ der Mannigfaltigkeit (vgl. (6.3)), und es folgt:

Notwendig und hinreichend für die Integrabilität der Parallelverschiebung auf der Mannigfaltigkeit F^m ist, daß ihre Krümmung verschwindet.

7.6. Bestimmung der Mannigfaltigkeiten von der Krümmung Null. Wir nehmen an, daß die Krümmung $\overset{1}{\underset{3}{R}}(x) = 0$ in einer gewissen Parameterumgebung des Raumes R_x^m und wollen zeigen, daß dann der Christoffel-Operator $\Gamma(x)$ bei passender Wahl des Parameters x zum Verschwinden gebracht werden kann.

Wir fixieren hierzu den Parameterraum R_x^m zunächst beliebig. Falls der Christoffel-Operator $\Gamma(x)$ noch nicht verschwindet, versuchen wir einen neuen zulässigen Parameter $\bar{x} = \bar{x}(x)$ so zu bestimmen, daß (vgl. (4.2) in 4.15)

$$\bar{\Gamma}\bar{h}\bar{k} = \frac{d\bar{x}}{dx}\Gamma h k - \frac{d^2\bar{x}}{dx^2} h k = 0. \qquad (7.3)$$

Um diese Differentialgleichung zweiter Ordnung in bezug auf $\bar{x}(x)$ zu lösen, führen wir den regulären Operator $z = d\bar{x}/dx$ als neue Variable ein. Die so entstandene Differentialgleichung erster Ordnung

$$\frac{dz}{dx} dx - z\Gamma dx = 0 \qquad (7.3')$$

läßt sich nach IV.2.7 vollständig integrieren, falls der Ausdruck

$$z \wedge (\Gamma' h k + \Gamma h \Gamma k) = 0,$$

für jedes h und k. Wegen der Regularität von z ist dies damit gleichbedeutend, daß

$$\wedge (\Gamma' h k + \Gamma h \Gamma k) l = \frac{1}{2} \overset{1}{\underset{3}{R}} h k l = 0.$$

Gemäß Voraussetzung ist diese Integrabilitätsbedingung erfüllt, und der Operator $z = d\bar{x}/dx$ ist also eindeutig bestimmt, wenn man ihn in einem Anfangspunkt $x = x_0$ willkürlich festlegt.

Um noch die Gleichung

$$d\bar{x} = z\, dx \qquad (7.3'')$$

zu integrieren, bemerke man, daß der Rotor des Operators z nach (7.3′) gleich

$$\wedge z' h k = z \wedge \Gamma h k = 0$$

ist. Die Integrabilitätsbedingung ist also für das Differential $d\bar{x} = z\,dx$ erfüllt, und nach III.3.3 wird $\bar{x}(x)$ vermittels $z(x)$ bis auf eine additive Konstante bestimmt. Der gesuchte Parameterraum $R_{\bar{x}}^{\bar{m}}$, in dem $\bar{\Gamma}(\bar{x}) \equiv 0$, ist damit konstruiert; er ist eindeutig festgelegt, wenn man einem willkürlichen Element $\{p, dp\}$ des Tangentialraumes von F^m ein beliebiges Linienelement $\{\bar{x}, d\bar{x}\}$ zuordnet.

In diesem ausgezeichneten Parameterraum lautet die Gleichung der Parallelverschiebung einfach $d\bar{u} = 0$, $\bar{u}(\bar{x}) = \text{const}$. Die Parallelverschiebung stimmt also mit den elementaren Translationen des

Raumes $\bar{R}_{\bar{x}}^m$ überein. Tatsächlich ist die Geometrie der Mannigfaltigkeit F^m der Krümmung Null *euklidisch*, denn aus $\bar{\Gamma} = 0$ folgt, daß die Ableitung $\bar{G}' = 0$ (vgl. 4.20 Aufgabe 2). Der metrische Tensor $\bar{G}(\bar{x})$ ist also vom Ort $\bar{x}$ unabhängig, was die Euklidizität der Geometrie auf $\bar{R}_{\bar{x}}^m$ bedeutet.

Wenn umgekehrt eine Mannigfaltigkeit F^m eine Parameterdarstellung gestattet, wo $G = \text{const.}$, $\Gamma = 0$, so ist ihre Krümmung offensichtlich gleich Null, und man schließt:

Notwendig und hinreichend, damit eine Mannigfaltigkeit euklidisch sei, ist, daß ihre Krümmung verschwindet.

7.7. Aufgaben. 1. Sei F_p^m eine differenzierbare Mannigfaltigkeit der Dimension m und $x \in R_x^m$ der Repräsentant eines Punktes $p \in F_p^m$. Sei ferner $\underset{q}{A}(x)\, h_1 \ldots h_q$ eine invariante q-fach lineare Form in den kontravarianten Argumenten h_i. Die kovariante Ableitung $'\underset{q}{A}$ wird als ein kovarianter Tensor $\underset{q+1}{B}$ so definiert, daß man die Argumente $h_1, \ldots, h_q$ als parallele Vektoren längs einem von x ausgehenden Bogen nimmt, der im Anfangspunkt x den Tangentialvektor $dx = h$ hat, und die Form $\underset{q}{A}\, h_1 \ldots h_q$ im Punkte x mit $dx = h$ differenziert. Man setzt dann $\underset{q+1}{B}\, h\, h_1 \ldots h_q \equiv d(\underset{q}{A}\, h_1 \ldots h_q)$.

Wie lautet hiernach der allgemeine Ausdruck der kovarianten Ableitung $'\underset{q}{A}$? Man definiere analog auch die kovariante Ableitung eines kontravarianten Tensors $\overset{q}{A}$.

2. Man bestimme den alternierenden Teil der zweiten kovarianten Ableitung eines kontravarianten Vektorfeldes $u(x)$.

3. Sei $D_0\, h_1\, h_2$ $(h_1, h_2 \in R_x^2)$ eine nichtausgeartete reelle alternierende Form. Die alternierende Fundamentalform

$$D(x)\, h_1\, h_2 \equiv \pm \sqrt{\det\left(G(x)\, h_i\, h_j\right)},$$

wo das Vorzeichen gleich dem Vorzeichen von $D_0\, h_1\, h_2$ zu setzen ist, genügt der Relation

$$'D\, h\, h_1\, h_2 = D'\, h\, h_1\, h_2 - D\, h_1\, \Gamma\, h_2\, h + D\, h_2\, \Gamma\, h_1\, h = 0.$$

4. Man beweise die sog. *Bianchi-Identität*

$$'\underset{4}{R}\, h_1\, h_2\, h_3\, h_4\, h_5 + '\underset{4}{R}\, h_2\, h_3\, h_1\, h_4\, h_5 + '\underset{4}{R}\, h_3\, h_1\, h_2\, h_4\, h_5 = 0.$$

5. Man zeige, daß die vom Punkte p_0 der m-dimensionalen zweimal stetig differenzierbaren Mannigfaltigkeit F^m ausgehende geodätische Linie eindeutig gegeben ist, falls man die Richtung der Tangente im Anfangspunkt p_0 vorgibt. Diese geodätischen Linien bilden ein Feld, welches eine gewisse Umgebung von p_0 schlicht überdeckt.

Anleitung. Im Parameterraum R_x^m, wo p_0 den Repräsentanten x_0 hat, lautet die Gleichung der geodätischen Linien

$$x'' + \Gamma x' x' = 0, \tag{a}$$

wo $x' = dx/d\sigma$ (σ Bogenlänge). Für einen beliebigen Parameter τ hat man ($\dot{x} = dx/d\tau$)

$$x' = \frac{\dot{x}}{\dot{\sigma}}, \qquad x'' = \frac{\dot{\sigma}\ddot{x} - \ddot{\sigma}\dot{x}}{\dot{\sigma}^3},$$

und die Gleichung (a) wird

$$\ddot{x} + \Gamma \dot{x}\dot{x} = \frac{\ddot{\sigma}}{\dot{\sigma}}\dot{x}. \tag{b}$$

Die Gleichung (a) ist also nur dann der Form nach invariant, wenn $\ddot{\sigma} = 0$, $\sigma = \alpha\tau + \beta$, d. h. wenn der Parameter, bis auf eine triviale Normierung, gleich der Bogenlänge σ ist.

Andererseits gilt: wenn $x = x(\tau)$ die Gleichung

$$\ddot{x} + \Gamma \dot{x}\dot{x} = 0 \tag{c}$$

erfüllt, so ist der Parameter τ (bis auf eine affine Transformation) gleich der Bogenlänge der Kurve $x = x(\tau)$. Denn $\dot{\sigma}^2 = G\dot{x}\dot{x}$, und es wird nach (c)

$$\frac{d(\dot{\sigma}^2)}{d\tau} = \frac{dG}{dx}\dot{x}\dot{x}\dot{x} + 2G\dot{x}\ddot{x} = \frac{dG}{dx}\dot{x}\dot{x}\dot{x} - 2G\dot{x}\Gamma\dot{x}\dot{x} = 0,$$

folglich $\dot{\sigma} = \alpha$, $\sigma = \alpha\tau + \beta$.

Die Gleichung (c) ist mit dem Normalsystem

$$\dot{x} = u, \qquad \dot{u} = -\Gamma u u$$

äquivalent, dessen Lösung eindeutig bestimmt ist, falls die Anfangswerte $x_0 = x(\tau_0)$, $\dot{x}_0 = \dot{x}(\tau_0)$ gegeben sind. Daraus folgt der erste Teil der Behauptung.

Für den Beweis der Feldeigenschaft der Lösungen in der Umgebung des Punktes x_0 setze man $\tau_0 = \sigma_0 = 0$ und nehme als Anfangstangente $\dot{x}(0)$ einen Einheitsvektor $e(G(x_0)ee = 1)$. Bezeichnet $x = x(\tau)$ die den Anfangsbedingungen $x(0) = x_0$, $\dot{x}(0) = e$ genügende Lösung der Gleichung (c), so ist $\beta = 0$ und $\alpha = 1$, somit $\tau = \sigma$.

Jedem e mit $G(x_0)ee = 1$ entspricht für genügend kleines $\sigma < \sigma^*$ ein wohlbestimmter Punkt $x = x(\sigma; e)$. Setzt man $\sigma e = t$, so ist also

$$x = x(t) \qquad \left(x(0) = x_0\right)$$

eine in der Kugel $|t| < \sigma^*$ des mit $G(x_0)$ metrisierten Raumes R_t^m wohlbestimmte Selbstabbildung in dem mit $G(x)$ metrisierten Raum R_x^m. Da ferner die Lösungen der Gleichung (c) (= (a)), genügende Differenzierbarkeit des Tensors $G(x)$ vorausgesetzt, in bezug auf σ und e differenzierbar sind, so existiert die Ableitung dx/dt. Sie reduziert sich für $t = 0$ auf die identische Transformation und ist somit regulär. Dann folgt aus dem Umkehrsatz in II.4.2, daß in einer gewissen Umgebung des Punktes x_0

$$t = t(x) \qquad \bigl(t(x_0) = 0\bigr)$$

eindeutig (und differenzierbar) ist: Durch jeden Punkt x dieser Umgebung geht somit genau eine von x_0 ausgehende geodätische Linie, nämlich diejenige mit der Einheitstangente e im Punkte x_0, wobei $e = t(x)/\sqrt{G(x_0)\,t(x)\,t(x)} = t(x)/\sigma(x)$.

6. Die kürzeste Verbindungslinie zwischen zwei genügend nahe aneinander liegenden Punkten einer Mannigfaltigkeit F^m ist geodätisch.

Anleitung. Ohne allgemeine Prinzipien der Variationsrechnung heranzuziehen kann die Behauptung auf dem folgenden direkten Wege bewiesen werden.

Sei p_0 ein Punkt auf F^m und x_0 dessen Repräsentant in R^m_x. Die von x_0 ausgehenden geodätischen Linien bilden nach obigem ein Feld: wenn also τ einen beliebigen für diese Feldkurven *gemeinsamen* Parameter bezeichnet, so kann für jedes x einer gewissen Umgebung von x_0 die Anfangstangente $\dot{x}(0)$ $(\dot{x}(\tau) = dx/d\tau)$ in eindeutiger Weise so angenommen werden, daß die geodätische Linie $x = x\bigl(\tau;\, \dot{x}(0)\bigr)$ den Punkt $x_0 = x\bigl(0;\, \dot{x}(0)\bigr)$ mit x verbindet.

Es sei $dx = h$ ein festes Differential. Beachtet man, daß das entsprechende Differential

$$d\dot{x} = \frac{d}{dx}\left(\frac{dx}{d\tau}\right) h = \frac{d}{d\tau}\left(\frac{dx}{dx}\, h\right) = \frac{dh}{d\tau} = 0$$

und

$$\frac{d}{d\tau}(d\sigma) = \frac{d}{d\tau}\left(\frac{d\sigma}{dx}\, h\right) = \frac{d}{dx}\left(\frac{d\sigma}{d\tau}\right) h = d\dot{\sigma},$$

so ergibt die Differentiation der Gleichung $\dot{\sigma}^2 = G\,\dot{x}\,\dot{x}$ mit dem Differential dx

$$\begin{aligned} 2\dot{\sigma}\,\frac{d}{d\tau}(d\sigma) &= d(\dot{\sigma}^2) \\ &= \frac{dG}{dx}\, dx\,\dot{x}\,\dot{x} + 2G\,\dot{x}\,d\dot{x} = \frac{dG}{dx}\, dx\,\dot{x}\,\dot{x} = \dot{\sigma}^2\,\frac{dG}{dx}\, dx\, x'\, x' \end{aligned}$$

$(x' = dx/d\sigma)$, also

$$2\,\frac{d}{d\tau}(d\sigma) = \dot{\sigma}\,\frac{dG}{dx}\, dx\, x'\, x'.$$

Hier ist (vgl. (3.5))

$$\frac{dG}{dx}\, dx\, x'\, x' = 2\,\frac{dG}{dx}\, x'\, x'\, dx - 2G\, dx\, \Gamma\, x'\, x',$$

so daß schließlich

$$\frac{d}{d\tau}(d\sigma) = \dot{\sigma}\left(\frac{dG}{dx}x'\,x'\,dx - G\,dx\,\Gamma\,x'\,x'\right)$$

wird.

Dieses Ergebnis gilt, genügende Differenzierbarkeit vorausgesetzt, bei gegebenem G für jedes Kurvenfeld. Sind die Kurven insbesondere geodätisch, so ist $\Gamma\,x'\,x' = -x''$, und die obige Gleichung ergibt

$$\frac{d}{d\tau}(d\sigma) = \dot{\sigma}\left(\frac{dG}{dx}x'\,x'\,dx + G\,x''\,dx\right) = \frac{d\sigma}{d\tau}\,\frac{d}{d\sigma}(G\,x'\,dx)$$

$$= \frac{d}{d\tau}(G\,x'\,dx),$$

woraus zu sehen ist, daß die Differenz $d\sigma - G\,x'\,dx$ auf dem die Punkte x_0 und x verbindenden geodätischen Bogen konstant ist. Für $\tau \to 0$, $\sigma \to 0$ und $x \to x_0$ ist aber

$$G(x)\,x'(\sigma)\,dx \to G(x_0)\,e\,dx,$$

wo $e = x'(0)$ die Einheitstangente des Bogens im Anfangspunkt x_0 bezeichnet. Da ferner $(\sigma(x))^2$ in der Nähe von x_0 mit $G(x_0)\,x\,x$ ersetzt werden kann, so ist für $x \to x_0$ auch

$$d\sigma(x) = \frac{d\sigma}{dx}dx \to G(x_0)\,e\,dx,$$

und die obige Differenz somit auf dem ganzen geodätischen Bogen $= 0$ folglich

$$d\sigma(x) = G(x)\,x'(\sigma)\,dx,$$

wo $x'(\sigma)$ die Einheitstangente der durch x gehenden geodätischen Linie in diesem Punkt bezeichnet und dx ein beliebiges Differential, $d\sigma(x)$ das entsprechende Differential der Feldfunktion ist.

Hieraus folgt vermittels der Schwarzschen Ungleichung

$$|d\sigma|^2 \leqq G(x)\,x'\,x'\,G(x)\,dx\,dx = G(x)\,dx\,dx = |dx|^2,$$

somit $|d\sigma| \leqq |dx|$, wo $|dx|$ die in der Metrik $G(x)$ gemessene Länge des Linienelementes dx am Orte x bezeichnet. Aus dieser Ungleichung ergibt sich die Behauptung unmittelbar.

§ 8. Der Satz von Gauß-Bonnet

8.1. Der geodätische Krümmungsvektor. Ein regulärer, zweimal differenzierbarer Bogen auf der Mannigfaltigkeit F^m möge im Parametergebiet G_x^m $(\subset R_x^m)$ die Gleichung $x = x(\sigma)$ haben, wo σ die Bogenlänge bezeichnet. Der kontravariante Vektor

$$g(x) \equiv x'' + \Gamma\,x'\,x' = '(x')\,x' \qquad \left(x' = \frac{dx}{d\sigma}\right) \tag{8.1}$$

verschwindet, wenn der Bogen geodätisch ist, und gibt also ein Maß für die Krümmung der Kurve in der Metrik $G(x)$. Man nennt ihn den *geodätischen Krümmungsvektor* des Bogens im Punkte $x = x(\sigma)$.

Aus der Identität $G\,x'x' = 1$ folgt durch Differentiation nach σ

$$0 = \frac{dG}{dx}\,x'x'x' + 2G\,x'x'' = 2G\,x'(x'' + \Gamma\,x'x') = 2G\,x'g,$$

woraus zu sehen ist, daß der geodätische Krümmungsvektor eine Normale des Bogens $x = x(\sigma)$ ist.

8.2. Die totale geodätische Krümmung. Im folgenden soll die Dimension m der Mannigfaltigkeit F^m gleich 2 angenommen werden.

Wir betrachten auf der Fläche F^2 eine Umgebung, die dem Gebiet G_x^2 im Parameterraum R_x^2 entspricht. Zur Orientierung führen wir in R_x^2 eine beliebige nichtausgeartete reelle alternierende Form $D_0\,h_1\,h_2$ ein $(h_i \in R_x^2)$. Setzt man dann

$$\det\left(G(x)\,h_i\,h_j\right) = \left(D(x)\,h_1 h_2\right)^2, \tag{8.2}$$

wo $D(x)\,h_1\,h_2$ das Vorzeichen von $D_0\,h_1\,h_2$ haben soll, so ist $D(x)\,h_1\,h_2$ eine für jedes $x \in G_x^2$ bestimmte Bilinearform, die alternierend und nichtausgeartet ist. Im folgenden bezeichnen wir mit $[h_1\,h_2]$ den von den Vektoren h_1, h_2 gebildeten Winkel, der in der von dem Fundamentaltensor $G(x)$ bestimmten lokal euklidischen Metrik durch die Relationen

$$\begin{aligned} |h_1|\,|h_2|\sin[h_1\,h_2] &= D\,h_1\,h_2, \\ |h_1|\,|h_2|\cos[h_1\,h_2] &= G\,h_1\,h_2 \end{aligned} \tag{8.3}$$

modulo 2π eindeutig bestimmt ist $(|h_i|^2 = G\,h_i\,h_i)$.

Sei nun $x = x(\sigma)$ ein zweimal stetig differenzierbarer Kurvenbogen in G_x^2, der die Punkte $x_1 = x(\sigma_1)$ und $x_2 = x(\sigma_2)$ verbindet. Da der geodätische Krümmungsvektor $g(x)$ in jedem Punkt der Kurve eine Normale der Kurventangente $dx = x'(\sigma)\,d\sigma$ ist, so ist gemäß der ersten Formel (8.3)

$$D\,dx\,g = |dx|\,|g|\sin[dx\;g] = \pm|g|\,d\sigma,$$

wo $|g|^2 = G\,g\,g$ und das Vorzeichen $\pm$ in jedem Punkt des Bogens durch das Vorzeichen von $D_0\,dx\,g$ festgelegt ist. Das Integral

$$\int\limits_{x_1 x_2} D(x)\,dx\,g(x) = \int\limits_{\sigma_1}^{\sigma_2} \pm\,|g(x(\sigma))|\,d\sigma \tag{8.4}$$

heißt die *totale geodätische Krümmung* des Bogens $x = x(\sigma)$, in bezug auf die Metrik $G(x)$ und auf die Orientierung D_0 der Ebene R_x^2.

8.3. Berechnung der totalen geodätischen Krümmung. Wir wollen einen für das folgende wichtigen Ausdruck für die totale geodätische Krümmung (8.4) herleiten.

Hierzu betrachten wir auf dem Bogen $x = x(\sigma)$ zwei beliebige kontravariante und stetig differenzierbare Vektorfelder $u(x)$, $v(x)$, die wir auf die Länge 1 in bezug auf die Metrik $G(x)$ normieren,

$$G u u = G v v = 1, \tag{8.5}$$

und berechnen die Ableitung des von den Vektoren u, v gebildeten Winkels $[u\,v]$, der gemäß (8.3) und (8.5) durch die Relationen

$$\sin[u\,v] = D\,u\,v, \qquad \cos[u\,v] = G\,u\,v$$

modulo 2π in jedem Punkt des Bogens $x = x(\sigma)$ bestimmt ist. Differenziert man die erste dieser Formeln nach σ, so wird, bei Beachtung der Aufgabe 3 in 7.7

$$G\,u\,v\,\frac{d[u\,v]}{d\sigma} = D\,u('v\,x') - D\,v('u\,x').$$

Infolge (8.5) sind hier u und der durch kovariante Differentiation erhaltene kontravariante Vektor

$$'u\,x' = \frac{du}{d\sigma} + \Gamma\frac{dx}{d\sigma}u$$

und desgleichen v und $'v\,x'$ aufeinander senkrecht $\big(G\,u\,('u\,x') = G\,v('v\,x') = 0\big)$, folglich

$$u = G\,u\,v\,v + \frac{G\,u('v\,x')}{|'v\,x'|^2}\,'v\,x', \qquad v = G\,v\,u\,u + \frac{G\,v('u\,x')}{|'u\,x'|^2}\,'u\,x'.$$

Wird dies in die obige Gleichung eingesetzt, so ergibt sich die Formel

$$\frac{d[u\,v]}{d\sigma} = D\,v('v\,x') - D\,u('u\,x'). \tag{8.6}$$

Nimmt man in dieser Formel speziell

$$v = x' = \frac{dx}{d\sigma},$$

so daß gemäß (8.1) $D\,v('v\,x') = D\,x'\,g$ wird, so ergibt sich für die totale geodätische Krümmung der Kurve $x = x(\sigma)$ der gesuchte Ausdruck

$$\int_{x_1\,x_2} D\,dx\,g = \int_{x_1\,x_2} D\,u('u\,dx) + \int_{x_1\,x_2} d[u\,x'], \tag{8.7}$$

der die Grundlage der folgenden Ausführungen bildet.

8.4. Fall einer geschlossenen Kurve. Wir werden jetzt die Formel (8.7) auf eine zweimal stetig differenzierbare geschlossene Kurve γ: $x = x(\sigma)$ $\big(x(\sigma_1) = x(\sigma_2)\big)$ anwenden. Da der Winkel $[u\,x']$ modulo 2π wohlbestimmt ist, so ist, wegen der Stetigkeit des Vektors u und der

Tangente x', sein Zuwachs auf dem geschlossenen Weg γ ein Multipel von 2π, und man hat

$$\int_\gamma D\,d\,x\,g = \int_\gamma D\,u('u\,d\,x) + 2\pi\nu, \tag{8.8}$$

wo ν eine ganze Zahl ist.

Dieses Ergebnis setzt voraus, daß die Kurve γ zweimal stetig differenzierbar ist. Wenn diese Eigenschaft nur *stückweise* gilt, so tritt eine Modifikation ein. Wir führen dies in dem Spezialfall aus, wo γ der Rand eines Dreieckes $s^2 = s^2(x_1, x_2, x_3)$ ist, unter der zusätzlichen Annahme, daß das Vektorfeld u nicht nur auf $\gamma = \partial s^2$, sondern *auf dem ganzen abgeschlossenen Simplex* s^2 *stetig differenzierbar* ist. Die Eckpunktfolge x_1, x_2, x_3 wollen wir dabei so festlegen, daß die durch D_0 induzierte Orientierung von ∂s^2 die positive ist.

Wir gehen von der Formel (8.7) aus und setzen sie für die drei Kanten $x_i\,x_{i+1}$ $(i = 1, 2, 3;\ x_4 = x_1)$ an. Durch Summation erhält man

$$\int_{\partial s^2} D\,d\,x\,g = \int_{\partial s^2} D\,u('u\,d\,x) + \sum_{i=1}^{3} \int_{x_i\,x_{i+1}} d[u\,x']. \tag{8.9}$$

Hier hat der Winkel $[u\,x']$ in den Eckpunkten x_i einen Sprung, der (modulo 2π) gleich dem in der Metrik $G(x_i)$ gemessenen Drehungswinkel ist, den der Tangentialvektor x' an x_i erfährt. Ist der entsprechende Innenwinkel des Dreieckes gleich ω_i, so ist jener Drehungswinkel $\pi - \omega_i$, und man hat also

$$\sum_{i=1}^{3} \int_{x_i\,x_{i+1}} d[u\,x'] = \int_{\partial s^2} d[u\,x'] - 3\pi + \Omega, \tag{8.9'}$$

wo Ω die Winkelsumme des Dreieckes s^2 in der Metrik $G(x)$ angibt und das Randintegral rechts im Stieltjesschen Sinn zu nehmen ist, unter Mitberücksichtigung der Eckpunktssprünge $\pi - \omega_i$. Da u und die Tangente x' nach einem vollen Umlauf auf ∂s^2 in ihre Anfangslagen zurückkehren, so ist dieses Stieltjes-Integral jedenfalls ein ganzes Vielfaches von 2π,

$$\int_{\partial s^2} d[u\,x'] = 2\pi\nu. \tag{8.10}$$

Wir werden zeigen, daß hier $\nu = 1$.

Zum Beweis zerlegen wir s^2 in vier Teildreiecke s_j^2 $(j = 1, 2, 3, 4)$, indem wir durch den Mittelpunkt jeder Kante von s^2 die Parallelen zu den zwei übrigen Kanten ziehen. Das Integral (8.10) über den Rand ∂s_j^2 habe den Wert $2\pi\,\nu_j$, so daß

$$\sum_{j=1}^{4} \int_{\partial s_j^2} d[u\,x'] = 2\pi \sum_{j=1}^{4} \nu_j.$$

In einem Kantenmittelpunkt haben die angrenzenden drei Winkel die Summe π, und der entsprechende Beitrag dieser drei Eckpunktssprünge der Teildreiecke zu der Summe links ist somit $3(3\pi - \pi) = 6\pi$. Da die von den inneren Kanten herrührenden Beiträge sich bei der Summation aufheben, so ist hiernach die obige Summe genau um 6π größer als das Integral (8.10), also $\nu = \sum_{j=1}^{4} \nu_j - 3$ und

$$\nu - 1 = \sum_{j=1}^{4} (\nu_j - 1).$$

Hieraus folgt, daß

$$|\nu - 1| \leqq \sum_{j=1}^{4} |\nu_j - 1| \leqq 4|\nu_1 - 1|,$$

wenn $|\nu_1 - 1|$ die größte der Zahlen $|\nu_j - 1|$ bezeichnet. Indem man das so eingeschlagene „Goursatsche Verfahren" wiederholt, erhält man eine unendliche Folge ineinandergeschachtelter Dreiecke s_n^2, die gegen einen Punkt x_0 des abgeschlossenen Dreieckes s^2 konvergieren, und es ist

$$|\nu - 1| \leqq 2^{2n} |\nu_n - 1|,$$

wo

$$\int_{\partial s_n^2} d[u\, x'] = 2\pi\, \nu_n.$$

Dieses Integral hat aber für ein genügend großes $n \geqq n_0$ den Wert 2π. Denn schließlich liegt das Dreieck s_n^2 in einer beliebig kleinen Umgebung des Punktes x_0 und wegen der Stetigkeit von $u(x)$ und der metrischen Grundform $G(x)$ unterscheidet sich das obige Integral beliebig wenig von dem Integral

$$\int_{\partial s_n^2} d[u_0\, x']_0,$$

wo $u_0 = u(x_0)$ und der Winkel $[u_0\, x']_0$ in der *konstanten* euklidischen Metrik $G(x_0)$ gemessen ist. Dieses Integral ist offenbar gleich 2π.

Hiernach ist $\nu_n - 1 = 0$ für $n \geqq n_0$ und aus der obigen Ungleichung für $|\nu - 1|$ folgt somit $\nu = 1$, w. z. b. w.

Wird der Wert 2π des Stieltjes-Integrals (8.10) in (8.9′) und (8.9) eingesetzt, so nimmt die Relation (8.9) die Form

$$\int_{\partial s^2} D\, d\, x\, g = \int_{\partial s^2} D\, u(' u\, d\, x) + \Omega - \pi \tag{8.11}$$

an.

8.5. Der Satz von Gauß-Bonnet. Wir kommen zur Berechnung des Integrals

$$\int_{\partial s^2} D\, u(' u\, d\, x)$$

rechts in der Formel (8.11). Hierzu benutzen wir die Stokessche Transformationsformel, deren Anwendung auf die Linearform

$$A\,dx \equiv Du('u\,dx)$$

erlaubt ist, wenn wir z. B. zweimalige stetige Differenzierbarkeit des auf dem Simplex s^2 gegebenen Einheitsfeldes $u = u(x)$ voraussetzen. Man bemerke, daß diese Voraussetzung keine Einschränkung bedeutet; denn aus der Formel (8.11) ist im voraus die bemerkenswerte Tatsache abzulesen, daß der Wert des obigen Randintegrals von der Wahl des Vektorfeldes u gar nicht abhängt, sofern es nur einmal stetig differenzierbar ist.

Zur Berechnung des Operators $\operatorname{rot} A$ benutzen wir wieder die Formel der Aufgabe 3 in 7.7, wonach für $h, k \in R_x^2$

$$A'hk - A\Gamma hk = 'Ahk = Du(''uhk) + D('uh)('uk)$$

wird; $''u$ bezeichnet die zweite kovariante Ableitung des kontravarianten Vektors u.

Nun besteht für drei beliebige Vektoren $a, b, c \in R_x^2$ die Formel[1]

$$GccDab = DcbGca - DcaGcb,$$

woraus mit $a = 'u\,h$, $b = 'u\,k$, $c = u$, wegen $Guu = 1$ und $Gu('u\,dx) = 0$,

$$D('uh)('uk) = 0$$

folgt. Bei Beachtung der Aufgabe 2 in 7.7 wird somit

$$2\operatorname{rot} A\,hk = 2Du \wedge ''uhk = Du \overset{1}{\underset{3}{R}} hku,$$

wo $\overset{1}{\underset{3}{R}}$ der durch (6.3) definierte gemischte Riemannsche Tensor ist.

Um weiter zu kommen, nehmen wir jetzt einen zu u orthogonalen Einheitsvektor v, so daß $Guv = 0$, $Duv = 1$. Dann wird nach obigem

$$2\operatorname{rot} A\,hk = |\overset{1}{\underset{3}{R}} hku| \sin[u\ \overset{1}{\underset{3}{R}} hku] = |\overset{1}{\underset{3}{R}} hku| \cos[v\ \overset{1}{\underset{3}{R}} hku]$$
$$= Gv \overset{1}{\underset{3}{R}} hku = \underset{4}{R} hkuv,$$

wo $\underset{4}{R}$ der kovariante Riemannsche Tensor ist (vgl. (6.4)). Da dieser Tensor in h und k alternierend ist, so ist der Quotient $\underset{4}{R}\,hkuv\,/\,D\,hk$

---

[1] Setzt man $G.aa = |a|^2$, $Gbb = |b|^2$, $Gcc = |c|^2$, so wird gemäß (8.3)

$$DcbGca - DcaGcb = |a|\,|b|\,|c|^2 (\sin[cb]\cos[ca] - \sin[ca]\cos[cb])$$
$$= |a|\,|b|\,|c|^2 \sin([cb] - [ca]) = |a|\,|b|\,|c|^2 \sin[ab] = GccDab$$

von h und k unabhängig, und man findet mit Rücksicht auf den Ausdruck (6.6) für die Gaußsche Krümmung $K(x)$

$$\underset{4}{R} h k u v = \frac{\underset{4}{R} h k u v}{D h k} D h k = \frac{\underset{4}{R} u v u v}{D u v} D h k$$

$$= \underset{4}{R} u v u v D h k = - K D h k .$$

Da ferner das orientierte Flächenelement df (der Inhalt des von den Differentialen h und k aufgespannten Simplexes) gemäß der ersten Formel (8.3) gleich $D\,h\,k/2$ ist, so ergibt der Stokessche Satz schließlich

$$\int_{\partial s^2} D u ('u\,d x) = \int_{\partial s^2} A\,d x = \int_{s^2} \operatorname{rot} A\, d_1 x\, d_2 x = - \int_{s^2} K\,d f .$$

Verbindet man dieses Ergebnis mit der Formel (8.11), so kommt man zu dem *Satz von Gauß-Bonnet:*

$$\int_{\partial s^2} D(x)\,d x\,g(x) + \int_{s^2} K(x)\,d f = \Omega - \pi . \tag{8.12}$$

Die Glieder links sind: die totale geodätische Krümmung des Randes ∂s^2 und die totale Gaußsche Krümmung des Simplexes s^2. Die Summe dieser zwei Krümmungen ist gleich dem in der Metrik $G(x)$ gemessenen *Winkelexzeß* $\Omega - \pi$ des Dreieckes s^2.

8.6. Erweiterungen. Aus der Formel von Gauß-Bonnet ergibt sich eine entsprechende allgemeine Relation für ein Polygon $\pi^2 \subset R_x^2$. Hierzu hat man das Polygon zu triangulieren und die Formel (8.12) für die einzelnen Teilsimplexe s^2 der Zerlegung zu addieren. Es wird so

$$\int_{\partial \pi^2} D\,d x\,g + \int_{\pi^2} K\,d f = \sum_{s^2} (\Omega - \pi) .$$

Zur Auswertung der letzten Summe bezeichne man durch $\alpha_0, \alpha_1, \alpha_2$ die Anzahlen der Ecken, Kanten und Dreiecke des Polyeders, welches aus π^2 durch die Triangulation entsteht. Wenn α_{01}, α_{02} die Anzahlen der inneren bzw. der Randecken des Polyeders sind, so hat man

$$\alpha_0 = \alpha_{01} + \alpha_{02} \quad \text{und} \quad 3\alpha_2 - 2\alpha_1 + \alpha_{02} = 0 .$$

Wir erhalten jetzt

$$\sum_{s^2} (\Omega - \pi) = \sum_{s^2} \Omega - \pi\,\alpha_2 = 2\pi\,\alpha_{01} + \sum \omega - \pi\,\alpha_2 ,$$

wo ω die Winkel des Polygons π^2 sind. Führt man noch die Nebenwinkel $\varphi = \pi - \omega$ der Winkel ω ein, so ist

$$\sum \omega = \pi\,\alpha_{02} - \sum \varphi ,$$

und der obige Ausdruck ist also gleich

$$2\pi\alpha_{01} + \pi\alpha_{02} - \pi\alpha_2 - \sum\varphi = 2\pi\alpha_0 - \pi\alpha_2 - \pi\alpha_{02} - \sum\varphi$$
$$= 2\pi(\alpha_0 - \alpha_1 + \alpha_2) - \sum\varphi - \pi(3\alpha_2 - 2\alpha_1 + \alpha_{02}) = -2\pi\chi - \sum\varphi,$$

wo

$$\chi = -\alpha_0 + \alpha_1 - \alpha_2$$

die *Eulersche Charakteristik* der Polyederfläche π^2 bezeichnet.

Zusammenfassend ergibt sich so die Formel von Gauß-Bonnet für das Polygon π^2

$$\int_{\partial\pi^2} D\,d\,x\,g + \int_{\pi^2} K\,d\,f + 2\pi\chi + \Phi = 0, \tag{8.12'}$$

wo χ die Charakteristik und $\Phi = \sum\varphi$ die Summe der Nebenwinkel des Polygons sind.

Der Satz von Gauß-Bonnet hat die wichtige Eigenschaft, daß sämtliche darin stehende vier Glieder gegenüber zweimal stetig differenzierbaren Transformationen der Veränderliche x invariant sind. Daraus folgt, daß der Satz unverändert auch für ein Kurvenpolygon π^2 besteht, dessen Randseiten $x = x(\sigma)$ zweimal stetig differenzierbar sind. Damit ist auch die Gültigkeit des Satzes für beliebige triangulierbare Polygone π^2 auf der Mannigfaltigkeit F^2 gezeigt. Man braucht nur π^2 so fein zu zerlegen, daß die einzelnen Dreiecke in je einer Parameterumgebung liegen, und die Summation der Dreiecksformeln von Gauß-Bonnet ergibt diesen Satz für π^2.

Die obigen Ausführungen gestalten sich besonders einfach für eine triangulierbare *geschlossene* Fläche F^2. In diesem Fall findet man

$$\int_{F^2} K\,d\,f = -2\pi\chi.$$

Literaturverzeichnis

BARTLE, R. G.: [1] Implicit functions and solutions of equations in groups. Math. Z. **62**, 335—346 (1955). — [2] On the openness and inversion of differentiable mappings. Ann. Acad. Sci. Fenn. A I **257** (1958).

BOURBAKI, N.: [1] Éléments de mathématique. VII. Algèbre multilinéaire. Actualités Sci. Ind. **1044**, Paris: Hermann (1948).

DUNFORD, N., u. J. T. SCHWARTZ (unter Mitarbeit von W. G. BADE u. R. G. BARTLE): [1] Linear operators. I. General theory. Pure Appl. Math. **7**, New York/London: Interscience (1958).

FISCHER, H. R.: [1] Differentialkalkül für nicht-metrische Strukturen. Ann. Acad. Sci. Fenn. A I **247** (1957). — [2] Differentialkalkül für nicht-metrische Strukturen. II. Differentialformen. Arch. Math. **8**, 428—443 (1957).

GRAEUB, W.: [1] Lineare Algebra. Grundlehren Math. Wiss. **97**, Berlin/Göttingen/Heidelberg: Springer (1958).

GRAEUB, W., u. R. NEVANLINNA: [1] Zur Grundlegung der affinen Differentialgeometrie. Ann. Acad. Sci. Fenn. A I **224** (1956).

HILLE, E., u. R. S. PHILLIPS: [1] Functional analysis and semi-groups. Colloquium Publ. **31**, Providence (R. I.): Amer. Math. Soc. (1957). Zweite revidierte Auflage von dem gleichnamigen Buch von E. HILLE.

LAUGWITZ, D.: [1] Differentialgeometrie ohne Dimensionsaxiom. I. Tensoren auf lokal-linearen Räumen. Math. Z. **61**, 100—118 (1954). — [2] Differentialgeometrie ohne Dimensionsaxiom. II. Riemannsche Geometrie in lokal-linearen Räumen. Math. Z. **61**, 134—149 (1954).

MICHAL, A. D., u. V. ELCONIN: [1] Completely integrable differential equations in abstract spaces. Acta Math. **68**, 71—107 (1937).

NEVANLINNA, F.: [1] Über die Umkehrung differenzierbarer Abbildungen. Ann. Acad. Sci. Fenn. A I **245** (1957). — [2] Über absolute Analysis. Treizième Congrès des Mathématiciens Scandinaves à Helsinki 1957, 178—197, Helsingfors (1958).

NEVANLINNA, F. u. R.: [1] Über die Integration eines Tensorfeldes. Acta Math. **98**, 151—170 (1957).

NEVANLINNA, R.: [1] Bemerkung zur Funktionalanalysis. Math. Scand. **1**, 104—112 (1953). — [2] Bemerkung zur absoluten Analysis. Ann. Acad. Sci. Fenn. A I **169** (1954). — [3] Über die Umkehrung differenzierbarer Abbildungen. Ann. Acad. Sci. Fenn. A I **185** (1955). — [4] Über den Satz von Stokes. Ann. Acad. Sci. Fenn. A I **219** (1956). — [5] Zur Theorie der Normalsysteme von gewöhnlichen Differentialgleichungen. Hommage à S. Stoïlow pour son 70e anniversaire. Rev. Math. Pures Appl. **2**, 423—428 (1957). — [6] Sur les équations aux dérivées partielles du premier ordre. C. R. Acad. Sci. Paris **247**, 1953—1954 (1958). — [7] Application d'un principe de E. Goursat dans la théorie des équations aux dérivées partielles du premier ordre. C. R. Acad. Sci. Paris **247**, 2087—2090 (1958). — [8] Über Tensorrechnung. Erscheint in den Rend. Circ. Mat. Palermo.

NIEMINEN, T.: [1] On decompositions of simplexes and convex polyhedra. Soc. Sci. Fenn. Comment. Phys.-Math. **20**:**5** (1957).

PÓLYA, G.: [1] Über die Funktionalgleichung der Exponentialfunktion im Matrizenkalkül. S.-B. Preuß. Akad. Wiss. Phys.-Math. Kl., 96—99 (1928).

ROTHE, E. H.: [1] Gradient mappings. Bull. Amer. Math. Soc. **59**, 5—19 (1953).

SEBASTIÃO E SILVA, J.: [1] Integração e derivação em espaços de Banach. Univ. Lisboa. Revista Fac. Ci. (2) A **1**, 117—166 (1950).

WHITNEY, H.: [1] Geometric integration theory. Princeton Math. Ser. **21**, Princeton (N. J.): Princeton Univ. Press (1957).

Namen- und Sachverzeichnis